スバラシク伸びると評判の

元気に伸びる数学I・A 問題集

馬場敬之（けいし）

マセマ出版社

◆ はじめに ◆

みなさん，こんにちは。数学の**馬場敬之（ばばけいし）**です。これまで発刊した**「元気が出る数学」シリーズ**は教科書レベルから易しい大学受験問題レベルまで無理なく実力を伸ばせる参考書として，沢山の読者の皆様にご愛読頂き，また数え切れない程の感謝のお便りを頂いて参りました。

しかし，このシリーズで学習した後で，**さらにもっと問題練習をするための問題集を出して欲しい**とのご要望もまたマセマに多数寄せられて参りました。この読者の皆様の強いご要望にお応えするために，今回

「元気に伸びる数学I・A 問題集 改訂4」を発刊することになりました。

これは「元気が出る数学」シリーズの準拠問題集で，**「元気が出る数学I・A」**で培(つちか)った実力を，着実に定着させ，さらに易しい受験問題を解くための応用力も身に付けることができるように配慮して作成しました。

もちろんマセマの問題集ですから，自作問も含め，**選りすぐりの119題の良問ばかり**を疑問の余地がないくらい，分かりやすく親切に解説しています。したがいまして，「元気が出る数学」シリーズで，まだあやふやだった知識や理解が不十分だったテーマも，この問題集ですべて解決することができるはずです。

また，この問題集は，**授業の補習や中間試験・期末試験，実力テスト**などの対策だけでなく，共通テストや**易しい大学なら十分合格できる**だけの実践力まで養うことができます。楽しみにして下さい。

数学の実力を伸ばす一番の方法は，体系だった数学の**様々な解法パターン**を**シッカリと身に付ける**ことです。解法の流れが明解に分かるように工夫して作成していますので，問題集ではありますが，物語を読むように，楽しみながら学習していって下さい。

この問題集は，数学Ⅰ・Aの全範囲を網羅する8つの章から構成されており，それぞれの章はさらに**「公式＆解法パターン」**と**「問題・解答＆解説編」**に分かれています。

まず，各章の頭にある「公式＆解法パターン」で基本事項や公式，および基本的な考え方を確認しましょう。それから「問題・解答＆解説編」で実際に問題を解いてみましょう。「問題・解答＆解説編」では各問題毎に3つのチェック欄がついています。

慣れていない方は初めから解答＆解説を見てもかまいません。そしてある程度自信が付いたら，今度は解答＆解説を見ずに**自力で問題を解いていきましょう。**チェック欄は3つ用意していますから，自力で解けたら“○”と所要時間を入れていくと，ご自身の成長過程が分かって良いと思います。3つのチェック欄にすべて“○”を入れられるように頑張りましょう！

本当に数学の実力を伸ばすためには，**「良問を繰り返し自力で解く」**ことに限ります。ですから，3つのチェック欄を用意したのは，最低でも3回は解いてほしいということであって，間違えた問題や納得のいかない問題は，その後何度でもご自身で納得がいくまで繰り返し解いてみることです。

マセマの問題集は非常に読みやすく分かりやすく作られていますが，その本質は，大学数学の分野で**「東大生が一番読んでいる参考書」**として知られている程，**その内容は本格的**なものなのです。

（「キャンパス・ゼミ」シリーズ販売実績　2021年度大学生協東京事業連合会調べによる。）

ですから，安心して，この**「元気に伸びる数学Ⅰ・A問題集 改訂4」**で勉強して，是非**自分自身の夢**を実現させて下さい。ボクを初め，スタッフ一同，読者の皆様の成長を心から楽しみにしています…。

マセマ代表 馬場 敬之(けいし)

この改訂4では，新たに三角比の図形への応用の補充問題と解答＆解説を加えました。

◆目　次◆

第 1 章
CHAPTER

1 数と式

▶ **乗法公式，因数分解公式**

$\left((a\pm b)^2=a^2\pm 2ab+b^2\right.$ など$)$

▶ **式の計算**

$\left(\sqrt{a+b\pm 2\sqrt{ab}}=\sqrt{a}\pm\sqrt{b}\right.$ など$\Big)$

▶ **1 次方程式，1 次不等式**

$(|2x-1|\leqq 3$ など$)$

第1章 数と式 ●公式&解法パターン

1. 指数法則 (m，n：自然数，$m \geqq n$ とする)

(1) $a^0 = 1$　(2) $a^m \times a^n = a^{m+n}$　(3) $(a^m)^n = a^{m \times n}$

(4) $(a \times b)^m = a^m \times b^m$　(5) $\dfrac{a^m}{a^n} = a^{m-n}$　(6) $\left(\dfrac{b}{a}\right)^m = \dfrac{b^m}{a^m}$

(ex) 指数法則を使って，次のように変形できる。

$$\frac{(-2a)^3}{3ab^2} \times \left(\frac{3ab^2}{2}\right)^2 = \underbrace{(-1)^3}_{-1} \cdot \underbrace{\frac{2^3 \times 3^2}{3 \times 2^2}}_{2^{3-2} \cdot 3^{2-1} = 6} \times \underbrace{\frac{a^3 \times a^2}{a}}_{a^{3+2-1}} \times \underbrace{\frac{b^4}{b^2}}_{b^{4-2}} = -6a^4b^2$$

符号(⊕，⊖)，数値，文字(a，b，…)の順に計算しよう。

2. 因数分解公式と乗法公式

(1) $ma + mb = m(a+b)$　(m：共通因数)

(2) $a^2 + 2ab + b^2 = (a+b)^2$，　$a^2 - 2ab + b^2 = (a-b)^2$

(3) $a^2 - b^2 = (a+b)(a-b)$

(4) $x^2 + (\underbrace{a+b}_{\text{たして}})x + \underbrace{ab}_{\text{かけて}} = (x+a)(x+b)$

$acx^2 + (ad+bc)x + bd = (ax+b)(cx+d)$

a ＼／ $b \longrightarrow bc$
c ／＼ $d \longrightarrow ad$ (+
$ad + bc$

← たすきがけ

(5) $a^2 + b^2 + c^2 + 2ab + 2bc + 2ca = (a+b+c)^2$

(6) $a^3 + 3a^2b + 3ab^2 + b^3 = (a+b)^3$

$a^3 - 3a^2b + 3ab^2 - b^3 = (a-b)^3$

(7) $a^3 + b^3 = (a+b)(a^2 - ab + b^2)$

$a^3 - b^3 = (a-b)(a^2 + ab + b^2)$

(8) $a^3 + b^3 + c^3 - 3abc = (a+b+c)(a^2 + b^2 + c^2 - ab - bc - ca)$

3次式の因数分解公式は，数学Ⅱの範囲だけれど，数学Ⅰの範囲でも受験では出題される可能性が高いのでまとめて学習しておこう。

(8)は複雑な公式だけれど，試験によく出るので，シッカリ覚えておこう！

3. 実数（じっすう）の分類

実数は，有理数（整数と分数）と無理数からなる数のことで，次のように分類できる。

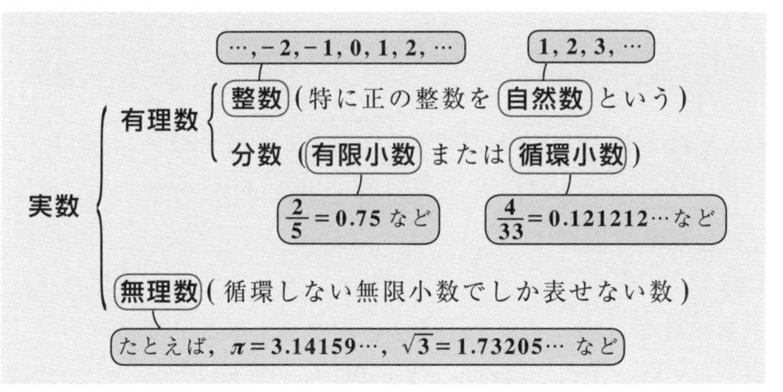

4. 平方根（へいほうこん）の計算

2 乗して $a\,(>0)$ になる数を $\sqrt{a}$ と表し，$\sqrt{a}$ を a の正の平方根，$-\sqrt{a}$ を a の負の平方根というんだね。

(1) $a>0$，$b>0$ のとき，次の平方根の公式も覚えよう。

(i) $\sqrt{a^2}=a$　　(ii) $\sqrt{a}\times\sqrt{b}=\sqrt{ab}$　　(iii) $\dfrac{\sqrt{b}}{\sqrt{a}}=\sqrt{\dfrac{b}{a}}$

(2) 分母が無理数である分数の分母を有理数にすることを有理化（ゆうりか）という。

$(ex)\ \sqrt{\dfrac{2}{3}}=\dfrac{\sqrt{2}\times\sqrt{3}}{\sqrt{3}\times\sqrt{3}}=\dfrac{\sqrt{6}}{3}$，$\dfrac{3}{\sqrt{5}-\sqrt{2}}=\dfrac{\cancel{3}(\sqrt{5}+\sqrt{2})}{(\sqrt{5}-\sqrt{2})(\sqrt{5}+\sqrt{2})}=\sqrt{5}+\sqrt{2}$

（分母：$5-2=\cancel{3}$）

5. 分数の計算

(i) $\dfrac{b}{a}+\dfrac{d}{c}=\dfrac{bc+ad}{ac}$　　(ii) $\dfrac{b}{a}-\dfrac{d}{c}=\dfrac{bc-ad}{ac}$

(iii) $\dfrac{b}{a}\times\dfrac{d}{c}=\dfrac{bd}{ac}$　　(iv) $\dfrac{b}{a}\div\dfrac{d}{c}=\dfrac{b}{a}\times\dfrac{c}{d}=\dfrac{bc}{ad}$

特に (iv) は，繁分数の計算公式として，次のように覚えておいてもいいよ。

$$\dfrac{\dfrac{b}{a}}{\dfrac{d}{c}}=\dfrac{bc}{ad}$$

分母の分母は上へ
分子の分母は下へ

6. 2重根号のはずし方

$a > b > 0$ のとき,

(i) $\sqrt{(a+b)+2\sqrt{ab}}=\sqrt{a}+\sqrt{b}$ 　(ii) $\sqrt{(a+b)-2\sqrt{ab}}=\sqrt{a}-\sqrt{b}$

（$a+b$：たして，ab：かけて，$\sqrt{a}$：大，$\sqrt{b}$：小）

(ex) $\sqrt{11+2\sqrt{30}}=\sqrt{6}+\sqrt{5}$,　$\sqrt{7-2\sqrt{12}}=\sqrt{4}-\sqrt{3}=2-\sqrt{3}$

（たして $6+5$，かけて 6×5 ／ たして $4+3$，かけて 4×3）

7. 対称式と基本対称式

対称式 (x^2+y^2, x^2y+xy^2 など，x と y を入れ替えても変化しない式) は，基本対称式 ($x+y$ と xy) のみの式で表すことができる。

(ex) $x^2+y^2=(x+y)^2-2xy$，$x^2y+xy^2=xy(x+y)$

8. 絶対値 $|a|$ の計算

$$|a|=\begin{cases} a & (a \geqq 0 \text{ のとき}) \\ -a & (a<0 \text{ のとき}) \end{cases}$$

(ex) $|3|=3$，$|\sqrt{5}|=\sqrt{5}$，$|-2|=2$，$|-\sqrt{7}|=\sqrt{7}$

絶対値の公式

(i) $|a|^2=a^2$ 　(ii) $\sqrt{a^2}=|a|$

$(\sqrt{a})^2$ の場合，自動的に $a \geqq 0$ となるので，$(\sqrt{a})^2=a$ だね。

・$a=3$ のとき $\sqrt{3^2}=\sqrt{9}=3$ 　・$a=-3$ のとき $\sqrt{(-3)^2}=\sqrt{9}=3$
となるので，これは $|\pm3|=3$ と同じなんだね。

9. 相加・相乗平均の不等式

$a \geqq 0$，$b \geqq 0$ のとき，

$a+b \geqq 2\sqrt{ab}$ が成り立つ。(等号成立条件：$a=b$)

$(\sqrt{a}-\sqrt{b})^2 \geqq 0$ より，
$a-2\sqrt{ab}+b \geqq 0$
$\therefore a+b \geqq 2\sqrt{ab}$ が導ける。

10. 1次方程式の解法

方程式 $A=B$ のとき，次のように変形できる。

(i) $A+C=B+C$，(ii) $A-C=B-C$

(iii) $C\cdot A=C\cdot B$，(iv) $\dfrac{A}{C}=\dfrac{B}{C}$ 　$(C \neq 0)$ 　が成り立つ。

(ex) $2x-3=5$ 　を解くと，$2x=5+3$ （両辺に 3 をたした）　$x=\dfrac{8}{2}=4$ （両辺を 2 で割った）

11. 1次方程式とグラフ

(*ex*) 方程式 $x+1=-2x+4$ を分解して

$$\begin{cases} y=x+1 \\ y=-2x+4 \end{cases}$$

としてグラフの交点を求めると $(1,\ 2)$ より，解 $x=1$ となる。

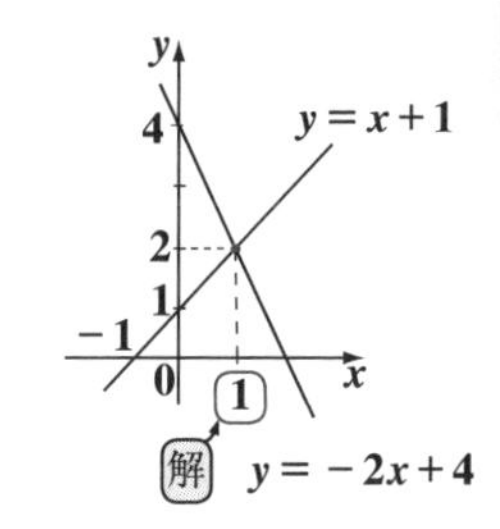

(*ex*)方程式 $x-1=x-1$ を分解して

$$\begin{cases} y=x-1 \\ y=x-1 \end{cases}$$

としてグラフを描くと，2 直線は一致するので，解 x は無数に存在し，**不定解**(ふていかい)をもつことになる。

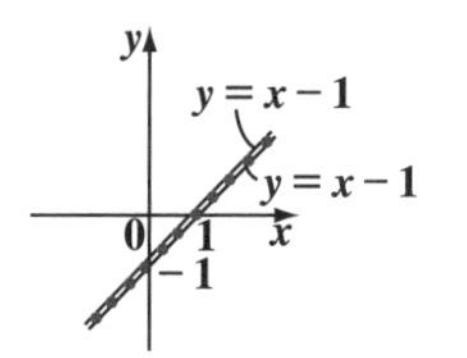

(*ex*)方程式 $x-1=x+1$ を分解して

$$\begin{cases} y=x-1 \\ y=x+1 \end{cases}$$

としてグラフを描くと，2 直線は平行となって共有点が存在しないので，**解**(かい)**なし**，または**不能**となる。

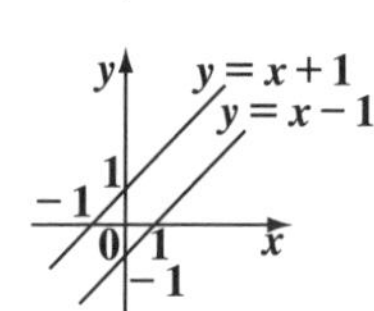

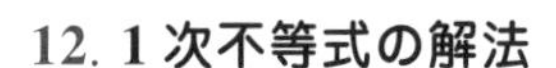

12. 1次不等式の解法

不等式 $A>B$ のとき，次のように変形できる。

(ⅰ) $A+C>B+C$

(ⅱ) $A-C>B-C$

(ⅲ) ・$C>0$ のとき

$CA>CB$

・$C<0$ のとき

$CA<CB$

(ⅳ) ・$C>0$ のとき

$\dfrac{A}{C}>\dfrac{B}{C}$

・$C<0$ のとき

$\dfrac{A}{C}<\dfrac{B}{C}$

1 次方程式や 1 次不等式の問題では，絶対値が入ったものがよく出題される。この後の元気力アップ問題 15，16 で練習しよう。

整式の展開

元気力アップ問題 1	難易度 ★	CHECK 1	CHECK 2	CHECK 3

次の各式を展開せよ。

(1) $(2x-1)(2x+1)(4x^2+1)$　　(2) $(a^2-2b+3c^2)^2$

(3) $(x^2-2x+3)(x^2+2x-3)$　　(4) $(x+1)(x+2)(x-3)(x-4)$

ヒント！ (1), (2), (3) は, $(a-b)(a+b)=a^2-b^2$ や $(a+b+c)^2=a^2+b^2+c^2+2ab+2bc+2ca$ を利用しよう。(4) ではまず, $(x+1)(x-3)$ と $(x+2)(x-4)$ の計算をするとうまくいくんだね。

解答＆解説

(1) $(2x-1)(2x+1)(4x^2+1)=(4x^2-1)(4x^2+1)$

$(2x)^2-1^2=4x^2-1$　　$(4x^2)^2-1^2$

$=16x^4-1$ ……………………………(答)

(2) $(a^2-2b+3c^2)^2=\{a^2+(-2b)+3c^2\}^2$

$=(a^2)^2+(-2b)^2+(3c^2)^2$

a^4　$4b^2$　$9c^4$

$+2a^2(-2b)+2(-2b)\cdot 3c^2+2\cdot 3c^2\cdot a^2$

$-4a^2b$　$-12bc^2$　$6c^2a^2$

$=a^4+4b^2+9c^4-4a^2b-12bc^2+6c^2a^2$ …(答)

(3) $(x^2-2x+3)(x^2+2x-3)$

$=\{x^2-(2x-3)\}\{x^2+(2x-3)\}$

$=(x^2)^2-(2x-3)^2=x^4-(4x^2-12x+9)$

$4x^2-12x+9$ ← $(a-b)^2=a^2-2ab+b^2$

$=x^4-4x^2+12x-9$ ……………………………(答)

(4) $(x+1)(x+2)(x-3)(x-4)$

$=(x+1)(x-3)\cdot(x+2)(x-4)$

(x^2-2x-3)　　(x^2-2x-8)

$=\{(x^2-2x)-3\}\{(x^2-2x)-8\}$

$=(x^2-2x)^2-11(x^2-2x)+24$

$=x^4-4x^3-7x^2+22x+24$ ……………(答)

ココがポイント

⇦公式：$(a-b)(a+b)=a^2-b^2$ を 2 回使えばいいんだね。

⇦公式：$(x+y+z)^2=x^2+y^2+z^2+2xy+2yz+2zx$ を利用しよう。

⇦x^2 を a, $2x-3$ を b とおくと, 公式：$(a-b)(a+b)=a^2-b^2$ が使える。

⇦まず $(x+1)(x-3)$ と $(x+2)\times(x-4)$ を計算して, 共通項 x^2-2x を導く。

⇦$x^2-2x=A$ とおくと, この式は $(A-3)(A-8)=A^2-11A+24$ となるんだね。

整式の展開

元気力アップ問題 2　難易度 ★　CHECK 1　CHECK 2　CHECK 3

次の各式を展開せよ。

(1) $(2x^2+\sqrt{3})^3$

(2) $(a-\sqrt{2})(a^2+\sqrt{2}a+2)(a^6+2\sqrt{2}a^3+8)$

(3) $(x-2y+1)(x^2+4y^2+2xy-x+2y+1)$

ヒント！ (1) は，公式 $(a+b)^3=a^3+3a^2b+3ab^2+b^3$ を，(2) は，公式 $(a-b)(a^2+ab+b^2)=a^3-b^3$ を利用しよう。(3) は，慣れないと，分かりづらいと思うけれど，長〜い公式 $(a+b+c)(a^2+b^2+c^2-ab-bc-ca)=a^3+b^3+c^3-3abc$ を用いるといいんだよ。

解答＆解説

(1) $(2x^2+\sqrt{3})^3$

$=\underbrace{(2x^2)^3}_{2^3\times x^{2\times3}}+\underbrace{3\cdot(2x^2)^2\cdot\sqrt{3}}_{3\cdot2^2\cdot\sqrt{3}\cdot x^{2\times2}}+\underbrace{3\cdot2x^2(\sqrt{3})^2}_{3^2\cdot2\cdot x^2}+\underbrace{(\sqrt{3})^3}_{3\sqrt{3}}$

$=8x^6+12\sqrt{3}x^4+18x^2+3\sqrt{3}$ ……………………(答)

(2) $\underbrace{(a-\sqrt{2})(a^2+\sqrt{2}\cdot a+2)}_{a^3-(\sqrt{2})^3}(a^6+2\sqrt{2}a^3+8)$

$=\underbrace{(a^3-2\sqrt{2})\{(a^3)^2+2\sqrt{2}\cdot a^3+(2\sqrt{2})^2\}}_{(a^3)^3-(2\sqrt{2})^3}$

$=a^9-16\sqrt{2}$ ……………………………………(答)

(3) $(x-2y+1)(x^2+4y^2+2xy-x+2y+1)$

$=\{x+(-2y)+1\}\{x^2+(-2y)^2+1^2$

$\quad-x\cdot(-2y)-(-2y)\cdot1-1\cdot x\}$

$=x^3+(-2y)^3+1^3-3\cdot x\cdot(-2y)\cdot1$

$=x^3-8y^3+6xy+1$ ………………………………(答)

ココがポイント

⇦公式：
$(a+b)^3=a^3+3a^2b+3ab^2+b^3$
を利用した。

⇦公式：
$(a-b)(a^2+ab+b^2)$
$=a^3-b^3$ を 2 回使う！

⇦ $(2\sqrt{2})^3=2^3\cdot(\sqrt{2})^3$
$=8\times2\sqrt{2}=16\sqrt{2}$

⇦公式：
$(a+b+c)\times$
$(a^2+b^2+c^2-ab-bc-ca)$
$=a^3+b^3+c^3-3abc$
を利用できるんだね。
$x=a$，$-2y=b$，$1=c$ とおくと，公式通りになる。

因数分解

元気力アップ問題 3	難易度 ★	CHECK 1	CHECK 2	CHECK 3

次の各式を因数分解せよ。

(1) $(x+y+1)(x+6y+1)+6y^2$ （東海大）

(2) $(x+1)(x+3)(x+4)(x+6)+8$ （同志社女子大）

ヒント！ (1), (2) は共に，文字の置き換えによって，因数分解する問題なんだね。(1) では，$x+1=A$ とおき，また (2) では，まず $(x+1)(x+6)$ と $(x+3)(x+4)$ を計算して，$x^2+7x=A$ とおくと，うまく因数分解できるはずだ。

解答＆解説

(1) $(x+y+1)(x+6y+1)+6y^2$

$=(\underline{x+1}+y)(\underline{x+1}+6y)+6y^2$ （$x+1$ を A とおく）

ここで，$x+1=A$ とおくと，

与式 $=(A+y)(A+6y)+6y^2$

$=A^2+7yA+12y^2$

$=(A+3y)(A+4y)$

$=(x+3y+1)(x+4y+1)$ ……………（答）

(2) $(x+1)(x+3)(x+4)(x+6)+8$

$=(x+1)(x+6)(x+3)(x+4)+8$ （$(x+1)(x+6)=(x^2+7x+6)$，$(x+3)(x+4)=(x^2+7x+12)$）

$=(x^2+7x+6)(x^2+7x+12)+8$ （x^2+7x を A とおく）

ここで，$x^2+7x=A$ とおくと，

与式 $=(A+6)(A+12)+8$

$=A^2+18A+80$ （$18=(8+10)$，$80=8\times10$）

$=(A+8)(A+10)$

$=(x^2+7x+8)(x^2+7x+10)$

$=(x+2)(x+5)(x^2+7x+8)$ ………（答）

ココがポイント

⇦ 2 つの ( ) 内に $x+1$ の共通項があることに気付いて，これを A とおこう。

⇦ $A^2+(3y+4y)A+3y\times4y$
$=(A+3y)(A+4y)$

⇦ A に $x+1$ を代入して，元に戻す。

⇦ $(A+6)(A+12)+8$
$=A^2+18A+72+8$

⇦ $x^2+7x+10=(x+2)(x+5)$ と因数分解できる。

因数分解

元気力アップ問題 4　難易度 ★★　CHECK 1　CHECK 2　CHECK 3

次の各式を因数分解せよ。

(1) $a^2b + b^2c - ca^2 - ab^2$

(2) $(a+b+c)^3 - a^3 - b^3 - c^3$　　(福岡大＊)

ヒント！ (1) は，次数が 1 番低い c の 1 次式としてまとめると，うまくいく。(2) では因数分解の公式 $x^3 \pm y^3 = (x \pm y)(x^2 \mp xy + y^2)$ を利用して解いていこう。

解答＆解説

(1) $a^2b + b^2c - ca^2 - ab^2$

$= (b^2 - a^2)c + a^2b - ab^2$　［$b^2 - a^2 = (b+a)(b-a)$，$a^2b - ab^2 = ab(a-b)$］

$= -(a-b)(b+a)c + ab(a-b)$

$= (a-b)\{ab - (b+a)c\}$

$= (a-b)(ab - bc - ca)$ ……………………(答)

⇦ a，b の 2 次式，c の 1 次式なので，c でまとめるとうまくいく。

⇦ 共通因数 $(a-b)$ をくくり出す。

(2) $(a+b+c)^3 - a^3 - b^3 - c^3$

$= \{(a+b+c)^3 - a^3\} - (b^3 + c^3)$

［$b^3 + c^3 = (b+c)(b^2 - bc + c^2)$］

［$(a+b+c)^3 - a^3 = (a+b+c-a)\{(a+b+c)^2 + (a+b+c)\cdot a + a^2\}$，$(X-Y)(X^2+XY+Y^2)$］

$= (b+c)\{(a+b+c)^2 + (a+b+c)a + a^2\} - (b+c)(b^2 - bc + c^2)$

［$a^2 + b^2 + c^2 + 2ab + 2bc + 2ca + a^2 + ab + ca + a^2$
$= 3a^2 + b^2 + c^2 + 3ab + 2bc + 3ca$］

$= (b+c)(3a^2 + b^2 + c^2 + 3ab + 2bc + 3ca - b^2 + bc - c^2)$

$= 3(b+c)(a^2 + ab + bc + ca)$

［$a(a+b) + c(a+b) = (a+b)(c+a)$］

$= 3(a+b)(b+c)(c+a)$ ……………………(答)

⇦ $a+b+c = X$，$a = Y$ とおくと，{ }内は，公式を使って $X^3 - Y^3 = (X-Y)\times(X^2+XY+Y^2)$ となるんだね。

⇦ 共通因数 $(b+c)$ をくくり出す。

因数分解

元気力アップ問題 5	難易度 ★★	CHECK 1	CHECK 2	CHECK 3

次の各式を因数分解せよ。

(1) $3x^2+y^2+4xy-7x-y-6$ (北海道薬大)

(2) $2x^2+3xy-2y^2-3x-y+1$ (中央大)

ヒント！ (1), (2) 共に, x と y の 2 次式なので, x の 2 次式として計算していこう。このとき, y は定数のように考えればいい。たすきがけの因数分解の応用問題なんだね。

解答＆解説

(1) $3x^2+y^2+4xy-7x-y-6$

$=3x^2+(4y-7)x+\underline{y^2-y-6}$ 　$y^2-y-6=(y+2)(y-3)$

（x から見て, 定数部分の y の式を因数分解する。）

⇦ x の 2 次式としてまとめた！

$=3x^2+(4y-7)x+(y+2)(y-3)$

⇦ y の式を定数とみて, たすきがけの因数分解にもち込む。

$$\begin{array}{ccl} 3 & \diagdown\!\!\!\diagup\ y+2 & \to\ y+2 \\ 1 & \diagup\!\!\!\diagdown\ y-3 & \to\ \underline{3y-9}\ (+ \\ & & \quad 4y-7 \end{array}$$

$=(3x+y+2)(x+y-3)$ ……………………(答)

(2) $2x^2+3xy-2y^2-3x-y+1$

$=2x^2+(3y-3)x-(2y^2+y-1)$

（y の 2 次式を因数分解する。）

$$\begin{array}{ccc} 2 & \diagdown\!\!\!\diagup & -1 \\ 1 & \diagup\!\!\!\diagdown & 1 \end{array}$$

⇦ x の 2 次式として, まとめる。

$=2x^2+(3y-3)x-(2y-1)(y+1)$

⇦ たすきがけの因数分解にもち込む。

$$\begin{array}{ccl} 2 & \diagdown\!\!\!\diagup\ -(y+1) & \to\ -y-1 \\ 1 & \diagup\!\!\!\diagdown\ 2y-1 & \to\ \underline{4y-2}\ (+ \\ & & \quad 3y-3 \end{array}$$

$=\{2x-(y+1)\}(x+2y-1)$

$=(2x-y-1)(x+2y-1)$ ……………………(答)

因数分解

元気力アップ問題 6	難易度 ★★	CHECK 1	CHECK 2	CHECK 3

次の各式を因数分解せよ。

(1) $x^4 + x^2 + 1$　　(2) $x^4 + 2x^2 + 9$

(3) $4x^4 + 3x^2 + 1$　　(4) $x^4 - 7x^2y^2 + y^4$　　(名古屋経済大＊)

ヒント！ 一見，いずれの問題も $x^2 = X$ とおいたら因数分解できそうに思えるんだけれど，それではうまくいかない。これは，$A^2 - B^2 = (A+B)(A-B)$ の形にもち込む問題なんだね。

解答＆解説

(1) $x^4 + x^2 + 1 = (x^4 + 2x^2 + 1) - x^2$

$= (x^2+1)^2 - x^2 = (x^2 + 1 + x)(x^2 + 1 - x)$

$[\ A^2 \ - B^2 = (\ A \ + B)(\ A \ - B)]$

$= (x^2 + x + 1)(x^2 - x + 1)$ ……………………(答)

(2) $x^4 + 2x^2 + 9$

$= (x^4 + 6x^2 + 9) - 4x^2$

$= (x^2+3)^2 - (2x)^2 = (x^2 + 3 + 2x)(x^2 + 3 - 2x)$

$[\ A^2 \ - B^2 = (\ A \ + B)(\ A \ - B)]$

$= (x^2 + 2x + 3)(x^2 - 2x + 3)$ ………………(答)

(3) $4x^4 + 3x^2 + 1$

$= (4x^4 + 4x^2 + 1) - x^2$

$= (2x^2+1)^2 - x^2 = (2x^2 + 1 + x)(2x^2 + 1 - x)$

$[\ A^2 \ - B^2 = (\ A \ + B)(\ A \ - B)]$

$= (2x^2 + x + 1)(2x^2 - x + 1)$ ………………(答)

(4) $x^4 - 7x^2y^2 + y^4$

$= (x^4 + 2x^2y^2 + y^4) - 9x^2y^2$

$= (x^2+y^2)^2 - (3xy)^2 = (x^2 + y^2 + 3xy)(x^2 + y^2 - 3xy)$

$[\ A^2 \ - \ B^2 = (\ A \ + \ B\ )(\ A \ - B\ )]$

$= (x^2 + 3xy + y^2)(x^2 - 3xy + y^2)$ …………(答)

ココがポイント

⇦ $x = X^2$ とおいても，X^2+X+1 となって因数分解できない。これは，$x^2 = 2x^2 - x^2$ として，$A^2 - B^2$ の形にもち込む問題だ。

⇦これも，$2x^2 = 6x^2 - 4x^2$ とすると，$A^2 - B^2$ の形が導けるんだね。

⇦これは，$3x^2 = 4x^2 - x^2$ とするといいね。

⇦ これは，$-7x^2y^2 = 2x^2y^2 - 9x^2y^2$ とすれば，うまくいく。

分数式の計算

元気力アップ問題 7	難易度 ★★	CHECK 1	CHECK 2	CHECK 3

次の各式を簡単にせよ。

(1) $\dfrac{1}{1-a}+\dfrac{1}{1+a}+\dfrac{2}{1+a^2}+\dfrac{4}{1+a^4}$ （東北学院大＊）

(2) $\dfrac{1}{x-\dfrac{x^2-1}{x-\dfrac{2}{x-1}}}$ （久留米工大）

ヒント！ (1) では，はじめの 2 項ずつ，順次計算していけばいいよ。(2) は繁分数の計算を順次行っていけば，簡単な結果が得られるんだね。

解答＆解説

(1) $\dfrac{1}{1-a}+\dfrac{1}{1+a}+\dfrac{2}{1+a^2}+\dfrac{4}{1+a^4}$

$=\dfrac{2}{1-a^2}+\dfrac{2}{1+a^2}+\dfrac{4}{1+a^4}$

$=\dfrac{4}{1-a^4}+\dfrac{4}{1+a^4}$

$=\dfrac{4(1+a^4)+4(1-a^4)}{(1-a^4)(1+a^4)}=\dfrac{8}{1-a^8}$ ……………………(答)

(2) $\dfrac{1}{x-\dfrac{x^2-1}{x-\dfrac{2}{x-1}}}=\dfrac{1}{x-\dfrac{(x+1)(x-1)}{\dfrac{(x-2)(x+1)}{x-1}}}$

$=\dfrac{1}{x-\dfrac{(x-1)^2}{x-2}}=\dfrac{1}{\dfrac{x(x-2)-(x-1)^2}{x-2}}$

$=\dfrac{x-2}{x^2-2x-(x^2-2x+1)}=-(x-2)$

$=2-x$ ……………………………………………(答)

ココがポイント

⇦ $\dfrac{1}{1-a}+\dfrac{1}{1+a}$

$=\dfrac{1+a+1-a}{(1-a)(1+a)}=\dfrac{2}{1-a^2}$

⇦ 同様に

$\dfrac{2}{1-a^2}+\dfrac{2}{1+a^2}$

$=\dfrac{2(1+a^2)+2(1-a^2)}{(1-a^2)(1+a^2)}$

$=\dfrac{4}{1-a^4}$

⇦ $x-\dfrac{2}{x-1}=\dfrac{x(x-1)-2}{x-1}$

$=\dfrac{x^2-x-2}{x-1}$

$=\dfrac{(x-2)(x+1)}{x-1}$

⇦ 繁分数の計算

$\dfrac{1}{\dfrac{b}{a}}=\dfrac{a}{b}$

平方根の計算

元気力アップ問題 8　難易度 ★　CHECK 1　CHECK 2　CHECK 3

次の各式を簡単にせよ。

(1) $\dfrac{2\sqrt{2}}{\sqrt{3}-1}-\dfrac{\sqrt{2}}{\sqrt{3}-\sqrt{2}}$　(山形大)　(2) $\dfrac{\sqrt{\sqrt{5}+1}+\sqrt{\sqrt{5}-1}}{\sqrt{\sqrt{5}+1}-\sqrt{\sqrt{5}-1}}$　(佛教大)

ヒント！ すべて，平方根の入った分数式の有理化の問題だ。公式 $(a-b)(a+b)=a^2-b^2$ を利用して，有理化しよう。

解答＆解説

(1) $\dfrac{2\sqrt{2}}{\sqrt{3}-1}-\dfrac{\sqrt{2}}{\sqrt{3}-\sqrt{2}}$

$=\dfrac{2\sqrt{2}(\sqrt{3}+1)}{(\sqrt{3}-1)(\sqrt{3}+1)}-\dfrac{\sqrt{2}(\sqrt{3}+\sqrt{2})}{(\sqrt{3}-\sqrt{2})(\sqrt{3}+\sqrt{2})}$

$(\sqrt{3})^2-1^2=3-1=2$　　$(\sqrt{3})^2-(\sqrt{2})^2=3-2=1$

$=\sqrt{2}(\sqrt{3}+1)-\sqrt{2}(\sqrt{3}+\sqrt{2})$

$=\sqrt{6}+\sqrt{2}-\sqrt{6}-2=\sqrt{2}-2$ ………………(答)

⇦ 第1項の分子・分母に $(\sqrt{3}+1)$ をかけ，第2項の分子・分母に $(\sqrt{3}+\sqrt{2})$ をかけて，有理化する。

(2) $\dfrac{\sqrt{\sqrt{5}+1}+\sqrt{\sqrt{5}-1}}{\sqrt{\sqrt{5}+1}-\sqrt{\sqrt{5}-1}}$

$=\dfrac{(\sqrt{\sqrt{5}+1}+\sqrt{\sqrt{5}-1})^2}{(\sqrt{\sqrt{5}+1}-\sqrt{\sqrt{5}-1})(\sqrt{\sqrt{5}+1}+\sqrt{\sqrt{5}-1})}$

$(\sqrt{\sqrt{5}+1})^2-(\sqrt{\sqrt{5}-1})^2=\sqrt{5}+1-(\sqrt{5}-1)=2$

$=\dfrac{2\sqrt{5}+4}{2}=\sqrt{5}+2$ ………………………(答)

⇦ 分子・分母に $(\sqrt{\sqrt{5}+1}+\sqrt{\sqrt{5}-1})$ をかけて，有理化する。

⇦ 分子の計算

$(\sqrt{\sqrt{5}+1}+\sqrt{\sqrt{5}-1})^2$

$=(\sqrt{\sqrt{5}+1})^2+2\sqrt{\sqrt{5}+1}\sqrt{\sqrt{5}-1}+(\sqrt{\sqrt{5}-1})^2$

$=\sqrt{5}+1+2\sqrt{(\sqrt{5}+1)(\sqrt{5}-1)}+\sqrt{5}-1$

$=2\sqrt{5}+2\sqrt{5-1}$

$=2\sqrt{5}+4$

元気力アップ問題 9	難易度 ★	CHECK 1	CHECK 2	CHECK 3

次の各式を簡単にせよ。

(1) $\dfrac{1}{1+\sqrt{2}+\sqrt{3}}+\dfrac{1}{1+\sqrt{2}-\sqrt{3}}+\dfrac{1}{1-\sqrt{2}+\sqrt{3}}+\dfrac{1}{1-\sqrt{2}-\sqrt{3}}$

(2) $\dfrac{\sqrt{5}}{\sqrt{5}+\sqrt{3}}+\dfrac{\sqrt{3}}{\sqrt{7}-\sqrt{5}}-\dfrac{2\sqrt{3}}{\sqrt{7}+\sqrt{3}}$ (東海大)

ヒント！ 平方根の入った連分数式の有理化の問題だね。正確に解こう！

解答＆解説

(1) $\dfrac{1}{(1+\sqrt{2})+\sqrt{3}}+\dfrac{1}{(1+\sqrt{2})-\sqrt{3}}+\dfrac{1}{(1-\sqrt{2})+\sqrt{3}}+\dfrac{1}{(1-\sqrt{2})-\sqrt{3}}$

$=\dfrac{1+\sqrt{2}-\sqrt{3}+1+\sqrt{2}+\sqrt{3}}{(1+\sqrt{2})^2-(\sqrt{3})^2}+\dfrac{1-\sqrt{2}-\sqrt{3}+1-\sqrt{2}+\sqrt{3}}{(1-\sqrt{2})^2-(\sqrt{3})^2}$

$=\dfrac{2+2\sqrt{2}}{2\sqrt{2}}-\dfrac{2-2\sqrt{2}}{2\sqrt{2}}=1+1=2$ ………(答)

(2) $\dfrac{\sqrt{5}}{\sqrt{5}+\sqrt{3}}+\dfrac{\sqrt{3}}{\sqrt{7}-\sqrt{5}}-\dfrac{2\sqrt{3}}{\sqrt{7}+\sqrt{3}}$

$=\dfrac{\sqrt{5}(\sqrt{5}-\sqrt{3})}{(\sqrt{5}+\sqrt{3})(\sqrt{5}-\sqrt{3})}+\dfrac{\sqrt{3}(\sqrt{7}+\sqrt{5})}{(\sqrt{7}-\sqrt{5})(\sqrt{7}+\sqrt{5})}-\dfrac{2\sqrt{3}(\sqrt{7}-\sqrt{3})}{(\sqrt{7}+\sqrt{3})(\sqrt{7}-\sqrt{3})}$

$=\dfrac{5-\sqrt{15}}{2}+\dfrac{\sqrt{21}+\sqrt{15}}{2}-\dfrac{2\sqrt{21}-6}{4}$

$=\dfrac{10+2\sqrt{21}-2\sqrt{21}+6}{4}=\dfrac{16}{4}=4$ ……(答)

ココがポイント

⇦ 〰〰の分母
$=(1+\sqrt{2})^2-(\sqrt{3})^2$
$=1+2\sqrt{2}+2-3$
$=2\sqrt{2}$

⇦ ---の分母
$=(1-\sqrt{2})^2-(\sqrt{3})^2$
$=1-2\sqrt{2}+2-3$
$=-2\sqrt{2}$

⇦ $(a+b)(a-b)=a^2-b^2$ の公式を用いて，各項の分母を有理化する。

2重根号はずし方

元気力アップ問題 10　難易度 ☆　CHECK 1　CHECK 2　CHECK 3

$x=\sqrt{9-\sqrt{80}}$ である。このとき，次の各式の値を求めよ。

(1) $x+\dfrac{1}{x}$　　(2) $x^2+\dfrac{1}{x^2}$　　(3) $x^3+\dfrac{1}{x^3}$　　（工学院大＊）

ヒント！ 2重根号のはずし方の公式 $\sqrt{(a+b)\pm2\sqrt{ab}}=\sqrt{a}\pm\sqrt{b}\ (a>b>0)$ を使って x を簡単化して，(1)，(2)，(3) のそれぞれの値を求めよう。その際に，展開（因数分解）公式 $(a+b)^2=a^2+2ab+b^2$，$a^3+b^3=(a+b)(a^2-ab+b^2)$ も利用するんだね。

解答＆解説

$x=\sqrt{9-\sqrt{80}}=\sqrt{9-2\sqrt{20}}=\sqrt{5}-\sqrt{4}=\sqrt{5}-2$ …①

（$\sqrt{4\times20}=2\sqrt{20}$）（たして $5+4$）（かけて 5×4）

(1) ①を用いて，

$$x+\frac{1}{x}=\sqrt{5}-2+\frac{1}{\sqrt{5}-2}=\sqrt{5}-2+\sqrt{5}+2$$

有理化：$\dfrac{\sqrt{5}+2}{(\sqrt{5}-2)(\sqrt{5}+2)}=\dfrac{\sqrt{5}+2}{5-4}=\sqrt{5}+2$

$=2\sqrt{5}$ ……② ……………………………（答）

(2) $x+\dfrac{1}{x}=2\sqrt{5}$ …②の両辺を2乗して，

$\left(x+\dfrac{1}{x}\right)^2=(2\sqrt{5})^2$ より，　$x^2+2x\cdot\dfrac{1}{x}+\dfrac{1}{x^2}=20$

（$2^2\times5=20$）（$2x\cdot\dfrac{1}{x}=2$）

$\therefore x^2+\dfrac{1}{x^2}=20-2=18$ ……③ ……………………（答）

(3) $x^3+\dfrac{1}{x^3}=\left(x+\dfrac{1}{x}\right)\left(x^2+\dfrac{1}{x^2}-1\right)$

（$2\sqrt{5}$（②より））（18（③より））

$=2\sqrt{5}\times(18-1)=34\sqrt{5}$ ……………（答）

ココがポイント

⇦ 2重根号のはずし方
$\sqrt{(a+b)-2\sqrt{ab}}=\sqrt{a}-\sqrt{b}$
$(a>b>0)$

⇦ $(a+b)^2=a^2+2ab+b^2$

⇦ $a^3+b^3=(a+b)(a^2-ab+b^2)$ より，
$x^3+\left(\dfrac{1}{x}\right)^3=\left(x+\dfrac{1}{x}\right)\left(x^2-x\cdot\dfrac{1}{x}+\dfrac{1}{x^2}\right)=\left(x+\dfrac{1}{x}\right)\left(x^2+\dfrac{1}{x^2}-1\right)$

2 重根号と対称式

元気力アップ問題 11	難易度 ★★	CHECK 1	CHECK 2	CHECK 3

$x=\dfrac{1}{\sqrt{5+2\sqrt{6}}}$，$y=\dfrac{1}{\sqrt{5-2\sqrt{6}}}$ のとき，次の各式の値を求めよ。

(1) x^2+y^2　　(2) x^3+y^3　　(3) $\sqrt{7xy+2x+2y}$

ヒント！ 2重根号のはずし方の公式 $\sqrt{(a+b)\pm2\sqrt{ab}}=\sqrt{a}\pm\sqrt{b}$ $(a>b>0)$ を利用して，x，y の値を簡単化したら，まず基本対称式 ($x+y$ と xy) の値を求めよう。対称式 x^2+y^2 や x^3+y^3 は，基本対称式 ($x+y$ と xy) で表すことができるからだね。

解答＆解説

$$x=\frac{1}{\sqrt{5+2\sqrt{6}}}=\frac{1}{\sqrt{3}+\sqrt{2}}=\frac{\sqrt{3}-\sqrt{2}}{\underbrace{(\sqrt{3}+\sqrt{2})(\sqrt{3}-\sqrt{2})}_{3-2=1}}$$

$$=\sqrt{3}-\sqrt{2}$$

$$y=\frac{1}{\sqrt{5-2\sqrt{6}}}=\frac{1}{\sqrt{3}-\sqrt{2}}=\frac{\sqrt{3}+\sqrt{2}}{\underbrace{(\sqrt{3}-\sqrt{2})(\sqrt{3}+\sqrt{2})}_{1}}$$

$$=\sqrt{3}+\sqrt{2}$$

よって，$x+y=2\sqrt{3}$ ……①，$xy=1$ ……②となる。

(1) $x^2+y^2=(\underbrace{x+y}_{2\sqrt{3}(①より)})^2-2\underbrace{xy}_{1(②より)}=(2\sqrt{3})^2-2\cdot1$

$=12-2=10$ ……………………………(答)

(2) $x^3+y^3=(\underbrace{x+y}_{2\sqrt{3}})^3-3\underbrace{xy}_{1}(\underbrace{x+y}_{2\sqrt{3}})$

$=\underbrace{(2\sqrt{3})^3}_{8\times3\sqrt{3}}-\underbrace{3\cdot1\cdot2\sqrt{3}}_{6\sqrt{3}}=18\sqrt{3}$ ………(答)

(3) $\sqrt{7\underbrace{xy}_{1(②より)}+2(\underbrace{x+y}_{2\sqrt{3}(①より)})}=\sqrt{7+\underbrace{4\sqrt{3}}_{2\sqrt{2^2\times3}=2\sqrt{12}}}$

$=\sqrt{\underbrace{7}_{4+3}+2\sqrt{\underbrace{12}_{4\times3}}}=\sqrt{4}+\sqrt{3}$

$=2+\sqrt{3}$ ……………………(答)

ココがポイント

⇦ $\sqrt{\underbrace{5}_{3+2}\pm2\sqrt{\underbrace{6}_{3\times2}}}=\sqrt{3}\pm\sqrt{2}$

⇦ $xy=(\sqrt{3}-\sqrt{2})(\sqrt{3}+\sqrt{2})$
$=3-2$

⇦ $(x+y)^2=x^2+2xy+y^2$ より，
x^2+y^2 は $(x+y)^2-2xy$
となる。

⇦ $(x+y)^3=x^3+3x^2y+3xy^2+y^3$
より，x^3+y^3 は
$(x+y)^3-3xy(x+y)$ となる。

$\sqrt{a^2}=|a|$，式の値

元気力アップ問題 12　難易度 ★★　CHECK 1　CHECK 2　CHECK 3

次の各問いに答えよ。

(1) $0<a<2$ のとき，$\sqrt{4a^2}+\sqrt{a^2-4a+4}$ を簡単にせよ。　（芝浦工大＊）

(2) $a+b+c=0$，$abc \neq 0$ のとき，次の式の値を求めよ。

$$\frac{1+bc}{(a+b)(c+a)}+\frac{1+ca}{(b+c)(a+b)}+\frac{1+ab}{(c+a)(b+c)}$$

（松山大＊）

ヒント！ (1) は，公式 $\sqrt{A^2}=|A|$ を利用しよう。(2) は，$a+b+c=0$ をうまく使って，与式を変形していこう。長い式だけれど，キレイな結果が導けるよ。

解答＆解説

(1) $0<a<2$ のとき，

$$\sqrt{4a^2}+\sqrt{a^2-4a+4}=2\underbrace{\sqrt{a^2}}_{|a|}+\underbrace{\sqrt{(a-2)^2}}_{|a-2|}$$

$$=2\underbrace{|a|}_{a}+\underbrace{|a-2|}_{-(a-2)\ (\because\ 0<a<2)}=2a-a+2$$

$$=a+2 \quad \cdots\cdots（答）$$

(2) $a+b+c=0$ …①，$abc \neq 0$ …② のとき，

$$\frac{1+bc}{\underbrace{(a+b)}_{-c}\underbrace{(c+a)}_{-b}}+\frac{1+ca}{\underbrace{(b+c)}_{-a}\underbrace{(a+b)}_{-c}}+\frac{1+ab}{\underbrace{(c+a)}_{-b}\underbrace{(b+c)}_{-a}}$$

$$=\frac{1+bc}{bc}+\frac{1+ca}{ca}+\frac{1+ab}{ab}$$

$$=\frac{1}{bc}+1+\frac{1}{ca}+1+\frac{1}{ab}+1$$

$$=3+\frac{a+b+c}{abc}$$

（分子 $a+b+c$ は 0（①より），分母 $abc \neq 0$（②より））

$$=3+0=3 \quad \cdots\cdots（答）$$

ココがポイント

⇦ 公式：$\sqrt{A^2}=|A|$ を使う。

⇦ $0<a<2$ より，
$|a|=a$ ⊕
$|a-2|=-(a-2)$ ⊖

⇦ $a+b+c=0$ より，
$\begin{cases} a+b=-c \\ b+c=-a \\ c+a=-b \end{cases}$ だからね。

⇦ $\frac{1}{bc}+\frac{1}{ca}+\frac{1}{ab}=\frac{a+b+c}{abc}$

恒等式

元気力アップ問題 13	難易度 ★★	CHECK 1	CHECK 2	CHECK 3

次の各問いに答えよ。

(1) 任意の x に対して次式が成り立つとき，a，b，c の値を求めよ。

$a(x-2)^2+b(x-2)+c=2x^2+3x-5$ ……① （大阪経大＊）

(2) 次の恒等式が成り立つように p，q，r の値を決定せよ。

$\dfrac{x}{(x^2-1)(x+2)}=\dfrac{p}{x-1}+\dfrac{q}{x+1}+\dfrac{r}{x+2}$ ……② （工学院大）

ヒント！ 恒等式とは，$2x^2+x-3=2x^2+x-3$ のように，左右両辺がまったく同じ式のことなので，当然，両辺の各係数を比較して，等しいとおけるんだね。

解答＆解説

(1) ①の左辺を変形して，

$a(x^2-4x+4)+b(x-2)+c=2x^2+3x-5$

$\underset{2}{\underline{a}}x^2+(\underset{3}{\underline{-4a+b}})x+\underset{-5}{\underline{4a-2b+c}}=\underline{2}x^2+\underline{3}x\underline{-5}$

これは恒等式より，両辺の各係数を比較して，

$a=2$ かつ $-4a+b=3$ かつ $4a-2b+c=-5$

これを解いて $a=2$，$b=11$，$c=9$ …………（答）

(2) ②の右辺を変形して，

$$\frac{x}{(x^2-1)(x+2)}=\frac{p(x+1)(x+2)+q(x-1)(x+2)+r(x-1)(x+1)}{(x-1)(x+1)(x+2)}$$

これは恒等式で分母は等しいので，分子を比較して，

$x=p(x^2+3x+2)+q(x^2+x-2)+r(x^2-1)$

$x=(\underset{0}{\underline{p+q+r}})x^2+(\underset{1}{\underline{3p+q}})x+\underset{0}{\underline{2p-2q-r}}$

両辺の各係数を比較して，

$p+q+r=0$ …③，かつ $3p+q=1$ …④，かつ

$2p-2q-r=0$ …⑤　これを解いて，

$p=\dfrac{1}{6}$，$q=\dfrac{1}{2}$，$r=-\dfrac{2}{3}$ ……………………（答）

ココがポイント

⇦ ①は恒等式なので，両辺はまったく同じ式なんだね。

⇦ $a=2$ より，$-4\cdot2+b=3$
$\therefore b=8+3=11$
$4\cdot2-2\cdot11+c=-5$ より，
$c=22-8-5=9$

⇦ ③＋⑤ $3p-q=0$ …⑥
④＋⑥ $6p=1$　$\therefore p=\dfrac{1}{6}$
⑥より，$q=3\times\dfrac{1}{6}=\dfrac{1}{2}$
③より，$r=-\dfrac{1}{6}-\dfrac{1}{2}=-\dfrac{2}{3}$

相加・相乗平均の不等式

元気力アップ問題 14　難易度 ★★　CHECK 1　CHECK 2　CHECK 3

正の数 a，b，c について，次の不等式が成り立つことを示せ。

(1) $(2a+b)\left(\dfrac{1}{a}+\dfrac{1}{2b}\right) \geqq \dfrac{9}{2}$ ……………… $(*1)$

(2) $a+b+c \geqq \sqrt{ab}+\sqrt{bc}+\sqrt{ca}$ ……… $(*2)$

ヒント！ 正の数 a，b に対して，相加・相乗平均の不等式 $a+b \geqq 2\sqrt{ab}$ が成り立つ。この公式をうまく使って，$(*1)$ と $(*2)$ を証明しよう。

解答＆解説

(1) $((*1)\text{の左辺}) = (2a+b)\left(\dfrac{1}{a}+\dfrac{1}{2b}\right)$

$= \dfrac{2a}{a}+\dfrac{2a}{2b}+\dfrac{b}{a}+\dfrac{b}{2b} = 2+\dfrac{a}{b}+\dfrac{b}{a}+\dfrac{1}{2} = \dfrac{5}{2}+\dfrac{b}{a}+\dfrac{a}{b}$

ここで，$a>0$，$b>0$ より相加・相乗平均の式を用いて，$\dfrac{b}{a}+\dfrac{a}{b} \geqq 2\sqrt{\dfrac{b}{a}\times\dfrac{a}{b}} = 2$ となる。よって，

$((*1)\text{の左辺}) = \dfrac{5}{2}+\dfrac{b}{a}+\dfrac{a}{b} \geqq \dfrac{5}{2}+2 = \dfrac{9}{2} = ((*1)\text{の右辺})$

$\therefore (*1)$ は成り立つ。 ……………………………(終)

(2) $a>0$，$b>0$，$c>0$ より，相加・相乗平均の式を用いると，

$$\begin{cases} a+b \geqq 2\sqrt{ab} \cdots\cdots ① \\ b+c \geqq 2\sqrt{bc} \cdots\cdots ② \\ c+a \geqq 2\sqrt{ca} \cdots\cdots ③ \end{cases}$$

①+②+③より，

$2a+2b+2c \geqq 2\sqrt{ab}+2\sqrt{bc}+2\sqrt{ca}$

両辺を $2\,(>0)$ で割って，

$a+b+c \geqq \sqrt{ab}+\sqrt{bc}+\sqrt{ca}$ ……… $(*2)$

が成り立つ。 ……………………………(終)

ココがポイント

⇦ 相加・相乗平均の式
$x+y \geqq 2\sqrt{xy}$
（等号成立条件：$x=y$）
よって，$\dfrac{b}{a}=\dfrac{a}{b}$，$a^2=b^2$
$\therefore a=b$ のとき，等号が成り立つ。（$\because a>0$，$b>0$）

⇦ 等号成立条件はそれぞれ，
$a=b$，$b=c$，$c=a$
$\therefore a=b=c$ のとき各式の等号は同時に成り立つ。

絶対値の入った1次方程式

元気力アップ問題 15	難易度 ★★	CHECK 1	CHECK 2	CHECK 3

次の各方程式を解け。

(1) $|x| = |x-2|$　　(2) $||x|-2| = 2$

(3) $\begin{cases} 3x - 2y = 16 \\ |x| + |2y| = 8 \end{cases}$

ヒント！ すべて，絶対値の入った1次方程式だね。$|a| = \begin{cases} a & (a \geqq 0 \text{ のとき}) \\ -a & (a < 0 \text{ のとき}) \end{cases}$ の公式に従って，場合分けしながら解いた値が，その範囲内であれば解とし，そうでなければ解なしになるんだね。

解答＆解説

(1) $|x| = |x-2|$ …①について，

(ⅰ) $x < 0$ のとき，$|x| = |x-2|$ より，①は（x：⊖，$x-2$：⊖）

$-x = -x + 2$，$0 = 2$ となって，不適。

(ⅱ) $0 \leqq x < 2$ のとき，$|x| = |x-2|$ より，①は（x：0以上，$x-2$：⊖）

$x = -x + 2$，$2x = 2$

$\therefore x = 1$　（これは $0 \leqq x < 2$ をみたす）

(ⅲ) $2 \leqq x$ のとき，$|x| = |x-2|$ より，①は（x：⊕，$x-2$：0以上）

$x = x - 2$，$0 = -2$ となり，不適。

以上(ⅰ)(ⅱ)(ⅲ)より，$x = 1$ ……………………(答)

(2) $||x|-2| = 2$ …②について，

(ⅰ) $x < 0$ のとき，$||x|-2| = 2$ より，（x：⊖）

$|-x-2| = 2$，　$|x+2| = 2$

（(ア) $x < -2$，(イ) $-2 \leqq x$ の場合分け）

(ア) $x < -2$ のとき，$|x+2| = 2$ より，（$x+2$：⊖）

$-x - 2 = 2$，$x = -4$　（これは $x < -2$ をみたす）

ココがポイント

⇦ $|x| = \begin{cases} x & (x \geqq 0) \\ -x & (x < 0) \end{cases}$

$|x-2| = \begin{cases} x-2 & (x \geqq 2) \\ -x+2 & (x < 2) \end{cases}$

よって，(ⅰ) $x < 0$，(ⅱ) $0 \leqq x < 2$，(ⅲ) $2 \leqq x$ の3通りの場合分けになるね。

⇦ まず，(ⅰ) $x < 0$，(ⅱ) $0 \leqq x$ に場合分けする。

⇦ $|-3| = |3| = 3$ より，絶対値内の符号は変えられる。
$\therefore |-x-2| = |x+2|$

(イ) $-2 \leqq x < 0$ のとき，$|x+2| = 2$ より，

0以上

$x+2=2$，$x=0$　これは，$x<0$ の条件をみたさない。よって不適。

⇦(ⅰ) $x<0$ の条件があるからね。

(ⅱ) $0 \leqq x$ のとき，$||x|-2| = 2$ より，$|x-2| = 2$

0以上　(ア) $x<2$ (イ) $2 \leqq x$ の場合分け

(ア) $0 \leqq x < 2$ のとき，$|x-2| = 2$ より，

⊖

⇦(ⅱ) $0 \leqq x$ の条件があるからね。

$-x+2=2$　∴ $x=0$（これは $0 \leqq x < 2$ をみたす）

(イ) $2 \leqq x$ のとき，$|x-2| = 2$ より，

0以上

$x-2=2$　∴ $x=4$（これは $2 \leqq x$ をみたす）

以上(ⅰ)(ⅱ)より，$x = -4$，0，4 …………(答)

(3) $\begin{cases} 3x-2y=16 & \cdots\cdots③ \\ |x|+2|y|=8 & \cdots\cdots④ \end{cases}$

$|2y| = 2|y|$ と変形できる

⇦ $|x|$ と $|y|$ があるので，
(ⅰ) $x<0$，$y<0$
(ⅱ) $0 \leqq x$，$y<0$
(ⅲ) $x<0$，$0 \leqq y$
(ⅳ) $0 \leqq x$，$0 \leqq y$
の4通りの場合分けをして解こう。

(ⅰ) $x<0$，$y<0$ のとき，④は

$-x-2y=8$ …④′　③−④′より，$4x=8$

$x=2$ となって，$x<0$ をみたさない。∴不適。

(ⅱ) $0 \leqq x$，$y<0$ のとき，④は

$x-2y=8$ …④″　③−④″より，$2x=8$

∴ $x=4$

④″より，$4-2y=8$　$y=-2$

⇦ $(x, y) = (4, -2)$ は $0 \leqq x$，$y<0$ をみたす。

(ⅲ) $x<0$，$0 \leqq y$ のとき，④は

$-x+2y=8$ …④‴　③+④‴より，$2x=24$

∴ $x=12$ となって，$x<0$ の条件をみたさない。∴不適。

(ⅳ) $0 \leqq x$，$0 \leqq y$ のとき，④は

$x+2y=8$ …④⁗　③+④⁗より，$4x=24$

∴ $x=6$　④⁗より，$6+2y=8$　$y=1$

⇦ $(x, y) = (6, 1)$ は $0 \leqq x$，$0 \leqq y$ をみたす。

以上(ⅰ)～(ⅳ)より，

$(x, y) = (4, -2)$，$(6, 1)$ …………………(答)

絶対値の入った1次不等式

元気力アップ問題 16	難易度 ★★	CHECK 1	CHECK 2	CHECK 3

次の各不等式を解け。

(1) $|2x-1| \leqq 3$　(明治大)　(2) $|x-1|+|x-4|<4$　(城西大)

(3) $|3x-4|<|x+2|$　(大阪経大)

ヒント！ (1) は，2通りの場合分け，(2)，(3) は，3通りの場合分けをして，解いていけばいい。そして最終結果は，それぞれを併せた和集合の x の範囲を求めるんだね。

解答＆解説

ココがポイント

(1) $|2x-1| \leqq 3$ …① について，

(i) $x<\frac{1}{2}$ のとき，$|2x-1| \leqq 3$ より，（$2x-1$ は ⊖）

$-2x+1 \leqq 3$，　$-2 \leqq 2x$　$\therefore -1 \leqq x$

よって，$-1 \leqq x < \frac{1}{2}$ …②となる。

(ii) $\frac{1}{2} \leqq x$ のとき，$|2x-1| \leqq 3$ より，（$2x-1$ は 0以上）

$2x-1 \leqq 3$，　$2x \leqq 4$　$\therefore x \leqq 2$

よって，$\frac{1}{2} \leqq x \leqq 2$ …③となる。

(i)(ii)より，②または③が①の解となる。

$\therefore -1 \leqq x \leqq 2$ となる。……………………………(答)

⇦ $|2x-1|=\begin{cases} 2x-1 & \left(x \geqq \frac{1}{2}\right) \\ -2x+1 & \left(x<\frac{1}{2}\right) \end{cases}$

よって，(i) $x<\frac{1}{2}$，(ii) $\frac{1}{2} \leqq x$ の2通りの場合分けになるね。

⇦ 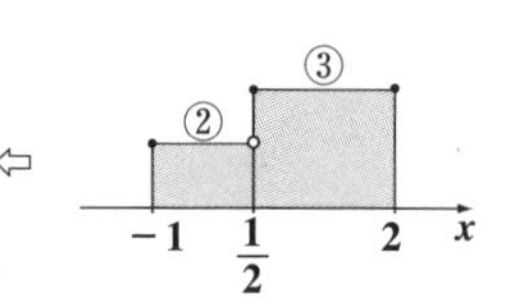

(2) $|x-1|+|x-4|<4$ …④ について，

(i) $x<1$ のとき，$|x-1|+|x-4|<4$ より，（$x-1$ は ⊖，$x-4$ は ⊖）

$-x+1-x+\cancel{4}<\cancel{4}$，　$1<2x$　$\therefore \frac{1}{2}<x$

よって，$\frac{1}{2}<x<1$ …⑤となる。

(ii) $1 \leqq x<4$ のとき，$|x-1|+|x-4|<4$ より，（$x-1$ は 0以上，$x-4$ は ⊖）

⇦ $|x-1|=\begin{cases} x-1 & (x \geqq 1) \\ -x+1 & (x<1) \end{cases}$

$|x-4|=\begin{cases} x-4 & (x \geqq 4) \\ -x+4 & (x<4) \end{cases}$

よって (i) $x<1$，(ii) $1 \leqq x<4$，(iii) $4 \leqq x$ の3通りの場合分けをして解いていこう。

$\cancel{x}-1-\cancel{x}+\cancel{4}<\cancel{4}$　$-1<0$となって，常に成り立つ。よって，$1\leqq x<4$ …⑥となる。

(iii) $4\leqq x$のとき，$|x-1|+|x-4|<4$ より，
⊕　0以上

$x-1+x-4<4$，$2x<9$　$\therefore x<\dfrac{9}{2}$

よって，$4\leqq x<\dfrac{9}{2}$ …⑦となる。

(i)(ii)(iii)の⑤，⑥，⑦ より，④の解は，

$\dfrac{1}{2}<x<\dfrac{9}{2}$ ……………………………(答)

⇦ 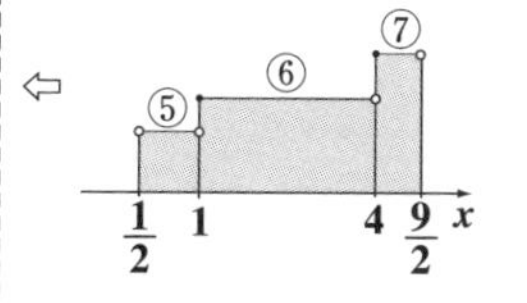

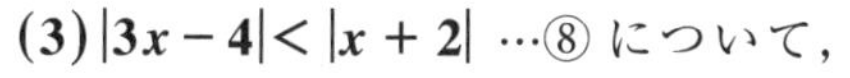

(3) $|3x-4|<|x+2|$ …⑧ について，

(i) $x<-2$のとき，　$|3x-4|<|x+2|$ より，
⊖　⊖

⇦ $|3x-4|=\begin{cases}3x-4 & \left(x\geqq\dfrac{4}{3}\right)\\ -3x+4 & \left(x<\dfrac{4}{3}\right)\end{cases}$

$|x+2|=\begin{cases}x+2 & (x\geqq-2)\\ -x-2 & (x<-2)\end{cases}$

よって，(i) $x<-2$，(ii) $-2\leqq x<\dfrac{4}{3}$，(iii) $\dfrac{4}{3}\leqq x$ の3通りに場合分けするんだね。

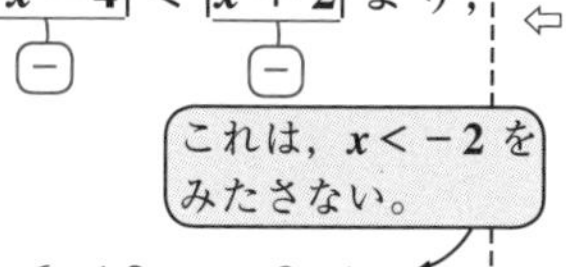

$-3x+4<-x-2$，$6<2x$　$\therefore 3<x$

∴解なし。

(ii) $-2\leqq x<\dfrac{4}{3}$のとき，　$|3x-4|<|x+2|$ より，
⊖　0以上

$-3x+4<x+2$，$2<4x$　$\therefore \dfrac{1}{2}<x$

よって，$\dfrac{1}{2}<x<\dfrac{4}{3}$ …⑨となる。

(iii) $\dfrac{4}{3}\leqq x$のとき，　$|3x-4|<|x+2|$より，
0以上　⊕

$3x-4<x+2$，$2x<6$　$\therefore x<3$

よって，$\dfrac{4}{3}\leqq x<3$ …⑩となる。

以上(i)(ii)(iii)の⑨，⑩ より，⑧の解は，

$\dfrac{1}{2}<x<3$ ……………………………(答)

⇦ 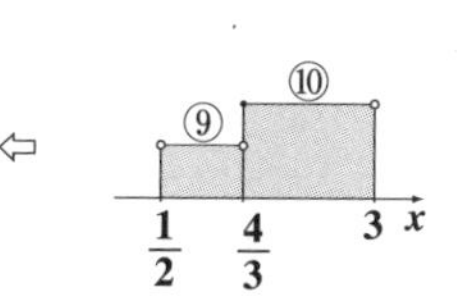

第1章 ● 数と式の公式の復習

1. 指数法則 $(m, n$：自然数，$m \geqq n)$

(1) $a^0 = 1$　(2) $a^1 = a$　(3) $a^m \times a^n = a^{m+n}$　(4) $(a^m)^n = a^{m \times n}$　など

2. 乗法公式（因数分解公式）

(i) $m(a+b) = ma + mb$　(ii) $(a \pm b)^2 = a^2 \pm 2ab + b^2$（複号同順）

(iii) $(a+b)(a-b) = a^2 - b^2$

(iv) $(a+b+c)^2 = a^2 + b^2 + c^2 + 2ab + 2bc + 2ca$

(v) $(ax+b)(cx+d) = acx^2 + (ad+bc)x + bd$ ← この右辺から左辺への変形は，“たすきがけ”による因数分解の公式

(vi) $(a \pm b)^3 = a^3 \pm 3a^2b + 3ab^2 \pm b^3$　（複号同順）

(vii) $(a \pm b)(a^2 \mp ab + b^2) = a^3 \pm b^3$　（複号同順）

(viii) $(a+b+c)(a^2+b^2+c^2-ab-bc-ca) = a^3+b^3+c^3-3abc$

3. 平方根の計算 $(a>0, b>0)$

(i) $\sqrt{a^2} = a$　(ii) $\sqrt{a} \times \sqrt{b} = \sqrt{ab}$　(iii) $\dfrac{\sqrt{b}}{\sqrt{a}} = \sqrt{\dfrac{b}{a}}$

4. 2重根号のはずし方

$\sqrt{a+b \pm 2\sqrt{ab}} = \sqrt{a} \pm \sqrt{b}$　（ただし，$a>b>0$ とする。）

5. 対称式と基本対称式

対称式 $(x^2y+xy^2, x^2+y^2, x^3+y^3$ など）は，すべて基本対称式 $(x+y, xy)$ のみの式で表すことができる。

6. 絶対値の性質

(i) $|a|^2 = a^2$　(ii) $\sqrt{a^2} = |a|$　（a は実数）

7. 方程式 $A=B$ が与えられたとき，次式が成り立つ。

(i) $A \pm C = B \pm C$（複号同順）

(ii) $AC = BC$　(iii) $\dfrac{A}{C} = \dfrac{B}{C}$（ただし，$C \neq 0$）

8. 不等式 $A>B$ が与えられたとき，次式が成り立つ。

(i) $C>0$ のとき，$AC>BC$，$\dfrac{A}{C} > \dfrac{B}{C}$

(ii) $C<0$ のとき，$AC<BC$，$\dfrac{A}{C} < \dfrac{B}{C}$

第 2 章
CHAPTER

2 集合と論理

▶ 集合

$(n(A \cup B) = n(A) + n(B) - n(A \cap B))$

▶ 命題の証明

$$\left(\begin{array}{l} \text{元の命題}：p \Rightarrow q \\ \text{対偶命題}：\overline{q} \Rightarrow \overline{p} \end{array}\right)$$

▶ 論証

(対偶による証明法、背理法)

第2章 集合と論理 ●公式＆解法パターン

1. 集合とは，ハッキリしたものの集り

集合とは，ある一定の条件をみたすものの集りのことで，一般に A，B，C，X，Y，…など，大文字のアルファベットで表す。集合を構成する 1 つ 1 つのものを**要素**(または**元**)と呼び，a が集合 A の要素のときは，$a \in A$ と表し，b が集合 A の要素でないときは，$b \notin A$ と表す。

また，集合 A の要素の個数は，$n(A)$ で表す。

(1) 集合には，次の 3 種類がある。

(i) **有限集合**：属する要素の個数が有限の集合

(ii) **空集合**：属する要素が 1 つもない集合 (ϕ で表す)($n(\phi)=0$)

(iii) **無限集合**：属する要素の個数が無限の集合

(2) 部分集合と真部分集合

(i) 集合 A の要素のすべてが集合 B に属するとき，

A を B の“**部分集合**”といい，$A \subseteq B$ [または $B \supseteq A$] と表す。

これは，“A は B に含まれる”，または“B は A を含む”と読む。

(ii) $A \subseteq B$ かつ $A \supseteq B$ ならば，“**A と B は等しい**”といい，$A=B$ と表す。

A が B の部分集合で，かつ B が A の部分集合ということは，A と B が共にまったく同じ要素を持つことになるので，“A と B は等しい”，すなわち $A=B$ となるんだね。

(iii) $A \subseteq B$ かつ $A \neq B$ ならば，

A を B の“**真部分集合**”といい，$A \subset B$ [または $B \supset A$] と表す。

2. 共通部分，和集合，全体集合，補集合

(1) 共通部分 $A \cap B$ と和集合 $A \cup B$ の意味をマスターしよう。

2 つの集合 A，B について，

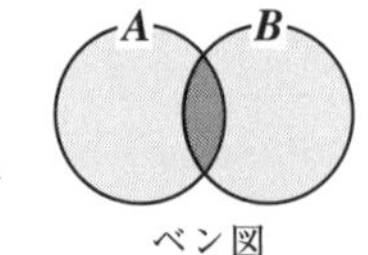

ベン図

“A かつ B”と読んでもいい。

(i) **共通部分** $A \cap B$：A と B に共通な要素全体の集合

“A または B”と読んでもいい。

(ii) **和集合** $A \cup B$：A または B のいずれかに属する要素全体の集合

(2) 共通部分と和集合の要素の個数

(i) $A \cap B \neq \phi$ のとき，

$n(A \cup B) = n(A) + n(B) - n(A \cap B)$ となる。

(ii) $A \cap B = \phi$ のとき，

$n(A \cup B) = n(A) + n(B)$ となる。

(ex) $A = \{2, 4, 6, 8, 10, 12, 14, 16, 18, 20\}$

$B = \{3, 6, 9, 12, 15, 18\}$

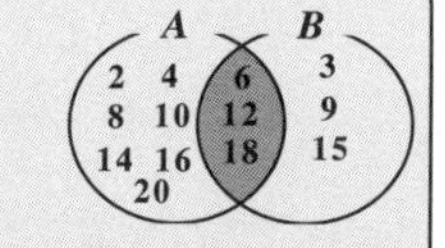

について，その共通部分と和集合は，

$A \cap B = \{6, 12, 18\}$, $A \cup B = \{2, 3, 4, 6, 8, 9, 10, 12, 14, 15, 16, 18, 20\}$

よって，$n(A) = 10$, $n(B) = 6$, $n(A \cap B) = 3$, $n(A \cup B) = 13$ より

$n(A \cup B) = n(A) + n(B) - n(A \cap B)$ ← $13 = 10 + 6 - 3$

[◯◯ ＝ ◯（ペタン）＋ ◯（ペタン）－ ◊（ピロッ！）]

が成り立っていることが分かる。

(3) 全体集合 U と A の補集合 $\overline{A}$

全体集合 U と，その部分集合として

（考えている対象のすべてを要素とする集合）

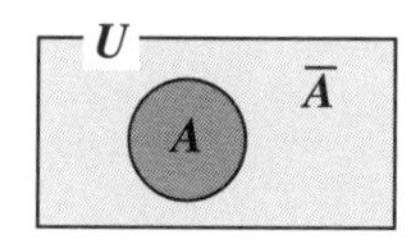

A が与えられたとき，補集合 $\overline{A}$ は次のように定義される。

補集合 $\overline{A}$：全体集合 U に属するが，集合 A には属さない要素からなる集合

ここで，$A \cap \overline{A} = \phi$ より，$n(U) = n(A) + n(\overline{A})$ が成り立つ。

（A と $\overline{A}$ で2重に重なる部分は存在しない。）

[▭ ＝ ●（ペタン）＋ ▭◯（ペタン）]

(4) ド・モルガンの法則

(i) $\overline{A \cup B} = \overline{A} \cap \overline{B}$

（A または B の否定は，A でなくかつ B でない）

(ii) $\overline{A \cap B} = \overline{A} \cup \overline{B}$

（A かつ B の否定は，A でないかまたは B でない）

（**“または”** の否定は **“かつ”** となり，**“かつ”** の否定は **“または”** となることに注意しよう。）

3. 命題(めいだい)の基本

(1) 命題の定義

1つの判断を表した式または文章で，**真・偽**がはっきり定まるもの。

(ex)・日曜の翌日は火曜である。(偽)

・人間であるならば動物である。(真)

(2) 必要条件と十分条件

「p であるならば q である」の形の命題，すなわち“$p \Rightarrow q$”について，

命題：“$p \Rightarrow q$”が真のとき，

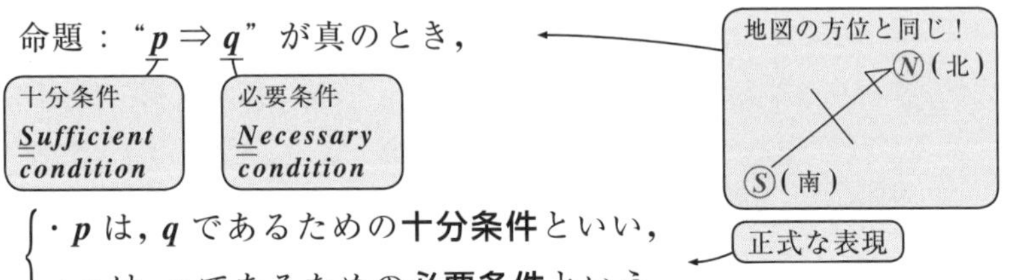

・p は，q であるための**十分条件**といい，
・q は，p であるための**必要条件**という。

正式な表現

従って，次のようにまとめることができるんだね。

(i) “$p \Rightarrow q$”が真のとき，p は十分条件，q は必要条件

(ii) “$p \Leftarrow q$”が真のとき，p は必要条件，q は十分条件

(iii) “$p \Leftrightarrow q$”が真のとき，p と q は共に，必要十分条件

(p と q は**同値**である。)

(3) 真理集合(しんりしゅうごう)の考え方

p を表す集合 P が，q を表す集合 Q に含まれる，つまり，$P \subseteqq Q$ であるとき，命題“$p \Rightarrow q$”は真であると言える。

(ex) 人間の集合は，動物の集合に含まれる。

よって，命題「人間であるならば動物である。」は真である。

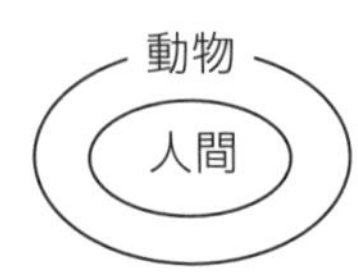

4. 命題“$p \Rightarrow q$”の逆・裏・対偶

・命題：“$p \Rightarrow q$”(p であるならば q である。)の逆・裏・対偶は，次のように定義される。

・ **逆**：“$q \Rightarrow p$”(q であるならば p である。)

・ **裏**：“$\overline{p} \Rightarrow \overline{q}$”($p$ でないならば q でない。)

・**対偶**：“$\overline{q} \Rightarrow \overline{p}$”($q$ でないならば p でない。)

5. 命題は，その対偶から証明できる。

(1) 命題とその対偶の真・偽は一致する。

・元の命題が真 $\Leftrightarrow$ 対偶が真
・元の命題が偽 $\Leftrightarrow$ 対偶が偽

(2) 対偶による証明法

命題“$p \Rightarrow q$”が真であることを直接証明するのが難しい場合，
この対偶“$\overline{q} \Rightarrow \overline{p}$”が真であることを示せれば，
元の命題“$p \Rightarrow q$”も真であると言える。

(ex) 命題「$(a-1)(b-1)(c-1) \geqq 0$ ならば，$a \geqq 1$ または $b \geqq 1$ または $c \geqq 1$ である。」が真であることを，この対偶をとって示そう。

対偶命題「$a<1$ かつ $b<1$ かつ $c<1$ ならば，$\underbrace{(a-1)}_{\ominus}\underbrace{(b-1)}_{\ominus}\underbrace{(c-1)}_{\ominus}<0$ である。」は明らかに成り立つ。よって，元の命題も真であることが示せるんだね。

6. 背理法による証明法

命題“$p \Rightarrow q$”や，命題“q である”が真であることを示すには，まず，$\overline{q}$（q でない）と仮定して，矛盾を導く。

(ex) $\sqrt{5}$ が無理数であり，a，b は有理数であるとき，
「$a+b\sqrt{5}=0$ …①ならば，$a=0$ かつ $b=0$ である。」が真であることを背理法により示そう。

$b \neq 0$ と仮定すると，①より，$b\sqrt{5}=-a$　$\underbrace{\sqrt{5}}_{\text{無理数}} = \underbrace{-\frac{a}{b}}_{\text{有理数}}$　よって，

（無理数）=（有理数）となって矛盾する。$\therefore b=0$ である。

$b=0$ を①に代入すると，$a=0$ も示せる。

集合の要素

元気力アップ問題 17	難易度 ★★	CHECK 1	CHECK 2	CHECK 3

a を実数の定数とする。2 つの集合 $A=\{3,\ 5,\ |a-4|\}$，および $B=\{a-1,\ a+2,\ |a|,\ 10+a\}$ について，$A\cap B=\{3,\ 7\}$ である。このとき，a の値と $A\cup B$ を求めよ。（流通科学大＊）

ヒント！ $A\cap B=\{3,\ 7\}$ より，A の要素に 7 がないといけないね。これから $|a-4|=7$ となるので，話が見えてくるはずだ。

解答＆解説

$A=\{3,\ 5,\ \underbrace{|a-4|}_{7}\}$，$B=\{a-1,\ a+2,\ |a|,\ 10+a\}$

の共通部分 $A\cap B=\{3,\ 7\}$ より，A の要素として 7 が存在しなければならない。よって

$|a-4|=7$ より，$a-4=\pm7$

$\therefore\ a=11$，または $a=-3$

(i) $a=11$ のとき，

$B=\{11-1,\ 11+2,\ |11|,\ 10+11\}$

$=\{10,\ 13,\ 11,\ 21\}$ となって，

B の要素に 3 と 7 が存在しない。∴不適。

(ii) $a=-3$ のとき，

$B=\{-3-1,\ -3+2,\ |-3|,\ 10-3\}$

$=\{-4,\ -1,\ \underline{\underline{3}},\ \underline{\underline{7}}\}$

となって，B の要素として $\underline{\underline{3}}$ と $\underline{\underline{7}}$ が存在する。

以上 (i)(ii) より，

$a=-3$，

$A\cup B=\{-4,\ -1,\ 3,\ 5,\ 7\}$ である。…………(答)

ココがポイント

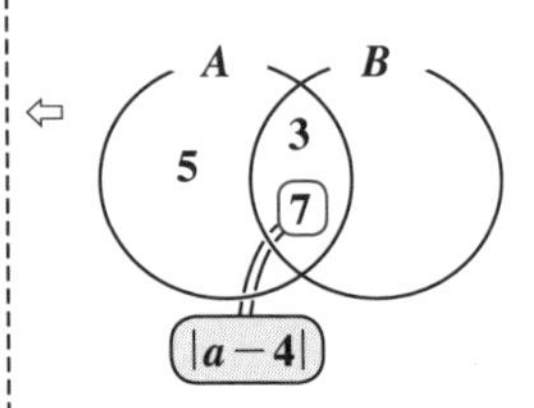

⇦ $a-4=7$ より，$a=11$
$a-4=-7$ より，$a=-3$

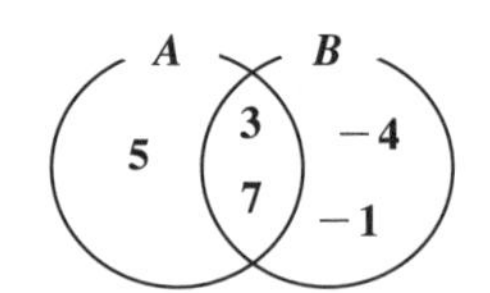

集合の要素

元気力アップ問題 18　難易度 ★　CHECK 1　CHECK 2　CHECK 3

1 から **16** までの自然数を要素とする集合を全体集合 U とし，U の部分集合を
$A=\{1,\ 2,\ 3,\ 7,\ 8,\ 10,\ 11,\ 14,\ 15\}$，$B=\{2,\ 3,\ 5,\ 6,\ 7,\ 11,\ 12,\ 14\}$，
$C=\{2,\ 6,\ 8,\ 9,\ 11,\ 12\}$ とする。このとき，次の各集合を求めよ。

(流通科学大)

(1) $A\cap B\cap C$　　(2) $A\cap\overline{B\cup C}$　　(3) $\overline{A}\cap B\cap C$

(4) $(\overline{A\cup C}\cap B)\cup(A\cap C\cap\overline{B})$

(5) $(A\cap\overline{B\cup C})\cup(B\cap\overline{C\cup A})\cup(C\cap\overline{A\cup B})$

ヒント！ 一見複雑そうだけれど，U とその部分集合 A，B，C のベン図を描いて考えると，スッキリ解けるはずだ。頑張ろう！

解答＆解説

$$\begin{cases} A=\{1,\ 2,\ 3,\ 7,\ 8,\ 10,\ 11,\ 14,\ 15\} \\ B=\{2,\ 3,\ 5,\ 6,\ 7,\ 11,\ 12,\ 14\} \\ C=\{2,\ 6,\ 8,\ 9,\ 11,\ 12\} \end{cases}$$ について，

ベン図を右に示す。

(1) $A\cap B\cap C=\{2,\ 11\}$ ……………………(答)

(2) $A\cap\overline{B\cup C}=\{1,\ 10,\ 15\}$ ……………(答)

(3) $\overline{A}\cap B\cap C=\{6,\ 12\}$ ……………………(答)

(4) $$\begin{cases} \overline{A\cup C}\cap B=\{5\} \\ A\cap C\cap\overline{B}=\{8\} \end{cases}$$ より，

$(\overline{A\cup C}\cap B)\cup(A\cap C\cap\overline{B})=\{5,\ 8\}$ ………(答)

(5) $$\begin{cases} A\cap\overline{B\cup C}=\{1,\ 10,\ 15\} \\ B\cap\overline{C\cup A}=\{5\} \\ C\cap\overline{A\cup B}=\{9\} \end{cases}$$ より，

$(A\cap\overline{B\cup C})\cup(B\cap\overline{C\cup A})\cup(C\cap\overline{A\cup B})$
$=\{1,\ 5,\ 9,\ 10,\ 15\}$ ……………………(答)

ココがポイント

⇦ U と A，B，C のベン図

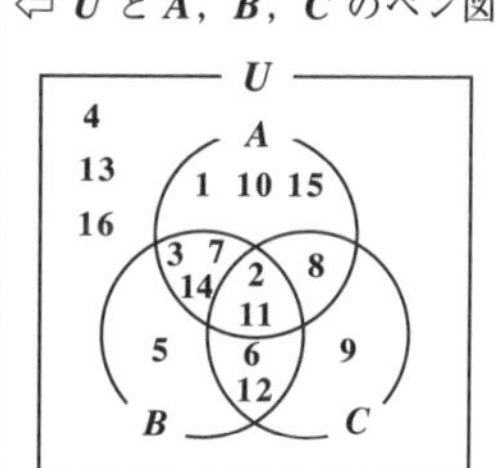

⇦ 

⇦ 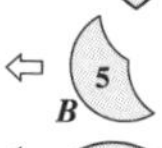

⇦ 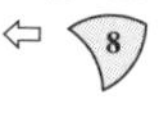

⇦ 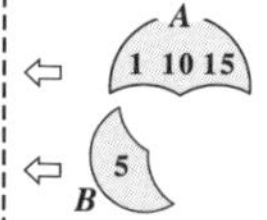

⇦ 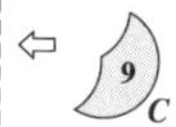

集合の要素

元気力アップ問題 19　難易度 ★★　CHECK 1　CHECK 2　CHECK 3

集合 $A = \{x \mid |x-1| < 2\}$，$B = \{x \mid |x| \geqq 2\}$，$C = \{x \mid x > 0\}$ について，次の各集合を求めよ。

(1) $A \cup B$　　(2) $A \cup \overline{B} \cup C$　　(3) $A \cap B \cap C$

(4) $\overline{A} \cap \overline{B} \cap C$　　(5) $A \cap \overline{B \cup C}$

ヒント！ x 軸上に，集合 A，B，C の範囲を描いて，図で考えると分かりやすいはずだ。図では，集合に境界の値が属するときは "●" で，属さないときは "○" で示そう。

解答＆解説

$A = \{x \mid -1 < x < 3\}$，$B = \{x \mid x \leqq -2,\ 2 \leqq x\}$

$C = \{x \mid x > 0\}$ より，これらを x 軸上に図示する。

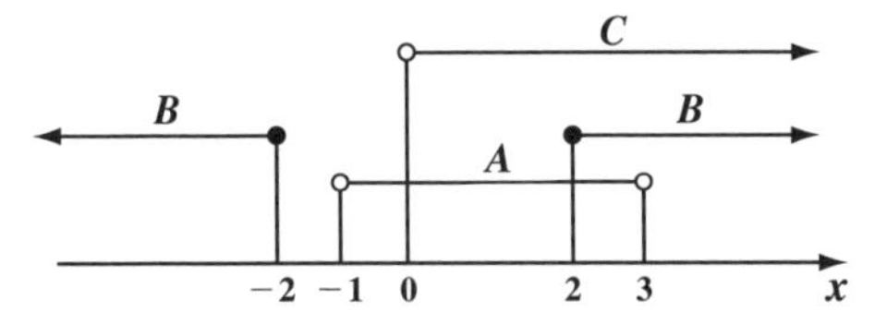

(1) $A \cup B = \{x \mid x \leqq -2,\ -1 < x\}$ ……………………(答)

(2) $\overline{B} = \{x \mid -2 < x < 2\}$ より，

$A \cup \overline{B} \cup C = \{x \mid -2 < x\}$ ……………………(答)

(3) $A \cap B \cap C = \{x \mid 2 \leqq x < 3\}$ ……………………(答)

(4) $\overline{A} = \{x \mid x \leqq -1,\ 3 \leqq x\}$，$\overline{B} = \{x \mid -2 < x < 2\}$ より，

$\overline{A} \cap \overline{B} \cap C$ に属する x は存在しない。

$\therefore \overline{A} \cap \overline{B} \cap C = \phi$ (空集合) ……………………(答)

(5) $\overline{B} = \{x \mid -2 < x < 2\}$，$\overline{C} = \{x \mid x \leqq 0\}$ より，

$A \cap \overline{B \cup C} = A \cap \overline{B} \cap \overline{C} = \{x \mid -1 < x \leqq 0\}$ ……(答)

$\overline{B \cup C} = \overline{B} \cap \overline{C}$ (ド・モルガンの法則より)

ココがポイント

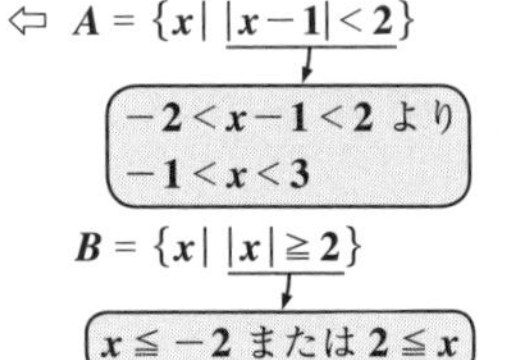

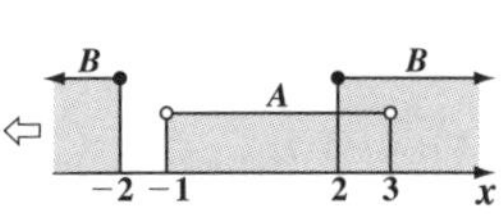

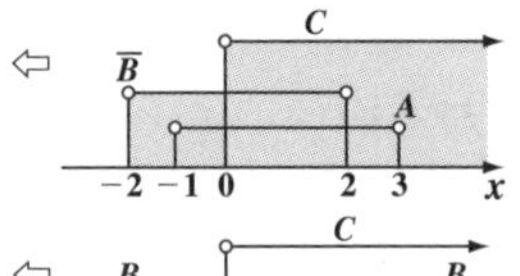

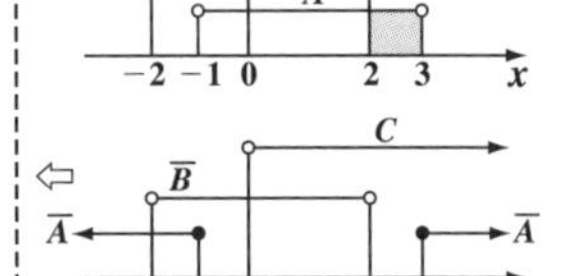

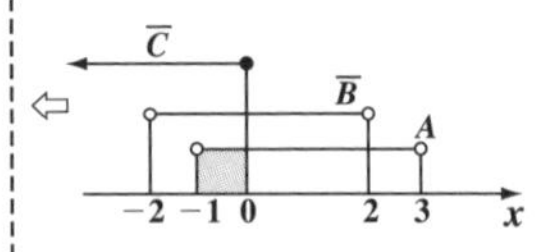

集合の要素の個数

元気力アップ問題 20　難易度 ★★　CHECK 1　CHECK 2　CHECK 3

1 から **500** までの自然数の中で，次の条件をみたすものの個数を求めよ。

(1) **5** または **7** で割り切れるもの

(2) **5** で割り切れるが **7** では割り切れないもの

(3) **5** でも **7** でも割り切れないもの

ヒント！ 全体集合 $U=\{1,\ 2,\ 3,\ \cdots,\ 500\}$，$A=\{5,\ 10,\ 15,\ \cdots,\ 500\}$，$B=\{7,\ 14,\ 21,\ \cdots,\ 497\}$ とおいて，(1)$n(A\cup B)$，(2)$n(A\cap\overline{B})$，(3)$n(\overline{A}\cap\overline{B})$ を求めればいいんだね。ベン図を描きながら解くと間違えないと思うよ。

解答＆解説

全体集合 $U=\{1,\ 2,\ 3,\ \cdots,\ 500\}$ とおくと，

$n(U)=500$ である。

$$\begin{cases} 集合\ A=\{n\,|\,n\ は\ 5\ で割り切れる\ 500\ 以下の自然数\} \\ 集合\ B=\{n\,|\,n\ は\ 7\ で割り切れる\ 500\ 以下の自然数\} \end{cases}$$

とおくと，

$n(A)=100$，$n(B)=71$ となる。また $n(A\cap B)=14$ となる。

（5でも7でも割り切れる，すなわち35で割り切れる数の個数は $500\div 35=14.2\cdots$ より）

(1) 5 または 7 で割り切れる，すなわち $A\cup B$ の要素の個数は，

$$n(A\cup B)=n(A)+n(B)-n(A\cap B)$$
$$=100+71-14=157\ である。\ \cdots\cdots(答)$$

(2) 5 で割り切れるが 7 で割り切れない，すなわち $A\cap\overline{B}$ の要素の個数は，

$$n(A\cap\overline{B})=n(A)-n(A\cap B)$$
$$=100-14=86\ である。\ \cdots\cdots(答)$$

(3) 5 でも 7 でも割り切れない，すなわち $\overline{A}\cap\overline{B}$ の要素の個数は，

$$n(\overline{A}\cap\overline{B})=n(\overline{A\cup B})=n(U)-n(A\cup B)$$

（ド・モルガン）

$$=500-157=343\ である。\ \cdots\cdots(答)$$

（(1)の結果より）

ココがポイント

⇦ $A=\{5,\ 10,\ \cdots,\ 500\}$
$B=\{7,\ 14,\ \cdots,\ 497\}$
$500\div 5=100$ より，
$n(A)=100$
$500\div 7=71.4\cdots$ より，
$n(B)=71$

⇦ 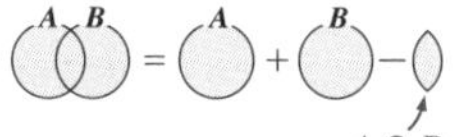

⇦ 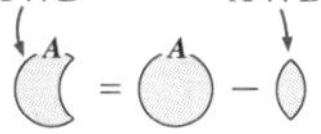

⇦ 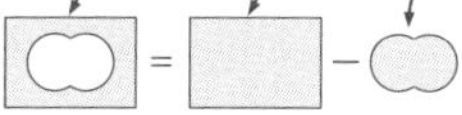

集合の要素の個数

元気力アップ問題 21　難易度 ☆☆　CHECK 1　CHECK 2　CHECK 3

1 から 500 までの自然数の中で，次の条件をみたすものの個数を求めよ。

(1) 3 または 5 または 7 で割り切れるもの

(2) 3 でも 5 でも 7 でも割り切れないもの

(3) 3 および 5 で割り切れるが，7 では割り切れないもの

ヒント！ 全体集合 $U=\{1, 2, 3, \cdots, 500\}$ とおき，この部分集合として，3 で割り切れるもの，5 で割り切れるもの，7 で割り切れるものを順に A，B，C とおくと，(1)では $n(A\cup B\cup C)$，(2)では $n(\overline{A}\cap\overline{B}\cap\overline{C})$，(3)では $n(A\cap B\cap\overline{C})$ を求めればいい。

右のベン図を利用すると，(1) は次のようになるね。

$n(A\cup B\cup C)=n(A)+n(B)+n(C)$

ペタン　ペタン　ペタン

$-n(A\cap B)-n(B\cap C)-n(C\cap A)+n(A\cap B\cap C)$

ピロッ！　ピロッ！　ピロッ！　ペタン

解答＆解説

全体集合 $U=\{1, 2, 3, \cdots, 500\}$ この部分集合として，3 で割り切れるもの，5 で割り切れるもの，7 で割り切れるものを順に A，B，C とおくと，

$A=\{3, 6, 9, \cdots, 498\}$，$B=\{5, 10, 15, \cdots, 500\}$，

$C=\{7, 14, 21, \cdots, 497\}$ となる。よって

$n(U)=500$，$n(A)=166$，$n(B)=100$，$n(C)=71$

また，$500\div 15=33.3\cdots$ より，$n(A\cap B)=33$

$500\div 35=14.2\cdots$ より，$n(B\cap C)=14$

$500\div 21=23.8\cdots$ より，$n(C\cap A)=23$

$500\div 105=4.7\cdots$ より，$n(A\cap B\cap C)=4$

となる。

ココがポイント

⇦ ・$500\div 3=166.6\cdots$
$\therefore n(A)=166$
・$500\div 5=100$
$\therefore n(B)=100$
・$500\div 7=71.4\cdots$
$\therefore n(C)=71$

(1) **3**，または **5**，または **7** で割り切れる，すなわち集合 $A \cup B \cup C$ の要素の個数 $n(A \cup B \cup C)$ は，

$$n(A \cup B \cup C) = \underbrace{n(A)}_{166} + \underbrace{n(B)}_{100} + \underbrace{n(C)}_{71} - \underbrace{n(A \cap B)}_{33}$$
$$- \underbrace{n(B \cap C)}_{14} - \underbrace{n(C \cap A)}_{23} + \underbrace{n(A \cap B \cap C)}_{4}$$
$$= 166 + 100 + 71 - 33 - 14 - 23 + 4$$

$= 271$ である。……………………(答)

⇦ 計算のベン図のイメージ

(2) **3** でも **5** でも **7** でも割り切れない，すなわち集合 $\overline{A} \cap \overline{B} \cap \overline{C}$ の要素の個数 $n(\overline{A} \cap \overline{B} \cap \overline{C})$ は，

$$n(\overline{A} \cap \overline{B} \cap \overline{C}) = n(\overline{A \cup B \cup C})$$

ド・モルガン

$$= \underbrace{n(U)}_{500} - \underbrace{n(A \cup B \cup C)}_{271\ ((1)\text{の結果より})}$$

$= 500 - 271 = 229$ である。……(答)

⇦ ベン図のイメージ

(3) **3** および **5** で割り切れるが，**7** で割り切れない，すなわち集合 $A \cap B \cap \overline{C}$ の要素の個数 $n(A \cap B \cap \overline{C})$ は，

$$n(A \cap B \cap \overline{C}) = \underbrace{n(A \cap B)}_{33} - \underbrace{n(A \cap B \cap C)}_{4}$$

$= 33 - 4 = 29$ である。…………(答)

⇦ ベン図のイメージ

必要条件・十分条件

元気力アップ問題 22　難易度 ★★　CHECK 1　CHECK 2　CHECK 3

次の各文の□に適するものを，下の⓪～③から選べ。ただし，x，y，z は実数とする。

(1) $xy=0$ は，$xyz=0$ であるための□

(2) $x+y+z=0$ は，$x^2+y^2+z^2=0$ であるための□

(3) $x(y^2+2)=0$ は，$x=0$ であるための□

(4) $(x^2+y^2)(x^2+z^2)=0$ は，$x=0$ であるための□

⓪必要条件である。　①十分条件である。

②必要十分条件である。　③必要条件でも十分条件でもない。

ヒント！ 「$p \Longrightarrow q$」が真であるとき，p を十分条件，q を必要条件というんだね。命題が偽であることを示すには，反例を1つ挙げればいい。1つ1つ確認していこう！

解答＆解説

(1) (i) "$xy=0 \Longrightarrow xyz=0$" について，$xy=0$ ならば，$xyz=0\times z=0$ となる。よって，これは真である。

(ii) "$xy=0 \Longleftarrow xyz=0$" について，これは偽である。

反例として，$xy=1$，$z=0$ が挙げられる。

以上(i)(ii)より，$xy=0$ $\underset{\times}{\overset{\bigcirc}{\rightleftarrows}}$ $xyz=0$

（矢印を出しているだけなので，これは十分条件だ。）

よって，$xy=0$ は $xyz=0$ であるための十分条件である。∴①　……(答)

(2) (i) "$x+y+z=0 \Longrightarrow x^2+y^2+z^2=0$" について，これは偽である。

反例として，$x=1$，$y=-1$，$z=0$ が挙げられる。

(ii) "$x+y+z=0 \Longleftarrow x^2+y^2+z^2=0$" について，$x^2\geqq 0$，$y^2\geqq 0$，$z^2\geqq 0$ より，$x^2+y^2+z^2=0$ をみたすのは，$x^2=y^2=z^2=0$，すなわち $x=y=z=0$ のみである。よって，$x+y+z=0+0+0=0$ となる。

ココがポイント

N(北)(必要)

S(南)(十分)

と覚えよう。

⇦ 真を"○"，偽を"×"で表している。

⇦ このとき，$x^2+y^2+z^2=2$ となって，0にはならないからね。

よって，これは真である。

以上(ⅰ)(ⅱ)より，$\underline{x+y+z=0} \underset{\Leftarrow}{\not\Rightarrow} x^2+y^2+z^2=0$

矢印が来ているだけなので，これは必要条件だ。

よって，$x+y+z=0$ は $x^2+y^2+z^2=0$ であるための必要条件である。∴⓪ ……………………(答)

⇦ $p \underset{\Leftarrow}{\not\Rightarrow} q$
必要条件　十分条件

(3) (ⅰ) "$x(y^2+2)=0 \Longrightarrow x=0$" について，

$y^2+2>0$ より，$x(y^2+2)=0$ ならば $x=0$ となる。

よって，これは真である。

(ⅱ) "$x(y^2+2)=0 \Longleftarrow x=0$" について，

$x=0$ ならば，$x(y^2+2)=0\times(y^2+2)=0$ となる。

よって，これは真である。

以上(ⅰ)(ⅱ)より，$\underline{x(y^2+2)=0} \underset{\Leftarrow}{\Rightarrow} x=0$

矢印を出して，かつ矢印が来ているので，これは必要十分条件だね。

よって，$x(y^2+2)=0$ は，$x=0$ であるための必要十分条件である。∴② ……………………(答)

⇦ $p \underset{\Leftarrow}{\Rightarrow} q$
必要十分条件　必要十分条件

(4) (ⅰ) "$(x^2+y^2)(x^2+z^2)=0 \Longrightarrow x=0$" について，

$(x^2+y^2)(x^2+z^2)=0$ ならば，

$\underline{x^2+y^2=0}$ または $\underline{x^2+z^2=0}$ となる。よって，

（$x=y=0$）　（$x=z=0$）

$x=y=0$ または $x=z=0$ となるので，いずれにせよ，$x=0$ となる。よって，これは真である。

⇦ $A\times B=0$ ならば
$A=0$ または $B=0$

⇦ ・$x^2+y^2=0$ のとき，
（0以上）
$x=y=0$ となる。
・$x^2+z^2=0$ のときも
$x=z=0$ となる。

(ⅱ) "$(x^2+y^2)(x^2+z^2)=0 \Longleftarrow x=0$" について，

これは偽である。反例として，$x=0$，$y=1$，$z=1$ が挙げられる。

⇦ このとき，
$(0+1)(0+1)=1\neq0$
となって，0 にはならないからね。

以上(ⅰ)(ⅱ)より，$\underline{(x^2+y^2)(x^2+z^2)=0} \underset{\not\Leftarrow}{\Rightarrow} x=0$

矢印を出しているだけなので，これは十分条件だね。

よって，$(x^2+y^2)(x^2+z^2)=0$ は，$x=0$ であるための十分条件である。∴① ……………………(答)

元気力アップ問題 23　難易度 ★★　CHECK 1　CHECK 2　CHECK 3

次の各文の□に適するものを，下の⓪～③から選べ。ただし，x は実数とする。

(1) 正三角形であることは，二等辺三角形であるための□

(2) 直角三角形であることは，直角二等辺三角形であるための□

(3) $-1 \leqq x \leqq 1$ であることは，$|x| < 1$ であるための□

(4) $|x-1| \geqq 2$ であることは，$2 < x < 4$ であるための□

(5) $|x+1| \leqq 1$ であることは，$|x| < 3$ であるための□

⓪必要条件であるが，十分条件でない。

①十分条件であるが，必要条件でない。

②必要十分条件である。

③必要条件でも十分条件でもない。

ヒント！ 命題“$p \Longrightarrow q$”について，p を表す集合 P が，q を表す集合 Q に含まれるとき，すなわち $P \subseteqq Q$ であるとき，この命題は真であると言えるんだね。これが，真理集合の考え方だ。

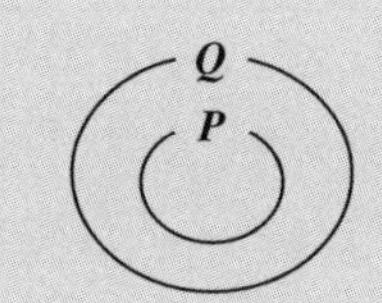

解答＆解説

(1) 正三角形の集合は，二等辺三角形の集合の真部分集合である。よって，

“正三角形である $\underset{\times}{\overset{\Longrightarrow}{\Longleftarrow}}$ 二等辺三角形である。”

ゆえに，正三角形であることは，二等辺三角形であるための十分条件であるが，必要条件ではない。

∴① ……………………………………(答)

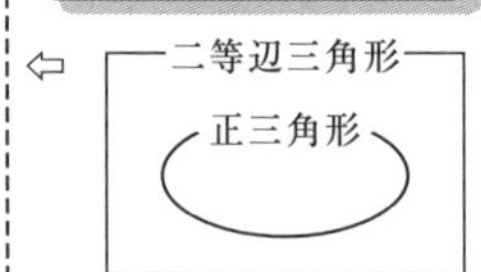

(2) 直角二等辺三角形の集合は，直角三角形の集合の真部分集合である。よって，

“直角三角形である $\underset{\Longleftarrow}{\overset{\times}{\Longrightarrow}}$ 直角二等辺三角形である。”

ゆえに，直角三角形であることは，直角二等辺三角形であるための必要条件であるが，十分条件ではない。∴⓪ ……………………………(答)

直角三角形
直角二等辺三角形

(3) 集合 $P=\{x\,|\,-1\leqq x\leqq 1\}$，集合 $Q=\{x\,|\,\underline{-1<x<1}\}$
　　　　　　　　　　　　　　　　　　　　$|x|<1$ のこと

とおくと，$P\supset Q$ となる。よって，真理集合の考え方より

“$-1\leqq x\leqq 1 \ \underset{\bigcirc}{\overset{\times}{\rightleftarrows}}\ |x|<1$”

よって，$-1\leqq x\leqq 1$ であることは，$|x|<1$ であるための必要条件であるが，十分条件ではない。

$\therefore$ ⓪ ……………………………………………(答)

⇦ 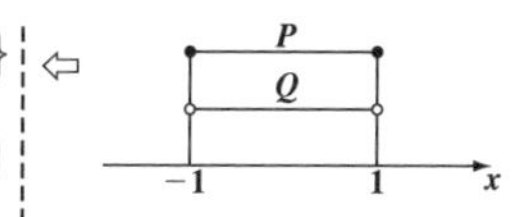

(4) 集合 $P=\{x\,|\,|x-1|\geqq 2\}$，集合 $Q=\{x\,|\,2<x<4\}$ とおく。ここで，

$|x-1|\geqq 2$ より，$x-1\leqq -2$ または $2\leqq x-1$

⇦ $|A|\geqq r\ (\geqq 0)$ のとき，$A\leqq -r$ または $r\leqq A$

よって，$x\leqq -1$ または $3\leqq x$ となるので，

$P=\{x\,|\,x\leqq -1$ または $3\leqq x\}$ となる。

⇦ 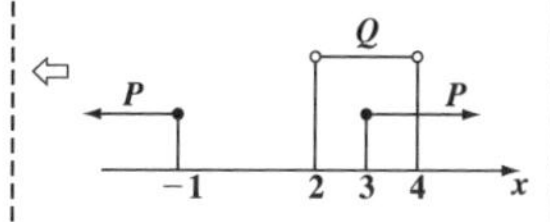

よって，右図より，集合 P，Q の間に，包含関係(含んだり含まれたりする関係)は存在しない。よって

“$|x-1|\geqq 2\ \underset{\times}{\overset{\times}{\rightleftarrows}}\ 2<x<4$”

ゆえに，$|x-1|\geqq 2$ であることは，$2<x<4$ であるための必要条件でも十分条件でもない。$\therefore$ ③…(答)

(5) 集合 $P=\{x\,|\,|x+1|\leqq 1\}$，集合 $Q=\{x\,|\,|x|<3\}$ とおく。

ここで，・$|x+1|\leqq 1$ より，$-1\leqq x+1\leqq 1$

　　　　$\therefore -2\leqq x\leqq 0$

　　　・$|x|<3$ より，$-3<x<3$

⇦ 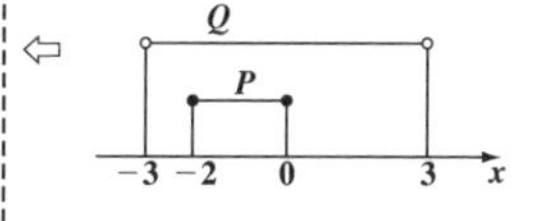

よって，$P\subset Q$ となるので，真理集合の考え方より

“$|x+1|\leqq 1\ \underset{\times}{\overset{\bigcirc}{\rightleftarrows}}\ |x|<3$”

よって，$|x+1|\leqq 1$ であることは，$|x|<3$ であるための十分条件であるが，必要条件ではない。

$\therefore$ ① ……………………………………………(答)

命題の証明，背理法

元気力アップ問題 24　難易度 ★★　CHECK 1　CHECK 2　CHECK 3

次の命題が真のときは，理由を述べ，偽のときは，反例を示せ。

(1) 有理数と有理数の和は有理数である。………(＊1)

(2) 有理数と無理数の和は無理数である。………(＊2)

(3) 無理数と無理数の和は無理数である。………(＊3)

(4) 無理数と無理数の積は無理数である。………(＊4)

(5) 正の無理数の平方根は無理数である。………(＊5)　(大阪教育大)

ヒント！ 有理数と無理数に関する命題は頻出なので，ここでシッカリ練習しておこう。命題が真であることを示すのに，背理法も有効だ。また，偽であることを示すには，反例を 1 つだけ挙げればいいんだね。頑張ろう！

解答＆解説

(1) 2 つの有理数 p, q を 4 つの整数 a, b, c, d を用いて，

$p=\frac{b}{a}$, $q=\frac{d}{c}$ (a, b : 互いに素，c, d : 互いに素)

既約分数　既約分数

と表せる。

ここで，

$p+q=\frac{b}{a}+\frac{d}{c}=\frac{bc+ad}{ac}$ (有理数) となる。

∴ (＊1) は真である。 ……………………………(答)

(2) 有理数を $p=\frac{b}{a}$ (a, b : 互いに素な整数)，および無理数を q とおく。

ここで，

$p+q=\frac{d}{c}$ (有理数) (c, d : 互いに素な整数)

有理数　無理数

と仮定する。これに $p=\frac{b}{a}$ を代入して，

ココがポイント

⇦ 有理数は，整数または分数のことで，一般に $\frac{b}{a}$ (a, b は互いに素の整数) の形で表せるんだね。

⇦ 無理数とは，循環しない，無限に続く小数でしか表せない数のこと。ここで，$p+q=$ (無理数) であることを示すために，背理法を用いて，$p+q=$ (有理数) と仮定して，矛盾を導く！

$\frac{b}{a}+q=\frac{d}{c}$ より，$q=\frac{d}{c}-\frac{b}{a}=\frac{ad-bc}{ac}$ (有理数)

q：無理数

よって，(無理数)=(有理数) となって矛盾する。

∴背理法により，(＊2) は真である。…………(答)

(3) 無理数と無理数の和は，無理数になるとは限らない。

反例　$1+\sqrt{2}$ と $1-\sqrt{2}$

∴ (＊3) は偽である。…………………………(答)

⇦ $(1+\sqrt{2})+(1-\sqrt{2})=2$ となって，有理数になるからね。

(4) 無理数と無理数の積は，無理数になるとは限らない。

反例　$1+\sqrt{2}$ と $1-\sqrt{2}$

∴ (＊4) は偽である。…………………………(答)

⇦ $(1+\sqrt{2})\times(1-\sqrt{2})=1-2=-1$ となって，有理数になるからね。

(5) 正の無理数 q の正の平方根 $\sqrt{q}$ が有理数であると仮定すると，

$\sqrt{q}=\frac{b}{a}$ ……①　(a, b：互いに素な整数) となる。

①の両辺を 2 乗すると，

$q=\frac{b^2}{a^2}$ (有理数) となって

q：無理数

(無理数)=(有理数) となる。よって，矛盾。

∴背理法により，(＊5) は真である。…………(答)

⇦ $\sqrt{q}$ =(無理数) を示すために，背理法を用いて，まず，$\sqrt{q}$ =(有理数) と仮定して，矛盾を導けばいいんだね。

(3) の反例は，$\sqrt{2}$ と $-\sqrt{2}$，$1+\sqrt{3}$ と $-\sqrt{3}$，$-\sqrt{5}-2$ と $\sqrt{5}$，…など，なんでも構わない。どれか 1 つを示せばいいんだね。

($\sqrt{2}+(-\sqrt{2})=0$)　($1+\sqrt{3}+(-\sqrt{3})=1$)　($-\sqrt{5}-2+\sqrt{5}=-2$)

(4) の反例も $\sqrt{3}$ と $-\sqrt{3}$，$\sqrt{2}$ と $\sqrt{8}$，$\frac{1}{\sqrt{5}}\times\sqrt{5}$，…など，なんでも構わない。

($\sqrt{3}\times(-\sqrt{3})=-3$)　($\sqrt{2}\times2\sqrt{2}=4$)　($\frac{1}{\sqrt{5}}\times\sqrt{5}=1$)

自分が考えついた反例を何か 1 つ示せばいいんだよ。

数と式 1　集合と論理 2　2次関数 3

対偶・背理法による証明

元気力アップ問題 25　難易度 ★★　CHECK 1　CHECK 2　CHECK 3

次の各問いに答えよ。

(1) 整数 n について，命題 "n^2 が 5 の倍数ならば，n は 5 の倍数である" が真であることを示せ。

(2) $\sqrt{5}$ が無理数であることを示せ。

ヒント！ (1) は，対偶命題をとって，証明すればいいね。その際，合同式を利用すると計算が早くなるよ。(2) は，背理法を用いて，まず $\sqrt{5}$ が有理数であると仮定して，矛盾を導けばいいんだね。この一連の流れをシッカリマスターしよう！

解答＆解説

(1) 命題 "n^2 が 5 の倍数ならば，n は 5 の倍数である。" ………$(*1)$

の対偶命題は，

"n が 5 の倍数でないならば，n^2 は 5 の倍数でない。" ………$(*1)'$

なので，$(*1)'$ を調べる。

k を整数として，

(i) $n = 5k+1$ のとき，

$$n^2 = (5k+1)^2 = 25k^2+10k+1 = 5(5k^2+2k)+1 \text{ となる。}$$

(ii) $n = 5k+2$ のとき，

$$n^2 = (5k+2)^2 = 25k^2+20k+4 = 5(5k^2+4k)+4 \text{ となる。}$$

(iii) $n = 5k+3$ のとき，

$$n^2 = (5k+3)^2 = 25k^2+30k+9 = 5(5k^2+6k+1)+4 \text{ となる。}$$

(iv) $n = 5k+4$ のとき，

$$n^2 = (5k+4)^2 = 25k^2+40k+16 = 5(5k^2+8k+3)+1 \text{ となる。}$$

以上より，n が 5 の倍数でないならば，n^2 は 5 の

ココがポイント

⇦ 元の命題 "$p \Longrightarrow q$" の対偶命題 "$\overline{q} \Longrightarrow \overline{p}$" を利用する。
対偶命題が真ならば，元の命題も真となるからね。

⇦ n が 5 の倍数でない，すなわち 5 で割って 1，2，3，4 余る：
(i) $n=5k+1$
(ii) $n=5k+2$
(iii) $n=5k+3$
(iv) $n=5k+4$
(k：整数) のとき，
n^2 が 5 の倍数でないことを示せばいい。

倍数でないので，対偶命題 $(*1)'$ は成り立つ。

∴元の命題 $(*1)$ も成り立つ。……………………(終)

合同式を用いると，次のようにアッサリ計算できるので，これを使ってもいいよ。
(ⅰ) $n \equiv 1 \pmod 5$ のとき，$n^2 \equiv 1^2 \equiv 1 \pmod 5$
(ⅱ) $n \equiv 2 \pmod 5$ のとき，$n^2 \equiv 2^2 \equiv 4 \pmod 5$
(ⅲ) $n \equiv 3 \pmod 5$ のとき，$n^2 \equiv 3^2 \equiv 9 \equiv 4 \pmod 5$
(ⅳ) $n \equiv 4 \pmod 5$ のとき，$n^2 \equiv 4^2 \equiv 16 \equiv 1 \pmod 5$

(2) "$\sqrt{5}$ が無理数である"ことを，背理法により示す。

⇦ $\sqrt{5}$ を有理数と仮定して矛盾を導く。(背理法)

"$\sqrt{5}$ が有理数である"と仮定すると，

$\sqrt{5} = \dfrac{b}{a}$ (a, b は，互いに素な正の整数) とおける。

⇦ $\dfrac{b}{a}$ は既約分数とする。
(互いに素とは，a と b は 1 以外の公約数をもたないという意味だ。)

よって，$b = \sqrt{5}a$　この両辺を 2 乗して，

$b^2 = 5a^2$ ……①

(ⅰ) ①より，b^2 は 5 の倍数。よって，$(*1)$ から，

b は 5 の倍数である。

よって，$b = 5k$ ……② (k：整数) とおける。

②を①に代入して，

$(5k)^2 = 5a^2$　　$25k^2 = 5a^2$

∴ $a^2 = 5k^2$ ……③

(ⅱ) ③より，a^2 は 5 の倍数。よって，$(*1)$ から，

a は 5 の倍数である。

以上(ⅰ)(ⅱ)より，a と b は共に 5 の倍数となるが，これは a と b が互いに素の条件に反する。

よって，矛盾である。

⇦ これで，背理法が完成したんだね。

∴ $\sqrt{5}$ は無理数である。……………………(終)

対偶・背理法による証明

元気力アップ問題 26	難易度 ★★	CHECK 1	CHECK 2	CHECK 3

次の各問いに答えよ。

(1) 自然数 n について，n^3 が 3 の倍数ならば，n は 3 の倍数であることを証明せよ。

(2) $\sqrt[3]{3}$ が無理数であることを証明せよ。

(3) 有理数 a，b が，$(1+\sqrt[3]{3})a+2b-\sqrt[3]{3}=0$ をみたす。このとき，a，b の値を求めよ。　　　　(明治大 *)

ヒント！ (1) は，対偶命題を使って証明しよう。合同式も使うと便利だ。(2) は，背理法を使えばいい。(1)，(2) は，元気力アップ問題 25 と似ているので解きやすいはずだ。(3) は，無理数 $\sqrt[3]{3}$ でまとめて，背理法を利用するといいよ。

解答＆解説

(1) 命題 "n^3 が 3 の倍数ならば，n は 3 の倍数である。" ………(*1)

の対偶命題は，

"n が 3 の倍数でないならば，n^3 は 3 の倍数でない。" ………(*1)´

なので，(*1)´ が成り立つことを示す。

自然数 n が 3 の倍数でない場合は，合同式で表すと，次の 2 通りである。

(ⅰ) $n\equiv1 \pmod{3}$，　(ⅱ) $n\equiv2 \pmod{3}$

(ⅰ) $n\equiv1 \pmod{3}$ のとき，

$n^3\equiv1^3\equiv1 \pmod{3}$ となって，n^3 は 3 で割って 1 余る数なので，3 の倍数でない。

(ⅱ) $n\equiv2 \pmod{3}$ のとき，

$n^3\equiv2^3\equiv8\equiv2 \pmod{3}$ となって，n^3 は 3 で割って 2 余る数なので，3 の倍数でない。

以上 (ⅰ)(ⅱ) より，対偶 "n が 3 の倍数でないならば，n^3 は 3 の倍数でない。" ……(*1)´ が成り立

ココがポイント

⇦ 命題 "$p\Rightarrow q$" の対偶命題 "$\overline{q}\Rightarrow\overline{p}$" を証明すれば，元の命題を証明したことになるんだね。

⇦ 3 で割って，(ⅰ) 1 余る場合と (ⅱ) 2 余る場合の 2 通りだ。

つことが示せた。よって，元の命題(＊1)も成り立つ。

……(終)

(2) "$\sqrt[3]{3}$ が無理数である" ことを，背理法により示す。
"$\sqrt[3]{3}$ が有理数である" と仮定すると，

$\sqrt[3]{3}=\frac{b}{a}$ (a, b：互いに素な正の整数) とおける。

よって，$b=\sqrt[3]{3}\,a$　この両辺を3乗して，

$b^3=(\sqrt[3]{3}\,a)^3=(\sqrt[3]{3})^3a^3=3a^3$ ……①

$\left(3^{\frac{1}{3}}\right)^3=3$

(ⅰ) ①より b^3 は3の倍数なので，(＊1) から，
b は3の倍数である。

(ⅱ) よって，$b=3k$ ……② (k：整数) とおける。
②を①に代入して，
$(3k)^3=3a^3$　　$27k^3=3a^3$
$\therefore a^3=3\cdot 3k^3$ ……③
③より，a^3 は3の倍数。よって，(＊1) から，
a は3の倍数である。

以上(ⅰ)(ⅱ)より，a, b は共に3の倍数となって，これは a と b が互いに素の条件に反する。よって，矛盾である。

$\therefore \sqrt[3]{3}$ は無理数である。……(終)

⇦ $\sqrt[3]{3}=3^{\frac{1}{3}}$ が有理数と仮定して，矛盾を導けばいいんだね。

(3) $(1+\sqrt[3]{3})a+2b-\sqrt[3]{3}=0$ ……④ (a, b：有理数)

を $\sqrt[3]{3}$ でまとめると，

$(a-1)\sqrt[3]{3}+a+2b=0$ ……④′ となる。

ここで，$a-1\neq 0$ と仮定すると，④′より

$\sqrt[3]{3}=-\frac{a+2b}{a-1}$ (有理数) となって，$\sqrt[3]{3}$ が無理数であることに矛盾する。

$\therefore a-1=0$ より，$a=1$　これを④′に代入して，

$0\cdot\sqrt[3]{3}+1+2b=0$　$\therefore b=-\frac{1}{2}$

$\therefore a=1$, $b=-\frac{1}{2}$ である。……(答)

⇦ 背理法を使って，$a-1=0$ を示すんだね。

対偶による証明

元気力アップ問題 27	難易度 ★★	CHECK 1	CHECK 2	CHECK 3

整数 a, b, c について，命題 P：
「$a^2+b^2+c^2$ が偶数であるならば，a, b, c のうち少なくとも 1 つは偶数である。」
がある。
(1) 命題 P の逆，裏，対偶を示せ。
(2) 対偶を利用して，命題 P が成り立つことを示せ。　(愛知大＊)

ヒント！ **(1)** "少なくとも 1 つ" の否定は，"すべて" であることに気を付けよう。**(2)** では，P の対偶が真であることを示せば，命題 P が成り立つことを示したことになるんだね。

解答＆解説

(1) 命題 P の逆，裏，対偶を示すと，

・逆「a, b, c のうち少なくとも 1 つが偶数ならば，$a^2+b^2+c^2$ は偶数である。」

・裏「$a^2+b^2+c^2$ が奇数ならば，a, b, c はすべて奇数である。」

・対偶「a, b, c がすべて奇数ならば，$a^2+b^2+c^2$ は奇数である。」……………………(答)

(2) P の対偶命題について調べる。
a, b, c がすべて奇数のとき，$(\text{奇数})^2=(\text{奇数})$ なので，a^2, b^2, c^2 もすべて奇数である。
よって，
$a^2+b^2+c^2=(\text{奇数})+(\text{奇数})+(\text{奇数})=(\text{奇数})$
となって，この対偶命題は真である。
ゆえに，元の命題 P は成り立つ。……………(終)

ココがポイント

⇦ 命題 P：$p \Rightarrow q$
逆：$q \Rightarrow p$
裏：$\overline{p} \Rightarrow \overline{q}$
対偶：$\overline{q} \Rightarrow \overline{p}$

⇦ 対偶命題が真であることを示せば，元の命題 P が真であることを示したことになるんだね。

(2) を合同式で証明すると，次のようにスッキリ示せる。
$a\equiv 1$, $b\equiv 1$, $c\equiv 1$ $(\mathrm{mod}\,2)$ のとき，$a^2+b^2+c^2\equiv 1^2+1^2+1^2\equiv 3\equiv 1$ $(\mathrm{mod}\,2)$
となるので，対偶命題は真である。よって，命題 P は成り立つ。

背理法による証明

元気力アップ問題 28　難易度 ★★　CHECK 1　CHECK 2　CHECK 3

正の数 a, b, c を用いて，2 つの式 A, B を次のようにおく。

$A = a + b + c$ ……①　　$B = \frac{1}{a} + \frac{1}{b} + \frac{1}{c}$ ……②

このとき，A, B のうち少なくとも 1 つは 3 以上であることを示せ。

(早稲田大＊)

ヒント！ 背理法を使って，A, B が共に 3 より小さいものとして，矛盾を導くんだね。この際，相加・相乗平均の不等式 $a + \frac{1}{a} \geqq 2\sqrt{a \cdot \frac{1}{a}} = 2$ に気付くと，見通しがよくなるはずだ。

解答&解説

$A = a + b + c$ ……①　　$B = \frac{1}{a} + \frac{1}{b} + \frac{1}{c}$ ……②

$(a > 0,\ b > 0,\ c > 0)$ について，「A, B のうち少なくとも 1 つは 3 以上である」ことを，背理法を用いて示す。

A, B がいずれも 3 より小さいと仮定すると，

$A < 3$ かつ $B < 3$ より，$A + B < 6$ ……③となる。

このとき，①＋②より，

$A + B = a + b + c + \frac{1}{a} + \frac{1}{b} + \frac{1}{c}$

$= \left(a + \frac{1}{a}\right) + \left(b + \frac{1}{b}\right) + \left(c + \frac{1}{c}\right)$ ……④

（各括弧：2以上）

a, b, c は正より，ここで，相加・相乗平均の不等式を用いると，

$a + \frac{1}{a} \geqq 2$, $b + \frac{1}{b} \geqq 2$, $c + \frac{1}{c} \geqq 2$ となる。

よって，④より，

$A + B \geqq 2 + 2 + 2 = 6$，つまり $A + B \geqq 6$ となって，

③と矛盾する。

$\therefore A$, B のうち少なくとも 1 つは 3 以上である。……(終)

ココがポイント

⇦ “少なくとも 1 つ” の否定は “いずれも” になるんだね。

⇦ $a + \frac{1}{a} \geqq 2\sqrt{a \cdot \frac{1}{a}} = 2$

$b + \frac{1}{b} \geqq 2\sqrt{b \cdot \frac{1}{b}} = 2$

$c + \frac{1}{c} \geqq 2\sqrt{c \cdot \frac{1}{c}} = 2$

第2章 ● 集合と論理の公式の復習

1. 和集合の要素の個数

(i) $A \cap B \neq \phi$ のとき，

$$n(A \cup B) = n(A) + n(B) - n(A \cap B)$$

(ii) $A \cap B = \phi$ のとき，

$$n(A \cup B) = n(A) + n(B)$$

2. 集合 A と補集合 $\overline{A}$ の関係

$n(A) = n(U) - n(\overline{A})$　　(U：全体集合)

3. ド・モルガンの法則

(i) $\overline{A \cup B} = \overline{A} \cap \overline{B}$　　(ii) $\overline{A \cap B} = \overline{A} \cup \overline{B}$

4. 十分条件，必要条件

命題 "$p \Rightarrow q$" が真のとき，

十分条件 Sufficient condition　　必要条件 Necessary condition

地図の方位と同じ！
Ⓝ(北)
Ⓢ(南)

$\begin{cases} p \text{ は } q \text{ であるための十分条件} \\ q \text{ は } p \text{ であるための必要条件} \end{cases}$

5. 真理集合の考え方

命題 "$p \Rightarrow q$" が真のとき，$P \subseteq Q$ が成り立つ。
(ただし，P：p の真理集合，Q：q の真理集合)

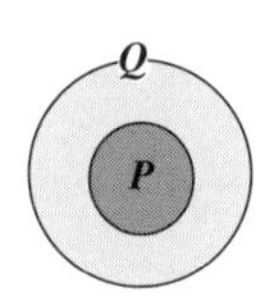

6. 命題とその対偶との真・偽の関係

・元の命題が真 $\Longleftrightarrow$ 対偶が真

・元の命題が偽 $\Longleftrightarrow$ 対偶が偽

7. 対偶による証明法

命題 "$p \Rightarrow q$" が真であることを証明するのが難しい場合，
この対偶 "$\overline{q} \Rightarrow \overline{p}$" が真であることを示せれば，元の命題 "$p \Rightarrow q$" も真と言える。

8. 背理法による証明法

命題 "$p \Rightarrow q$" や，命題 "q である" が真であることを示すには，
まず，$\overline{q}$ (q でない) と仮定して，矛盾を導く。

第 3 章
CHAPTER

3 2次関数

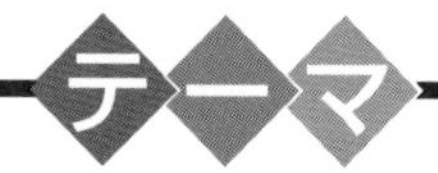

▶ 2 次方程式の解法

$$\left(\begin{array}{l} ax^2+bx+c=0 \text{ の解} \\ x=\dfrac{-b\pm\sqrt{b^2-4ac}}{2a} \end{array} \right)$$

▶ 2 次関数のグラフ

（標準形 $y=a(x-p)^2+q$，頂点 $(p,\ q)$）

▶ 2 次関数と 2 次方程式・2 次不等式

$$\left(\begin{array}{l} ax^2+bx+c\leqq 0, \\ ax^2+bx+c>0 \quad \text{など} \end{array} \right)$$

第3章 2次関数 ●公式&解法パターン

1. 2次方程式の解法

2次方程式：$ax^2+bx+c=0$ …① $(a \neq 0)$には3つの解法がある。

(1) ①の左辺が因数分解できて，$a(x-\alpha)(x-\beta)=0$ と変形できるとき，

解 $x=\alpha$ または β となる。

(ex) $x^2-x-12=0$ を解くと，$(x+3)(x-4)=0$ $\therefore x=-3,\ 4$

(2) 解の公式：$x=\dfrac{-b\pm\sqrt{b^2-4ac}}{2a}$ $\left(\begin{array}{l}\text{ただし，}\\ \text{判別式 } D=b^2-4ac \geqq 0\end{array}\right)$

(3) ①が，$ax^2+2b'x+c=0$ …①´ $(a \neq 0)$の形の場合，

解の公式：$x=\dfrac{-b'\pm\sqrt{b'^2-ac}}{a}$ $\left(\begin{array}{l}\text{ただし，}\\ \dfrac{D}{4}=b'^2-ac \geqq 0\end{array}\right)$

(ex) $3x^2+4x-2=0$ の解は，解の公式を用いて，

($3=a$, $4=2b'$, $-2=c$)

$x=\dfrac{-2\pm\sqrt{2^2-3\cdot(-2)}}{3}=\dfrac{-2\pm\sqrt{10}}{3}$ ← $x=\dfrac{-b'\pm\sqrt{b'^2-ac}}{a}$

2. 判別式 D で，2次方程式の解を判別できる。

2次方程式 $ax^2+bx+c=0$ $(a \neq 0)$ の判別式 D は

$D=b^2-4ac$ である。すると，この2次方程式は

(i) $D>0$ のとき，相異なる2実数解 $x=\dfrac{-b+\sqrt{D}}{2a}$，$\dfrac{-b-\sqrt{D}}{2a}$ をもつ。

(ii) $D=0$ のとき，重解 $x=-\dfrac{b}{2a}$ をもつ。

(iii) $D<0$ のとき，実数解をもたない。

(ex) $2x^2-5x+3=0$ …㋐の判別式 D は，$D=(-5)^2-4\cdot2\cdot3=1>0$

($2=a$, $-5=b$, $3=c$)

よって，㋐の2次方程式は相異なる2実数解をもつ。

3. 関数の定義

2 つの変数 x，y について，
x をある値に定めたとき，それに対してただ **1** つの y の値が定まるとき，y は x の**関数**であるといい，$y = f(x)$ などと表す。

（これは，$y = g(x)$ でも，$y = h(x)$ でも，何でもいいよ。）

(ⅰ) 1 次関数 $y = f(x) = ax + b \quad (a \neq 0)$

(ⅱ) 2 次関数 $y = f(x) = ax^2 + bx + c \quad (a \neq 0)$

(ⅲ) 3 次関数 $y = f(x) = ax^3 + bx^2 + cx + d \quad (a \neq 0)$

4. 2 次関数の基本

(ⅰ) 基本形：$y = ax^2$

(ⅱ) 標準形：$y = a(x-p)^2 + q$

（$y = ax^2$ を $(p,\ q)$ だけ平行移動したもの。頂点 $(p,\ q)$，軸 $x = p$）

(ⅲ) 一般形：$y = ax^2 + bx + c$

（これを変形して，(ⅱ)標準形にする。）

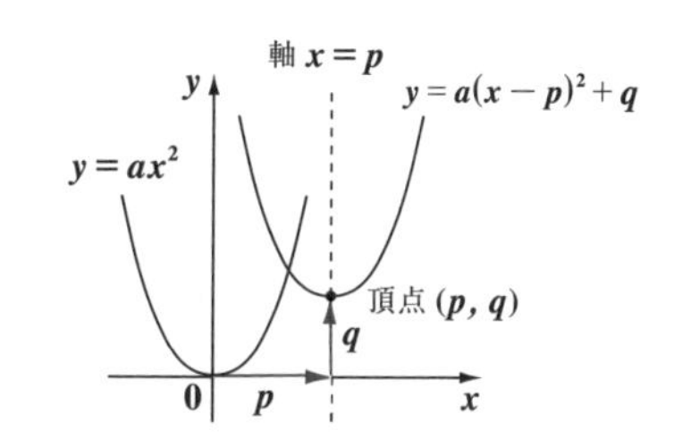

5. グラフの対称移動

(ⅰ) y 軸に関して対称移動

$y = f(x) \longrightarrow y = f(-x)$

（x の代わりに $-x$ を代入する。）

(ⅱ) x 軸に関して対称移動

$y = f(x) \longrightarrow -y = f(x)$

（y の代わりに $-y$ を代入する。）

(ⅲ) 原点に関して対称移動

$y = f(x) \longrightarrow -y = f(-x)$

（x の代わりに $-x$，y の代わりに $-y$ を代入する。）

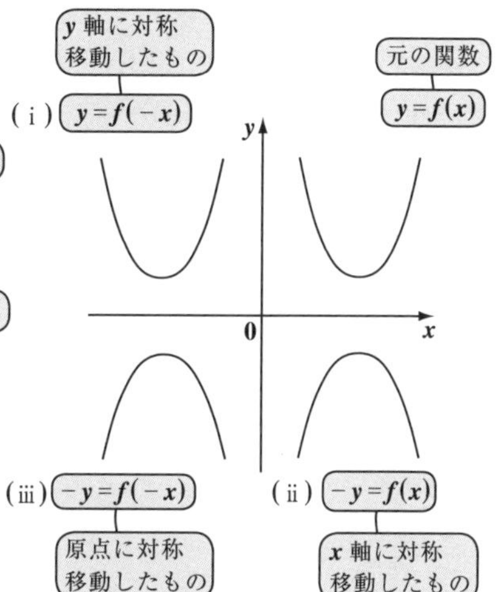

6. 2次関数の最大・最小

(1) 右図のように，**定義域**（ていぎいき）$\alpha \leqq x \leqq \beta$ における放物線 $y=f(x)=ax^2+bx+c$ が描けるとき，y の取り得る値の範囲を**値域**（ちいき）という。最大値，最小値もグラフから判断できるね。

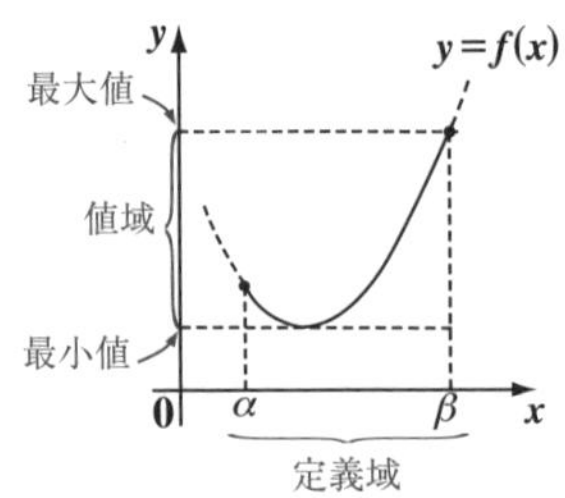

(2) カニ歩き＆場合分けの問題

たとえば，$y=f(x)=(x-a)^2+1\ \ (0\leqq x\leqq 2)$ の場合，この下に凸の放物線の頂点の x 座標が文字変数 a なので，この最小値を求めるには，放物線を次のように3通りに場合分けする必要がある。

（a：頂点の x 座標）

（3通りに場合分け：放物線が横に動くので，"カニ歩き"）

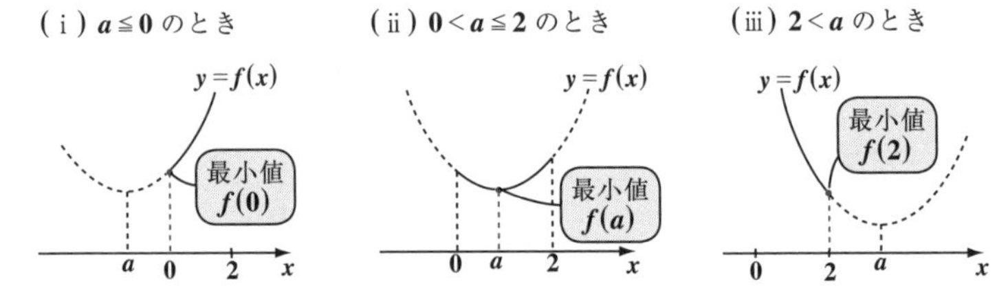

7. 2次方程式も，グラフで考えよう。

2次方程式 $ax^2+bx+c=0$ …① $(a>0)$ の両辺をそれぞれ y とおいて，

分解すると，$\begin{cases} y=f(x)=ax^2+bx+c & (a>0) \\ y=0 \end{cases}$ となる。

（$y=f(x)=ax^2+bx+c$ ← 下に凸の放物線，$y=0$ ← x 軸）

すると，この $y=f(x)$ と x 軸との共有点の x 座標が，2次方程式①の解となる。したがって，判別式 D と，$y=f(x)$ と x 軸との位置関係は下図のようになる。

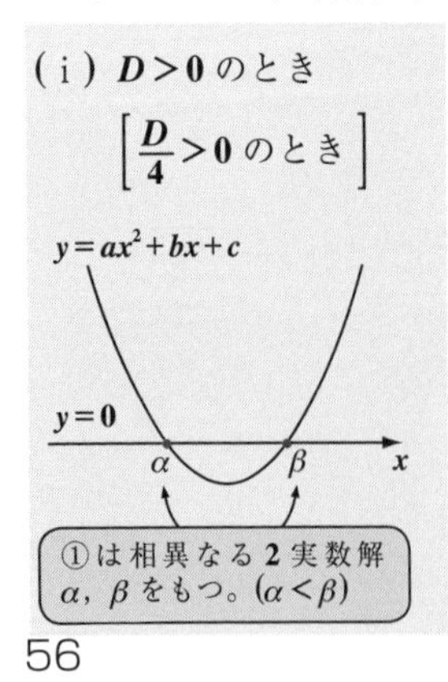

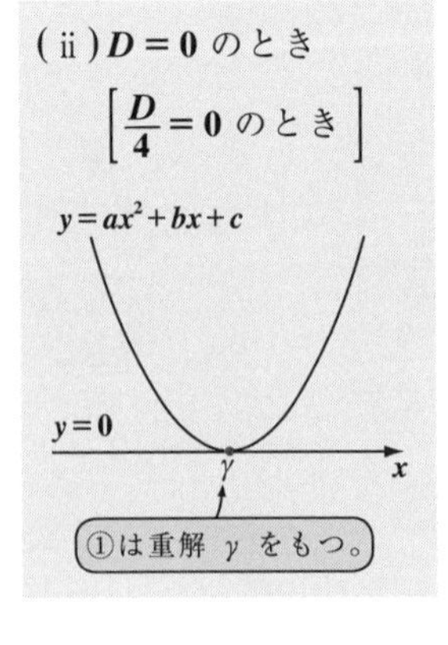

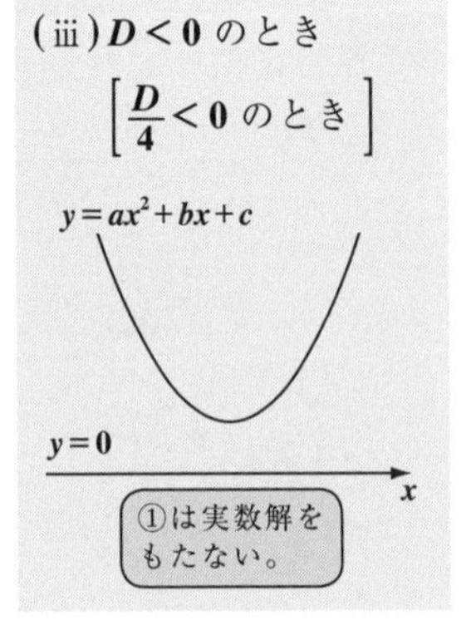

8. 2次方程式の解の範囲の問題

2次方程式 $ax^2+bx+c=0$ の2つの実数解 α，β について，たとえば，$0<\alpha<1<\beta$ などのように解の範囲を問う問題も，$y=f(x)=ax^2+bx+c$ と $y=0$［x 軸］との位置関係から考えて解いていけばいいんだね。

9. 2次不等式の問題もグラフで考えよう。

2次方程式 $ax^2+bx+c=0$ $(a>0)$ が相異なる実数解 α，β $(\alpha<\beta)$ をもつとき，$y=f(x)=ax^2+bx+c$ $(a>0)$ と $y=0$［x 軸］に分解して，グラフで考えると，次のように2次不等式の解が導ける。

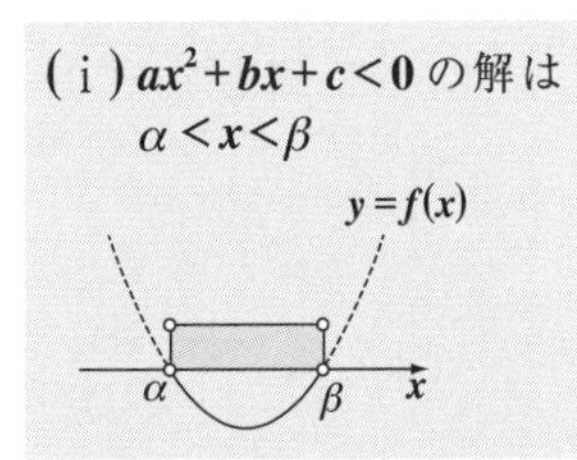
(i) $ax^2+bx+c<0$ の解は
$\alpha<x<\beta$

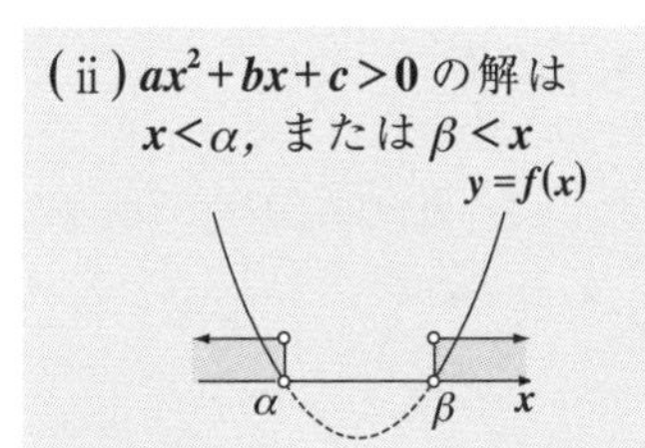
(ii) $ax^2+bx+c>0$ の解は
$x<\alpha$，または $\beta<x$

(ex) $3x^2-8x-3\geqq 0$ の解は，2次方程式
$3x^2-8x-3=0$ を解いて，
$(3x+1)(x-3)=0$ $\therefore x=-\frac{1}{3}$，$3$
$\therefore x\leqq -\frac{1}{3}$，$3\leqq x$ となる。

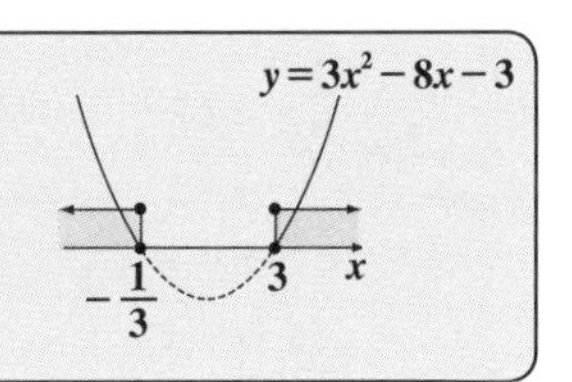

10. 分数不等式の解法

(i) $\frac{B}{A}>0 \iff A\cdot B>0$

(ii) $\frac{B}{A}<0 \iff A\cdot B<0$

見かけ上，分母の A が分子に上がったように見える。

(iii) $\frac{B}{A}\geqq 0 \iff A\cdot B\geqq 0$ かつ $A\neq 0$

(iv) $\frac{B}{A}\leqq 0 \iff A\cdot B\leqq 0$ かつ $A\neq 0$

2 次方程式

元気力アップ問題 29	難易度 ★	CHECK 1	CHECK 2	CHECK 3

次の 2 次方程式を解け。

(1) $6x^2+x-2=0$　　　　(2) $12x^2-11x-15=0$

(3) $2ax^2-(a^2-2)x-a=0$
　（ただし，$a \neq 0$ とする）

ヒント！　いずれも，“たすきがけ”で因数分解して解くタイプの 2 次方程式の問題だね。意外と (2) と (3) の“たすきがけ”は苦労するかもね。

解答＆解説

(1) $6x^2+x-2=0$ の左辺を因数分解して，

3 ╲╱ 2 → 4
2 ╱╲ −1 → −3

$(3x+2)(2x-1)=0$

$\therefore\ x=-\dfrac{2}{3},\ \dfrac{1}{2}$ ……………………………(答)

(2) $12x^2-11x-15=0$ の左辺を因数分解して，

3 ╲╱ −5 → −20
4 ╱╲ 3 → 9

$(3x-5)(4x+3)=0$

$\therefore\ x=\dfrac{5}{3},\ -\dfrac{3}{4}$ ……………………………(答)

(3) $2ax^2-(a^2-2)x-a=0$　$(a \neq 0)$

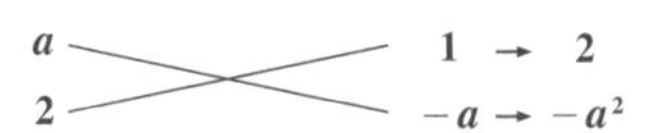

$(ax+1)(2x-a)=0$

$\therefore\ x=-\dfrac{1}{a},\ \dfrac{a}{2}$ ……………………………(答)

ココがポイント

⇦たすきがけによる 2 次方程式の解法

$prx^2+(ps+qr)x+qs=0$

p ╲╱ q
r ╱╲ s

$(px+q)(rx+s)=0$

$x=-\dfrac{q}{p},\ -\dfrac{s}{r}$

⇦文字定数 a を，数字のように考えて，たすきがけすればいいんだね。

絶対値の入った2次方程式

元気力アップ問題 30 難易度 ★ CHECK 1 CHECK 2 CHECK 3

方程式 $|x-2|=-x^2+2x+4$ ……①を解け。 (芝浦工大)

ヒント！ $|x-2|=\begin{cases} x-2 & (x \geqq 2) \\ -x+2 & (x<2) \end{cases}$ より，①は，(i) $x \geqq 2$ のときと，(ii) $x<2$ のときの2通りに場合分けして解いていけばいいんだね。

解答＆解説

$|\underline{x-2}|=-x^2+2x+4$ ……①について，
（0以上，または⊖）

(i) $x \geqq 2$ のとき $|x-2|=x-2$ より，①は，

$x-2=-x^2+2x+4$

$x^2-x-6=0$

$(x-3)(x+2)=0$　　$\therefore x=3$ または -2

ここで，$x \geqq 2$ より，$x=-2$ は不適。

$\therefore \underline{\underline{x=3}}$

(ii) $x<2$ のとき $|x-2|=-(x-2)=-x+2$ より，①は，

$-x+2=-x^2+2x+4$

$\underset{a}{1} \cdot x^2 \underset{b}{-3}x \underset{c}{-2}=0$　　これを解いて，

$x=\dfrac{3 \pm \sqrt{(-3)^2-4 \cdot (-2)}}{2 \cdot 1}=\dfrac{3 \pm \sqrt{17}}{2}$　（$\sqrt{17}=4.1\cdots$）

ここで，$x<2$ より，$\dfrac{3+\sqrt{17}}{2}$ は不適。

$\therefore \underline{\underline{x=\dfrac{3-\sqrt{17}}{2}}}$

以上 (i)(ii) より，①の方程式の解は，

$x=3$，または $\dfrac{3-\sqrt{17}}{2}$ ……………………(答)

ココがポイント

⇦ $|x-2|=\begin{cases} x-2 & (x \geqq 2) \\ -x+2 & (x<2) \end{cases}$
より，①は，2通りに場合分けして解いていこう。

⇦ これは，因数分解して解くタイプの2次方程式だね。
$x^2+(p+q)x+pq=0$
$(x+p)(x+q)=0$
$\therefore x=-p, -q$

⇦ これは，解の公式を使うタイプの2次方程式だね。
$ax^2+bx+c=0$ $(a \neq 0)$
の解 $x=\dfrac{-b \pm \sqrt{b^2-4ac}}{2a}$

文字定数を含む2次方程式

元気力アップ問題 31　難易度 ★★　CHECK 1　CHECK 2　CHECK 3

次の各問いに答えよ。

(1) x の2次方程式 $x^2+(p+2)x-p^2+7=0$ ……① が $x=-1$ を解にもつとき，p の値と，$x=-1$ 以外の解を求めよ。

(2) x の2次方程式 $ax^2+2(a-1)x+3a-1=0$ ……② $(a \neq 0)$ が重解をもつとき，a の値と重解を求めよ。　（法政大＊）

ヒント！ (1) では，①が $x=-1$ を解にもつので，これを①に代入して成り立つ。その結果，p の2次方程式が導けるので，これを解いて p の値を求めればいいんだね。(2) では，②が重解をもつと言っているので，この判別式を D とおくと，$\frac{D}{4}=0$ となるんだね。これは，a の2次方程式となるので，これを解いて，a の値を求めよう。

解答＆解説

(1) $x^2+(p+2)x-p^2+7=0$ ……① は

$x=-1$ を解にもつので，これを①に代入すると，

$(-1)^2+(p+2)(-1)-p^2+7=0$

これをまとめて，$p^2+p-6=0$ ← p の2次方程式

これを解いて，$(p+3)(p-2)=0$ より，

$p=2,\ -3$ ……………………………(答)

(i) $p=2$ のとき，①は，

$x^2+4x+3=0$　　$(x+1)(x+3)=0$

$\therefore x=-1$ 以外の解は，

$x=-3$ である。……………………(答)

(ii) $p=-3$ のとき，①は，

$x^2-x-2=0$　　$(x+1)(x-2)=0$

$\therefore x=-1$ 以外の解は，

$x=2$ である。……………………(答)

ココがポイント

⇦ $1-p-2-p^2+7=0$
$p^2+p-6=0$ となる。

⇦ これから，(i) $p=2$ と (ii) $p=-3$ の2通りに場合分けしよう。

⇦ $p=2$ のとき，①は
$x^2+(2+2)x-2^2+7=0$

⇦ $p=-3$ のとき，①は
$x^2+(-3+2)x-(-3)^2+7=0$

(2) $\underset{a}{ax^2}+\underset{2b'}{2(a-1)x}+\underset{c}{3a-1}=0$ ……② $(a \neq 0)$ が

重解をもつとき，②の判別式を D とおくと，

$\frac{D}{4}=(a-1)^2-a(3a-1)=0$ ……③となる。

③をまとめると，

$a^2-2a+1-3a^2+a=0$ より，$-2a^2-a+1=0$

$2a^2+a-1=0$ となる。これを解いて，

$$\begin{matrix} 2 & \times & -1 \\ 1 & & 1 \end{matrix}$$

$(2a-1)(a+1)=0$　　$\therefore a=\frac{1}{2},\ -1$ …………(答)

(i) $a=\frac{1}{2}$ のとき，これを②に代入して，

$\frac{1}{2}x^2+2\cdot\left(\frac{1}{2}-1\right)x+3\cdot\frac{1}{2}-1=0$

よって，$x^2-2x+1=0$

$(x-1)^2=0$

$\therefore$ ②の重解は，$x=1$ である。………………(答)

(ii) $a=-1$ のとき，これを②に代入して，

$-1\cdot x^2+2(-1-1)x+3\cdot(-1)-1=0$

よって，$x^2+4x+4=0$

$(x+2)^2=0$

$\therefore$ ②の重解は，$x=-2$ である。……………(答)

⇦ 2次方程式 $ax^2+2b'x+c=0$ が重解をもつとき，$\frac{D}{4}=b'^2-ac=0$ となるんだね。

⇦ a の2次方程式となるので，これを解いて，a の値を求める！

⇦ $\frac{1}{2}x^2-x+\frac{1}{2}=0$ 両辺に2をかけて，$x^2-2x+1=0$

⇦ $-x^2-4x-4=0$ 両辺に-1をかけて，$x^2+4x+4=0$

2 次方程式の応用

元気力アップ問題 32　難易度 ★★　CHECK 1　CHECK 2　CHECK 3

方程式 $x^4-2x^3-x^2-2x+1=0$ ……① について，次の各問いに答えよ。

(1) ①の両辺を $x^2\ (\neq 0)$ で割って，$t=x+\dfrac{1}{x}$ ……②とおき，t の値を求めよ。

(2) (1) の結果を用いて，①の解をすべて求めよ。

ヒント！　これは x の 4 次方程式だけれど，$1\cdot x^4-2x^3-1\cdot x^2-2x+1=0$ ……①は x^2 の係数 -1 の両側の係数が -2 と -2，1 と 1 のように 左右対称になっている。このような場合，両辺を x^2 で割って，$x+\dfrac{1}{x}=t$ ……②とおくと，t の 2 次方程式になるんだね。①のような形の方程式を“相反方程式（そうはんほうていしき）”というんだよ。

解答＆解説

(1) $1\cdot x^4-2x^3-1\cdot x^2-2x+1=0$ ……① について，

（x^2 の係数 -1 に対して，左右対称な係数（相反方程式））

$x\neq 0$ より，$x^2\neq 0$

よって，①の両辺を x^2 で割って，

$$x^2-2x-1-2\cdot\frac{1}{x}+\frac{1}{x^2}=0$$

$$\left(x^2+\frac{1}{x^2}\right)-2\left(x+\frac{1}{x}\right)-1=0 \quad \cdots\cdots ①'$$

（$x^2+\frac{1}{x^2}=t^2-2$，$x+\frac{1}{x}=t$）

ここで，$x+\dfrac{1}{x}=t$ ……②とおき，

②の両辺を 2 乗してまとめると，

$x^2+\dfrac{1}{x^2}=t^2-2$ ……②′となる。

②と②′を①′に代入して，

$t^2-2-2t-1=0 \qquad t^2-2t-3=0$

ココがポイント

⇦ $x\neq 0$ は背理法により示せるね。$x=0$ と仮定すると①は，$1=0$ になって，矛盾するからだ。

⇦ $x+\dfrac{1}{x}=t$ の両辺を 2 乗して，

$\left(x+\dfrac{1}{x}\right)^2=t^2$

$x^2+2\cdot x\cdot\dfrac{1}{x}+\dfrac{1}{x^2}=t^2$

$x^2+\dfrac{1}{x^2}=t^2-2$ だね。

このtの2次方程式を解いて,

$(t-3)(t+1)=0 \quad \therefore t=3,\ -1$ ……………(答)

⇦これから, $t=3$ と $t=-1$ を②に代入すると, 2組の x の2次方程式になる。つまり, ①の x の4次方程式が, 2組の x の2次方程式に分解されたってことなんだね。

(2) (i) $t=3$ のとき, ②は

$x+\frac{1}{x}=3$ より, $x^2+1=3x$ (両辺に x をかけた)

$\underset{a}{1}\cdot x^2\underset{b}{-3}x+\underset{c}{1}=0$ これを解いて,

$$x=\frac{3\pm\sqrt{(-3)^2-4\cdot1\cdot1}}{2\cdot1}$$

$$\therefore x=\frac{3\pm\sqrt{5}}{2}$$

⇦ $ax^2+bx+c=0\ (a\neq0)$ の解 $x=\frac{-b\pm\sqrt{b^2-4ac}}{2a}$

(ii) $t=-1$ のとき, ②は

$x+\frac{1}{x}=-1$ より, $x^2+1=-x$ (両辺に x をかけた)

$\underset{a}{1}\cdot x^2+\underset{b}{1}\cdot x+\underset{c}{1}=0$

この判別式を D とおくと

$D=1^2-4\cdot1\cdot1=-3<0$ となるので,

この2次方程式は実数解をもたない。

⇦ $ax^2+bx+c=0\ (a\neq0)$ の判別式 D は, $D=b^2-4ac$

以上(i)(ii)より, ①の4次方程式の解は,

$x=\frac{3\pm\sqrt{5}}{2}$ である。……………(答)

2次方程式の応用

元気力アップ問題 33　難易度★★　CHECK 1　CHECK 2　CHECK 3

方程式 $(x^2-4x)^2+3(x^2-4x)-4=0$ ……①について，次の各問いに答えよ。

(1) $t=x^2-4x$ ……②とおいて，t の値を求めよ。

(2) (1) の結果を利用して，①の解をすべて求めよ。

ヒント！ (1) ①は x の 4 次方程式だけれど，$t=x^2-4x$ …②とおいて①に代入すると，t の 2 次方程式となるので，t の値が求まるんだね。(2) では (1) の結果を利用して，2 つの x の 2 次方程式を解けばいいんだね。頑張ろう！

解答＆解説

(1) $(\underbrace{x^2-4x}_{t})^2+3(\underbrace{x^2-4x}_{t})-4=0$ ……①について，

$t=x^2-4x$ ……②とおいて，これを①に代入すると

$t^2+3t-4=0$　　これを解いて，

$(t+4)(t-1)=0$　　∴ $t=-4$ または 1 ……(答)

（これから，(i) $t=-4$ のときと，(ii) $t=1$ のときに場合分けする）

(2) (i) $t=-4$ のとき，②は

$x^2-4x=-4$ より，　$x^2-4x+4=0$

これを解いて，

$(x-2)^2=0$　∴ $x=2$ (重解)

(ii) $t=1$ のとき，②は

$x^2-4x=1$ より，　$\underbrace{1}_{a}\cdot x^2\underbrace{-4}_{2b'}x\underbrace{-1}_{c}=0$

これを解いて，

$x=2\pm\sqrt{(-2)^2-1\cdot(-1)}$　∴ $x=2\pm\sqrt{5}$

以上 (i)(ii) より，①の方程式の解は，

$x=2$ (重解)，$2\pm\sqrt{5}$ である。……………………(答)

ココがポイント

⇦ t の 2 次方程式
$t^2+\underbrace{3}_{4+(-1)}\cdot t\underbrace{-4}_{4\times(-1)}=0$

⇦ $t=-4$，1 より，①の x の 4 次方程式を 2 組の x の 2 次方程式に分解したんだね。

⇦ $ax^2+2b'x+c=0$ の
解 $x=\dfrac{-b'\pm\sqrt{b'^2-ac}}{a}$

判別式と2次関数のグラフ

元気力アップ問題 34　難易度 ★　CHECK 1　CHECK 2　CHECK 3

放物線 $C : y = 2x^2 - 4x + 5$ と直線 $L : y = -x + k$ (k：実数定数) がある。
C と L が，(i) 2 点で交わるとき，(ii) 接するとき，(iii) 共有点をもたないときの k の値，または値の範囲を求めよ。

ヒント！ C と L を連立させて，y を消去して，x の 2 次方程式を作ろう。そして，この判別式を D とおくと，(i) $D > 0$ のとき 2 点で交わり，(ii) $D = 0$ のとき接し，(iii) $D < 0$ のとき共有点をもたないんだね。

解答＆解説

$$\begin{cases} \text{放物線 } C : y = 2x^2 - 4x + 5 & \cdots\cdots① \\ \text{直線 } L \quad : y = -x + k & \cdots\cdots② \quad (k : \text{定数}) \end{cases}$$

とおく。

①，②より y を消去して，$2x^2 - 4x + 5 = -x + k$

これをまとめると，$\underbrace{2}_{a}x^2 \underbrace{-3}_{b}x + \underbrace{5-k}_{c} = 0$ ……③となる。

③の x の 2 次方程式の判別式を D とおくと，

$D = 8k - 31$ となる。よって，

(i) C と L が 2 点で交わるとき，

$D = 8k - 31 > 0$ より，$k > \dfrac{31}{8}$ である。…………(答)

(ii) C と L が接するとき，

$D = 8k - 31 = 0$ より，$k = \dfrac{31}{8}$ である。…………(答)

(iii) C と L が共有点をもたないとき，

$C = 8k - 31 < 0$ より，$k < \dfrac{31}{8}$ である。…………(答)

ココがポイント

⇦ $D = b^2 - 4ac$
$= (-3)^2 - 4 \cdot 2 \cdot (5-k)$
$= 9 - 8(5-k)$
$= 8k - 31$

⇦ イメージ

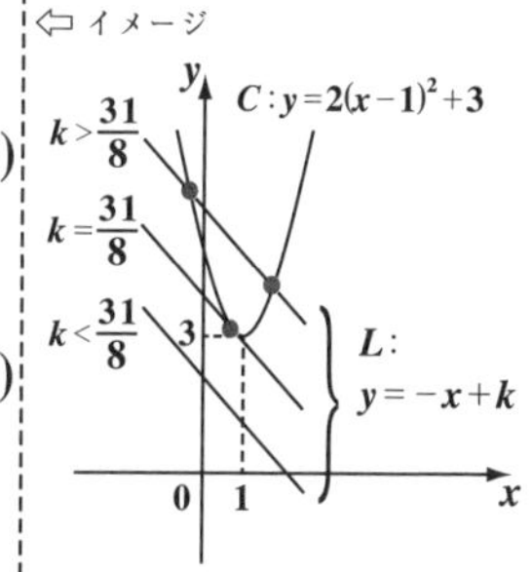

2次関数の最大・最小

元気力アップ問題 35　難易度 ★　CHECK 1　CHECK 2　CHECK 3

放物線 $y=x^2$ を $(a,\ 2a+1)$ だけ平行移動した放物線を $C: y=f(x)$ とおく。C が点 $(2,\ 4)$ を通るとき，次の各問いに答えよ。

(1) a の値と放物線 $C: y=f(x)$ を求めよ。

(2) 定義域 $0 \leqq x \leqq 3$ における 2 次関数 $f(x)$ の最大値と最小値を求めよ。

(徳島文理大＊)

ヒント！ (1) $y=x^2$ を $(a,\ 2a+1)$ だけ平行移動したものは $y-(2a+1)=(x-a)^2$ となるんだね。これが点 $(2,\ 4)$ を通るので，a の値と放物線 C の式 $y=f(x)$ が求まる。(2) は $0 \leqq x \leqq 3$ における $y=f(x)$ のグラフから考えるといいね。

解答＆解説

(1) $y=x^2 \xrightarrow[\text{平行移動}]{(a,\ 2a+1)} y-(2a+1)=(x-a)^2$

よって，$y=f(x)=(x-a)^2+2a+1$

$y=f(x)=x^2-2ax+a^2+2a+1$ ……①

となる。$y=f(x)$ は点 $(2,\ 4)$ を通るので，

$\cancel{4}=f(2)=\cancel{4}-4a+a^2+2a+1$ より，

$a^2-2a+1=0 \qquad (a-1)^2=0 \qquad \therefore a=1$ ……(答)

これを①に代入して，

$y=f(x)=x^2-2x+4$ ……②となる。…………(答)

(2) ②を変形すると，放物線 $C: y=f(x)$ は

$y=f(x)=(x-1)^2+3$ となるので，

頂点 $(1,\ 3)$ の下に凸の放物線である。

よって，$0 \leqq x \leqq 3$ において，$y=f(x)$ は右のグラフから明らかに，

(i) $x=1$ のとき，最小値 $f(1)=3$ をとり，

(ii) $x=3$ のとき，最大値 $f(3)=(3-1)^2+3=7$ をとる。

………(答)

ココがポイント

⇦ 一般に，$y=g(x)$ を $(a,\ b)$ だけ並行移動したものは，$y-b=g(x-a)$ となる。

⇦ $f(2)=4$ から，a の 2 次方程式を導く。

⇦ $y=f(x)=x^2-2x+1+3 = (x-1)^2+3$

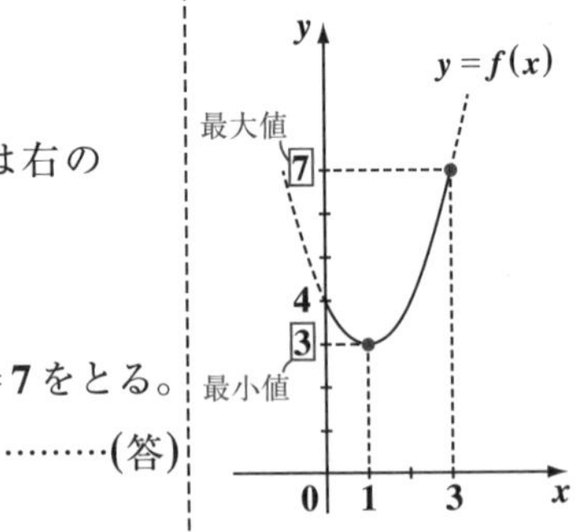

2次関数の最小

元気力アップ問題 36　難易度 ★★　CHECK 1　CHECK 2　CHECK 3

2次関数 $f(x)=ax^2+bx+c$ のグラフが点 $(1,\ 1)$ と $(4,\ 4)$ を通る。

(1) b, c を a を用いて表せ。

(2) $f(x)$ の最小値が 0 で，最小値をとる x の値が正であるように $f(x)$ を定めよ。　(九州産大)

ヒント！ (1) $f(1)=1$ と $f(4)=4$ から，a, b, c の関係式を2つ導けるんだね。(2) から $f(x)=a(x-p)^2$ $(a>0,\ p>0)$ の形になるので，a, p の値を決定すればいいね。

解答＆解説

(1) $f(x)=ax^2+bx+c$ …① は点 $(1,\ 1)$ と $(4,\ 4)$ を通る。

よって $\begin{cases} f(1)=a+b+c=1 & \cdots\cdots\text{②} \\ f(4)=16a+4b+c=4 & \cdots\cdots\text{③} \end{cases}$

⇦ $y=f(x)$ は点 $(1,\ 1)$ と $(4,\ 4)$ を通るので，$f(1)=1$ と $f(4)=4$ が成り立つ。

③－②より，$15a+3b=3$　$\therefore b=1-5a$ …④……(答)

④を②に代入して，

$a+\cancel{1}-5a+c=\cancel{1}$　　$\therefore c=4a$ ……⑤……(答)

(2) 題意より，2次関数 $y=f(x)$ が，$x=p$ $(p>0)$ で最小値 0 をとるものとすると，これは，点 $(p,\ 0)$ を頂点とする下に凸の放物線より，

$f(x)=a(x-p)^2$ ……⑥ $(a>0)$ となる。

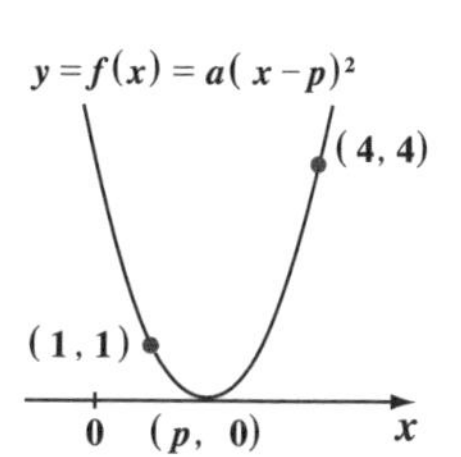

よって，⑥を展開すると，

$f(x)=a(x^2-2px+p^2)$

$=ax^2-2apx+ap^2$ ……⑦となる。

a ＝ a，$-2ap$ ＝ $b=1-5a$，ap^2 ＝ $c=4a$

⇦ これは①と同じ式だね。

④，⑤より，①と⑦の各係数を比較して，

$b=-2ap=1-5a$ ……⑧

$c=ap^2=4a$ ……………⑨　　これを解いて，

$p=2$, $a=1$ より，⑦から

$f(x)=1\cdot x^2-4\cdot x+4=x^2-4x+4$ となる。……(答)

⇦ ⑨より，$p^2=4$
$\therefore p=2$ $(\because p>0)$
⑧より，$-4a=1-5a$
$\therefore a=1$
(⑧より，$b=1-5\cdot 1=-4$
⑨より，$c=4\cdot 1=4$)

2次関数の最大・最小

元気力アップ問題 37　難易度 ★★　CHECK 1　CHECK 2　CHECK 3

定義域が $1 \leqq x \leqq 4$ である2次関数 $f(x)=ax^2-4ax+b$ の最大値が4，最小値が -10 のとき，定数 a，b の値を求めよ。　（中京大）

ヒント！　2次関数 $y=f(x)$ は，x^2 の係数 a が（i）$a>0$ のときは下に凸，（ii）$a<0$ のときは上に凸の放物線になるので，2通りの場合分けが必要になるんだね。

解答＆解説

$y=f(x)=a(x-2)^2+b-4a$ ……①（$1 \leqq x \leqq 4$）と

（i）$a>0$ のときは下に凸，（ii）$a<0$ のときは上に凸の放物線

おくと，$y=f(x)$ は，頂点 $(2,\ b-4a)$ の放物線である。$1 \leqq x \leqq 4$ における $y=f(x)$ の最大値を M，最小値を m とおく。

（i）$a>0$ のとき $y=f(x)$…①は下に凸の放物線より，右のグラフから，

最小値 $m=f(2)=b-4a=-10$ ……②

最大値 $M=f(4)=a(4-2)^2+b-4a=b=4$ ……③

③を②に代入して，$4-4a=-10$　　$4a=14$

$a=\dfrac{7}{2}$　（これは，$a>0$ をみたす。）

$\therefore (a,\ b)=\left(\dfrac{7}{2},\ 4\right)$ ……（答）

（ii）$a<0$ のとき $y=f(x)$…①は上に凸の放物線より，右のグラフから，

最小値 $m=f(4)=b=-10$ ……④

最大値 $M=f(2)=b-4a=4$ ……⑤

④を⑤に代入して，$-10-4a=4$　　$4a=-14$

$a=-\dfrac{7}{2}$　（これは，$a<0$ をみたす。）

$\therefore (a,\ b)=\left(-\dfrac{7}{2},\ -10\right)$ ……（答）

ココがポイント

⇦ $f(x)=a(x^2-4x+4)+b-4a=a(x-2)^2+b-4a$（2で割って2乗）

⇦ $a>0$ のときのイメージ

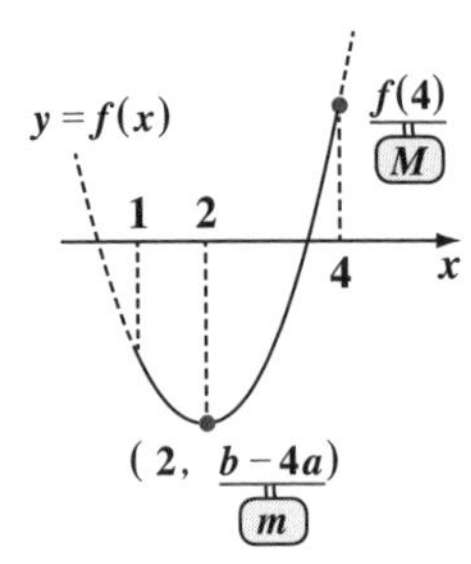

⇦ $a<0$ のときのイメージ

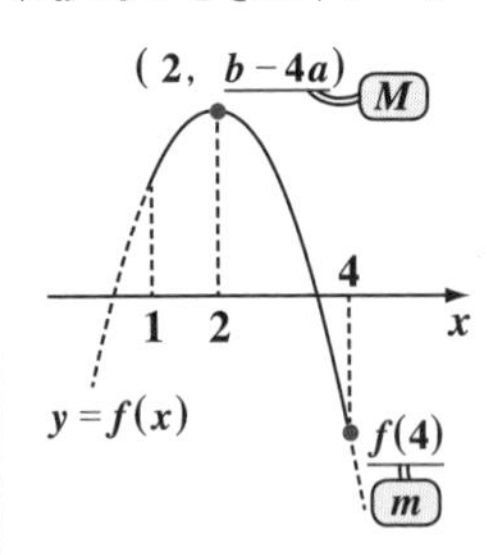

2 次関数の最大の応用

元気力アップ問題 38　難易度 ★★　CHECK 1　CHECK 2　CHECK 3

関数 $f(x)=-(x^2+2x)^2+2(x^2+2x)+1$ について，次の各問いに答えよ。

(1) $t=x^2+2x$ とおくとき，t の取り得る値の範囲を求めよ。

(2) 関数 $y=f(x)$ を (1) の t で表すことにより，$y=f(x)$ の最大値と，そのときの x の値を求めよ。　(関西学院大＊)

ヒント！ $y=f(x)$ を $t\ (=x^2+2x)$ で表したものを $y=g(t)$ とおくと，$y=f(x)$ は 4 次関数だけれど，$y=g(t)=-t^2+2t+1$ となって，2 次関数の最大値問題に帰着するんだね。

解答＆解説

$y=f(x)=-(\underbrace{x^2+2x}_{t})^2+2(\underbrace{x^2+2x}_{t})+1$ ……① とおく。

(1) ここで，$t=x^2+2x$ ……② とおくと，

$t=(x^2+2x+1)-1=(x+1)^2-1$ より

(2 で割って 2 乗)

右のグラフから，$t\geqq-1$ となる。 ……………(答)

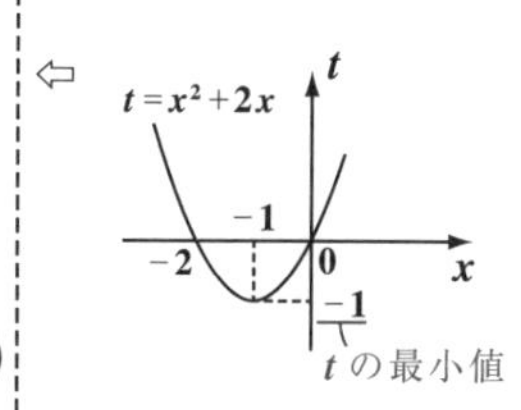

(2) ②を①に代入して，$y=f(x)$ を t の関数 $g(t)$ とおくと，

$y=f(x)=g(t)=-t^2+2t+1$

$=-(t^2-2t+1)+1+1$

(2 で割って 2 乗)　((1) の結果より)

$=-(t-1)^2+2\quad(t\geqq-1)$ となる。

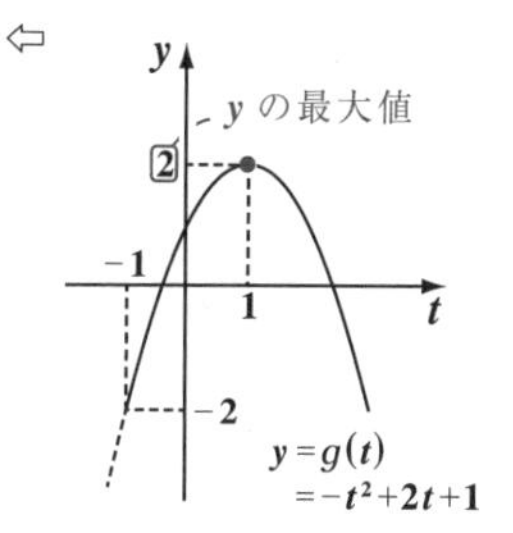

よって，右のグラフから，$y=f(x)=g(t)$ は

$t=1$ のとき，最大値 2 をとる。 ……………(答)

このときの x の値は $t=1$ を②に代入して，

$x^2+2x=1\qquad \underbrace{1}_{a}\cdot x^2+\underbrace{2}_{2b'}\cdot x\underbrace{-1}_{c}=0$ より，

$x=-1\pm\sqrt{1^2-1\cdot(-1)}=-1\pm\sqrt{2}$ である。……(答)

ココがポイント

⇦ $ax^2+2b'x+c=0$ の解 $x=\dfrac{-b'\pm\sqrt{b'^2-ac}}{a}$

カニ歩き＆場合分け

元気力アップ問題 39	難易度 ★★	CHECK 1	CHECK 2	CHECK 3

定義域が $0 \leqq x \leqq 2$ である 2 次関数 $f(x)=2x^2-4ax+2a^2+a$ がある。
(1) $f(x)$ の最小値 m を求めよ。
(2) $f(x)$ の最大値 M を求めよ。　　　　(松山大＊)

ヒント！ $y=f(x)=2(x-a)^2+a$ $(0 \leqq x \leqq 2)$ で，頂点の x 座標が文字 a となるので，a の変化により，放物線 $y=f(x)$ が横に移動（カニ歩き）する。したがって，(1) の最小値 m は，(i) $a \leqq 0$，(ii) $0 \leqq a \leqq 2$，(iii) $2 \leqq a$ の 3 通りに場合分けして求め，(2) の最大値 M は，(i) $a \leqq 1$，(ii) $1 \leqq a$ の 2 通りに場合分けして求めればいいんだね。頑張ろう！

解答＆解説

ココがポイント

$y=f(x)=2x^2-4ax+2a^2+a$
$=2(x-a)^2+a$ ……① $(0 \leqq x \leqq 2)$ とおく。

⇦ $f(x)=2(x^2-2ax+a^2)+a$
$=2(x-a)^2+a$

$y=f(x)$ は，頂点が (a, a) の下に凸の放物線である。
（これから，$y=f(x)$ はカニ歩きする。）

(1) $0 \leqq x \leqq 2$ における $y=f(x)$ の最小値を m とおくと，下図に示すように，m は，(i) $a \leqq 0$，(ii) $0 \leqq a \leqq 2$，(iii) $2 \leqq a$ の 3 通りに場合分けして求める。

⇦ (i) $a<0$, (ii) $0 \leqq a<2$, (iii) $2 \leqq a$ などとしてもよい。

(i) $a \leqq 0$ のとき

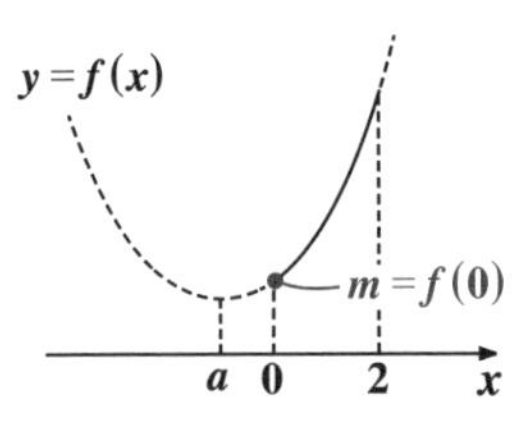

(ii) $0 \leqq a \leqq 2$ のとき

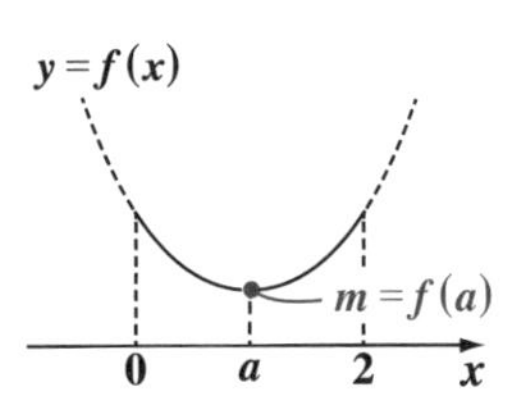

(iii) $2 \leqq a$ のとき

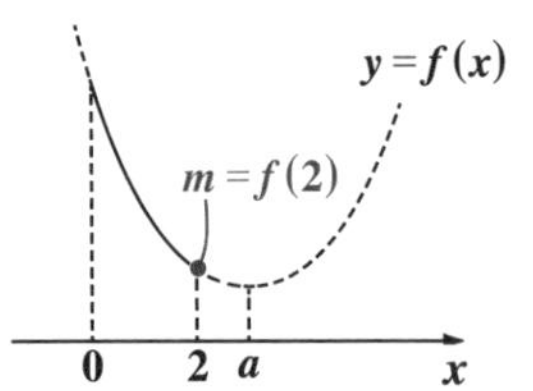

グラフより明らかに，
(i) $a \leqq 0$ のとき，
最小値 $m=f(0)=2a^2+a$

⇦ $f(0)=\cancel{2\cdot 0^2}-\cancel{4a\cdot 0}+2a^2+a$
$=2a^2+a$

(ⅱ) $0 \leqq a \leqq 2$ のとき,

最小値 $m = f(a) = a$

(ⅲ) $2 \leqq a$ のとき,

最小値 $m = f(2) = 2a^2 - 7a + 8$

以上 (ⅰ)(ⅱ)(ⅲ) より,

$$最小値\ m = \begin{cases} 2a^2 + a & (a \leqq 0 \text{ のとき}) \\ a & (0 \leqq a \leqq 2 \text{ のとき}) \\ 2a^2 - 7a + 8 & (2 \leqq a \text{ のとき}) \end{cases}$$

………(答)

⇦ $f(x) = 2(a-a)^2 + a = a$（$2(a-a)^2$ は打ち消し線で消してある）

⇦ $f(x) = 2 \cdot 2^2 - 4a \cdot 2 + 2a^2 + a = 2a^2 - 7a + 8$

(2) $0 \leqq x \leqq 2$ における $y = f(x)$ の最大値を M とおくと, 下図に示すように, M は, (ⅰ) $a \leqq 1$, (ⅱ) $1 \leqq a$ の 2 通りに場合分けして求める。

⇦ (ⅰ) $a < 1$, (ⅱ) $1 \leqq a$ としてもいいよ。

(ⅰ) $a \leqq 1$ のとき

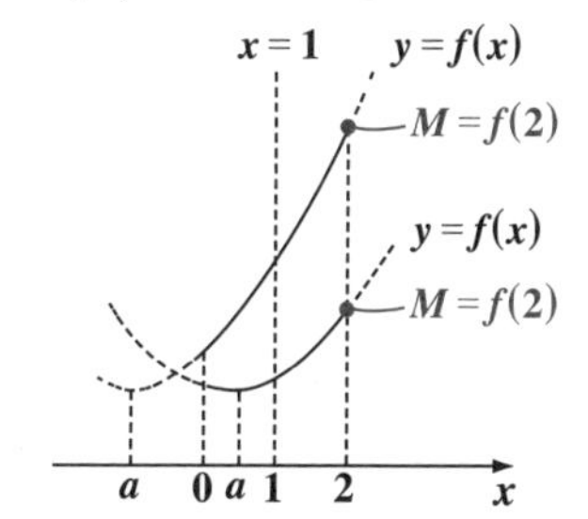

(ⅱ) $1 \leqq a$ のとき

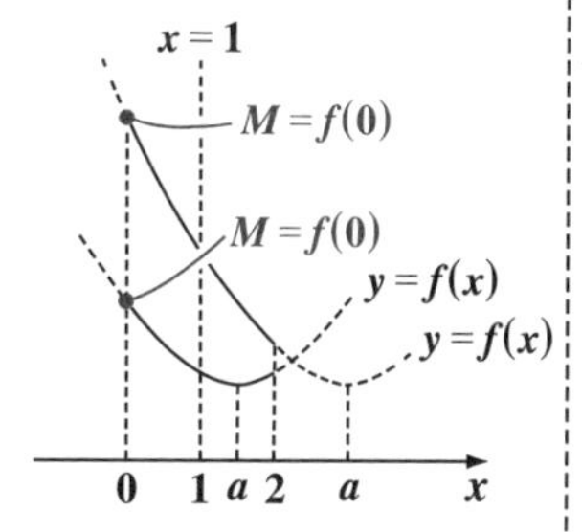

⇦ a が, $0 \leqq a \leqq 2$ の範囲にあるか否かに関わらず, (ⅰ) $a \leqq 1$ ならば, $M = f(2)$ (ⅱ) $1 \leqq a$ ならば, $M = f(0)$ となることが分かるね。

グラフより明らかに,

(ⅰ) $a \leqq 1$ のとき,

最大値 $M = f(2) = 2a^2 - 7a + 8$

(ⅱ) $1 \leqq a$ のとき,

最大値 $M = f(0) = 2a^2 + a$

以上 (ⅰ)(ⅱ) より,

$$最大値\ M = \begin{cases} 2a^2 - 7a + 8 & (a \leqq 1 \text{ のとき}) \\ 2a^2 + a & (1 \leqq a \text{ のとき}) \end{cases}$$ ……(答)

カニ歩き＆場合分けの応用

元気力アップ問題 40	難易度 ★★	CHECK 1	CHECK 2	CHECK 3

定義域が $a \leqq x \leqq a+2$ である 2 次関数 $f(x) = -x^2+2x+3$ がある。

(1) $f(x)$ の最小値 m を求めよ。

(2) $f(x)$ の最大値 M を求めよ。　　　　(神戸学院大＊)

ヒント！ 今回は，$y=f(x)=-(x-1)^2+4$ なので，放物線そのものは横に移動（カニ歩き）はしない。その代わりに，定義域 $a \leqq x \leqq a+2$ が a の値の変化により移動するんだね。また，2 次関数 $y=f(x)$ は上に凸の放物線なので，(1) の最小値 m は (i) $a \leqq 0$，(ii) $0 \leqq a$ の 2 通りに場合分けして求め，(2) の最大値 M は，(i) $a \leqq -1$，(ii) $-1 \leqq a \leqq 1$，(iii) $1 \leqq a$ の 3 通りに場合分けして求めるんだね。頑張ろう！

解答＆解説

$y=f(x)=-x^2+2x+3$

$\quad = -(x-1)^2+4 \ (a \leqq x \leqq a+2)$ とおく。

$y=f(x)$ は，頂点が $(1,\ 4)$ の上に凸の放物線である。

(1) $a \leqq x \leqq a+2$ における $y=f(x)$ の最小値を m とおくと，下図に示すように，m は，(i) $a \leqq 0$，(ii) $0 \leqq a$ の 2 通りに場合分けして求める。

(i) $a \leqq 0$ のとき
$(a+1 \leqq 1)$

$y=f(x)$

$m=f(a)$

$a \quad a+1 \quad 1 \quad a+2 \quad x$

(ii) $0 \leqq a$ のとき
$(1 \leqq a+1)$

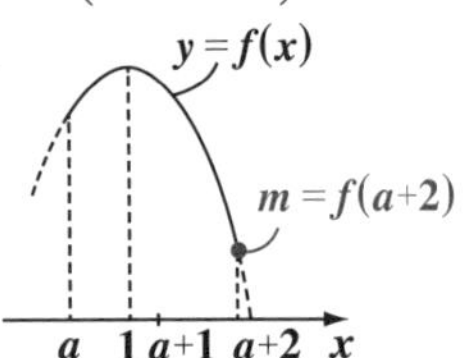

グラフより明らかに，

(i) $a \leqq 0$ のとき，

最小値 $m=f(a)=-a^2+2a+3$

(ii) $0 \leqq a$ のとき，

最小値 $m=f(a+2)=-a^2-2a+3$

ココがポイント

⇦ $f(x)=-(x^2-2x+1)+3+1$
（2 で割って 2 乗）
$=-(x-1)^2+4$

⇦ $a \leqq x \leqq a+2$ の中央の値
$x=\dfrac{a+a+2}{2}=a+1$ が
軸 $x=1$ 以下か，以上か
すなわち
(i) $a+1 \leqq 1$ より，$a \leqq 0$
(ii) $1 \leqq a+1$ より，$0 \leqq a$

⇦ $f(a+2)=-(a+2)^2+2(a+2)+3$
$=-a^2-4a-4+2a+4+3$
$=-a^2-2a+3$

以上 (ⅰ)(ⅱ) より，

$$最小値\ m=\begin{cases}-a^2+2a+3 & (a\leqq 0\ のとき)\\ -a^2-2a+3 & (0\leqq a\ のとき)\end{cases}$$

………(答)

(2) $a\leqq x\leqq a+2$ における $y=f(x)$ の最大値を M とおくと，下図に示すように，M は，(ⅰ) $a\leqq -1$，(ⅱ) $-1\leqq a\leqq 1$，(ⅲ) $1\leqq a$ の 3 通りに場合分けして求めることができる。

⇦ 軸 $x=1$ について，
(ⅰ) $a+2\leqq 1$ より，$a\leqq -1$
(ⅱ) $a\leqq 1\leqq a+2$ より，
$-1\leqq a\leqq 1$
(ⅲ) $1\leqq a$

(ⅰ) $a\leqq -1$ のとき
($a+2\leqq 1$)

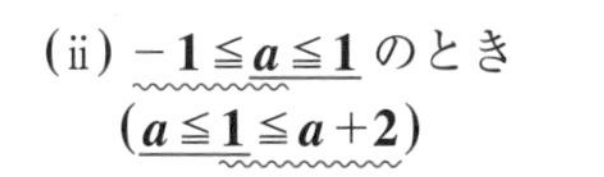

(ⅱ) $-1\leqq a\leqq 1$ のとき
($a\leqq 1\leqq a+2$)

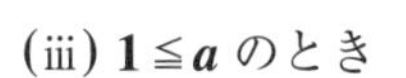

(ⅲ) $1\leqq a$ のとき

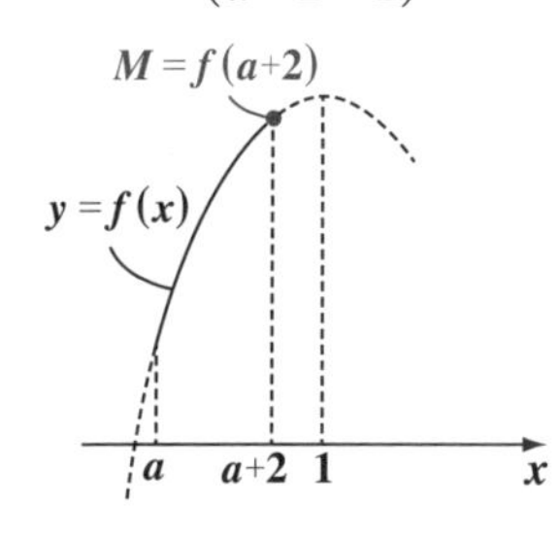

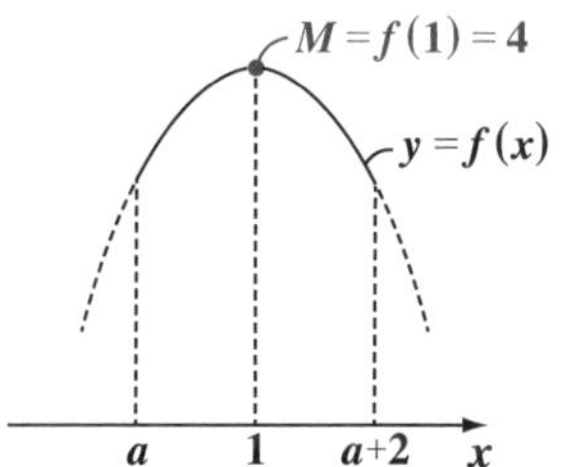

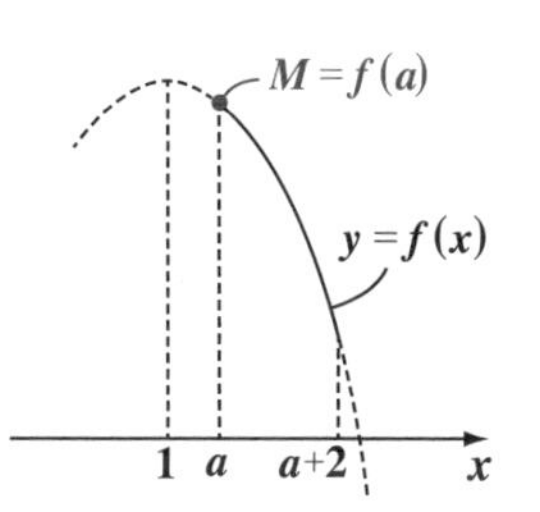

グラフより明らかに，

(ⅰ) $a\leqq -1$ のとき，

最大値 $M=f(a+2)=-a^2-2a+3$

(ⅱ) $-1\leqq a\leqq 1$ のとき，

最大値 $M=f(1)=4$

⇦ $f(1)=-(1-1)^2+4=4$

(ⅲ) $1\leqq a$ のとき，

最大値 $M=f(a)=-a^2+2a+3$

以上 (ⅰ)(ⅱ)(ⅲ) より，

$$最大値\ M=\begin{cases}-a^2-2a+3 & (a\leqq -1\ のとき)\\ 4 & (-1\leqq a\leqq 1\ のとき)\\ -a^2+2a+3 & (1\leqq a\ のとき)\end{cases}$$

………(答)

文字定数の入った方程式

元気力アップ問題 41	難易度 ★★	CHECK 1	CHECK 2	CHECK 3

方程式 $|x|(x-2)-k=0$ が相異なる 3 個の実数解をもつような定数 k の値の範囲を求めよ。 (摂南大)

ヒント！ 文字定数 k の入った方程式は $f(x)=k$ の形にして，さらに 2 つの関数 $y=f(x)$ と $y=k$ に分解するといい。そして，$y=f(x)$ と $y=k$ のグラフの共有点の個数が実数解の個数になることを利用しよう。

解答＆解説

方程式 $|x|(x-2)-k=0$ ……①とおくと，①は，文字定数 k を分離して

$|x|(x-2)=k$ ……①′とおける。

この①′から，2 つの関数を

$$\begin{cases} y=f(x)=|x|(x-2) & \cdots\cdots② \\ y=k & \cdots\cdots③ \end{cases}$$

とおくと，

①の実数解は，2 つの関数②，③のグラフの共有点の x 座標に等しい。ここで，②は，

$$y=f(x)=\begin{cases} x(x-2) & (x \geqq 0) \\ -x(x-2) & (x<0) \end{cases}$$

より，

$$\begin{cases} (\text{i})\ x\geqq 0 \text{ のとき，} & y=f(x)=(x-1)^2-1 \\ (\text{ii})\ x<0 \text{ のとき，} & y=f(x)=-(x-1)^2+1 \end{cases}$$

よって，$y=f(x)$ のグラフは右のようになる。

よって，$y=f(x)$ と $y=k$ のグラフの共有点の個数は①の方程式の実数解の個数と等しいので，①が相異なる 3 個の実数解をもつような定数 k の値の範囲は，

$-1<k<0$ である。…………………………………(答)

ココがポイント

⇦ 文字定数 k の入った方程式の実数解の個数は，$f(x)=k$ の形にして，2 つの関数 $\begin{cases} y=f(x) \text{ と} \\ y=k \text{ に分解して，} \end{cases}$ グラフで考えるといい。

⇦ $|x|=\begin{cases} x & (x\geqq 0) \\ -x & (x<0) \end{cases}$ だからね。

⇦ $x\geqq 0$ のとき，
$f(x)=(x^2-2x+1)-1$
$=(x-1)^2-1$ だね。

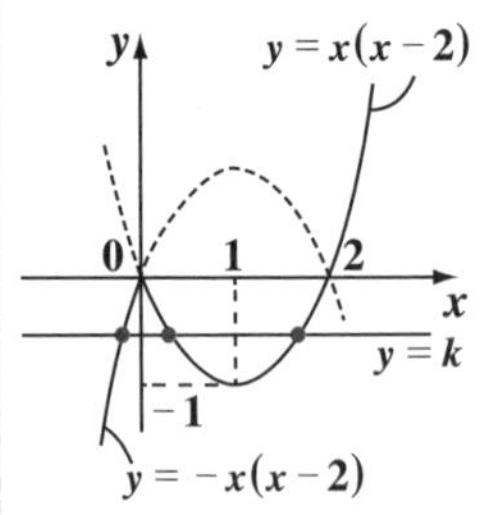

2 次不等式

元気力アップ問題 42　難易度 ★★　CHECK 1　CHECK 2　CHECK 3

次の 2 次不等式を解け。

(1) $6x^2-x-2\geqq 0$　　(2) $2x^2-3x+2\leqq 0$

(3) $2ax^2-(a^2-2)x-a<0$　$(a\neq 0)$

ヒント！ 2 次不等式を解く場合，2 次関数のグラフで考えると分かりやすい。(3) は，文字定数 a が $a>0$ のときと $a<0$ のときに場合分けして解こう。

解答＆解説

(1) $6x^2-1\cdot x-2\geqq 0$ ……①を変形して，

$(3x-2)(2x+1)\geqq 0$ より，①の解は

$x\leqq -\frac{1}{2}$ または $\frac{2}{3}\leqq x$ である。 ……………………(答)

(2) $2x^2-3x+2\leqq 0$ ……②について，

2 次方程式 $2x^2-3x+2=0$ の判別式を D とおくと，（$a=2$, $b=-3$, $c=2$）

$D=(-3)^2-4\cdot 2\cdot 2=-7<0$ より，

$[D=\ b^2\ -4\cdot a\cdot c\ ]$

すべての実数 x に対して $y=2x^2-3x+2>0$ となる。

よって，②をみたす実数 x は存在しない。……(答)

(3) $2ax^2-(a^2-2)x-a<0$ ……③ $(a\neq 0)$ より，

$(ax+1)(2x-a)<0$　となる。

右のグラフより，③の解は

(i) $a>0$ のとき，$-\frac{1}{a}<x<\frac{a}{2}$　（$-\frac{1}{a}$：⊖，$\frac{a}{2}$：⊕）

(ii) $a<0$ のとき，$x<\frac{a}{2}$ または $-\frac{1}{a}<x$　（$\frac{a}{2}$：⊖，$-\frac{1}{a}$：⊕） ……(答)

ココがポイント

⇦

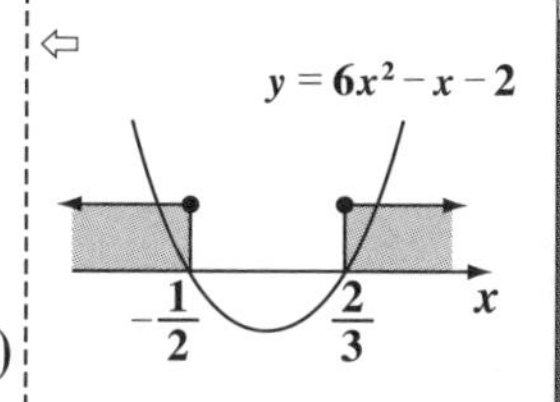

⇦

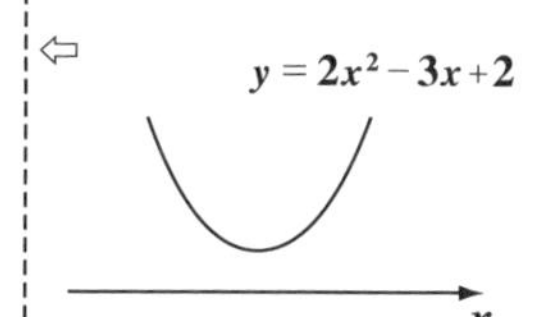

⇦(i) $a>0$ のとき，

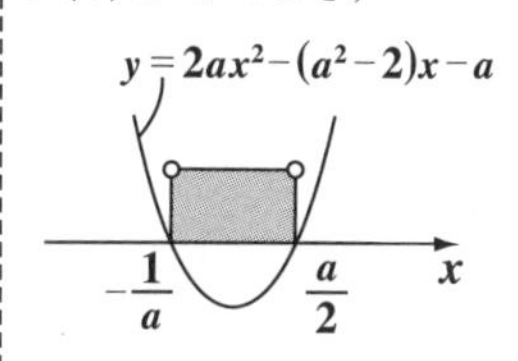

(ii) $a<0$ のとき，

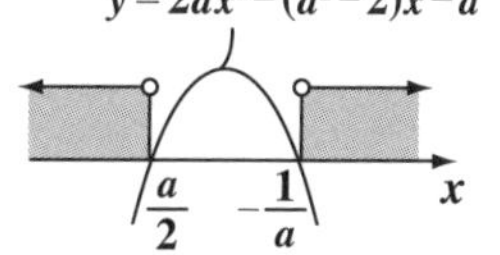

分数不等式

元気力アップ問題 43　難易度 ★★　CHECK 1　CHECK 2　CHECK 3

次の分数不等式を解け。

(1) $\dfrac{1}{2x} < -1$　　**(2)** $2 \geqq \dfrac{1}{x-1}$　　**(3)** $1 > \dfrac{3a}{x+a}$　$(a \neq 0)$

ヒント！ 分数不等式の解法パターン，たとえば，$\dfrac{B}{A}<0$ ならば $AB<0$ や，$\dfrac{B}{A} \geqq 0$ ならば $AB \geqq 0$ かつ $A \neq 0$ などを利用して解こう。(3) は，a の正・負に気を付けよう。

解答＆解説

(1) $\dfrac{1}{2x} < -1$ ……① より，$\dfrac{1}{2x}+1<0$

$\dfrac{2x+1}{2x}<0$　　$\therefore 2x(2x+1)<0$　　$x(2x+1)<0$ （両辺を 2 で割った）

よって，①の解は，$-\dfrac{1}{2}<x<0$ ………………(答)

(2) $2 \geqq \dfrac{1}{x-1}$ ……② より，　$2-\dfrac{1}{x-1} \geqq 0$

$\dfrac{2x-3}{x-1} \geqq 0$　　$\therefore (x-1)(2x-3) \geqq 0$ かつ $x \neq 1$

よって，②の解は，$x<1$ または $\dfrac{3}{2} \leqq x$ ………(答)

(3) $1>\dfrac{3a}{x+a}$ ……③ $(a \neq 0)$ より，$1-\dfrac{3a}{x+a}>0$

$\dfrac{x-2a}{x+a}>0$　　$\therefore (x+a)(x-2a)>0$　$(a \neq 0)$

よって，③の解は，(i) $a>0$，(ii) $a<0$ で場合分けして，

$$\begin{cases} \text{(i)}\ a>0 \text{ のとき，} x<\underset{\ominus}{\underline{-a}} \text{ または } \underset{\oplus}{\underline{2a}}<x \\ \text{(ii)}\ a<0 \text{ のとき，} x<\underset{\ominus}{\underline{2a}} \text{ または } \underset{\oplus}{\underline{-a}}<x \end{cases}$$ ……(答)

ココがポイント

⇦ $\dfrac{B}{A}<0 \iff AB<0$

$y=x(2x+1)$

⇦ $\dfrac{B}{A} \geqq 0 \iff AB \geqq 0$ かつ $A \neq 0$

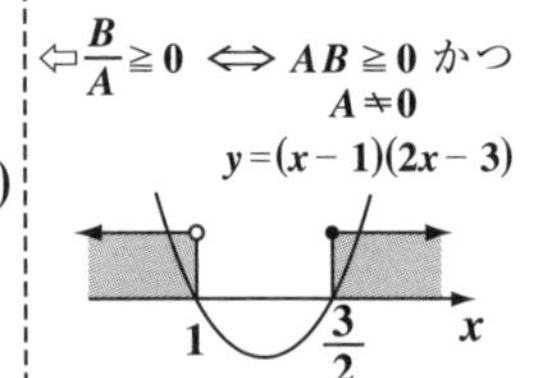

⇦ $\dfrac{B}{A}>0 \iff AB>0$

⇦ (i) $a>0$ のとき

$y=(x+a)(x-2a)$

(ii) $a<0$ のとき

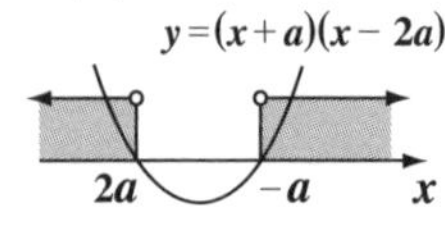

元気力アップ問題 44　難易度 ★★　CHECK 1　CHECK 2　CHECK 3

2次関数 $f(x)=kx^2+3kx+k+1$ $(k \neq 0)$ について，次の各問いに答えよ。

(1) すべての x について，$f(x)>0$ が成り立つような k の値の範囲を求めよ。

(2) 2次方程式 $f(x)=0$ の解 α，β が，$\alpha<0<\beta$ となるような k の値の範囲を求めよ。

ヒント！ (1) では，2次関数 $y=f(x)$ のグラフが，x 軸の上側にあるように k の範囲を求めよう。(2) では，$y=f(x)$ のグラフが，原点 0 の両側で x 軸と交わるように k の値の範囲を定めればいいんだね。

解答＆解説

2次関数 $y=f(x)=kx^2+3kx+k+1$ ……① $(k \neq 0)$ とおく。

(1) すべての実数 x に対して $f(x)>0$ となるためには

(ⅰ) まず，$y=f(x)$ は下に凸の放物線でなければならない。

$\therefore 0<k$ ……②

(ⅱ) x 軸と共有点をもたないので，2次方程式 $f(x)=0$ の判別式を D とおくと，

$D=(3k)^2-4k(k+1)=k(5k-4)<0$

$\therefore 0<k<\frac{4}{5}$ ……③

以上 (ⅰ)(ⅱ) の②，③より，$0<k<\frac{4}{5}$ …………(答)

(2) 2次方程式 $f(x)=kx^2+3kx+k+1=0$ が相異なる解 α，β をもち，$\alpha<0<\beta$ となる条件は

(ⅰ) $k>0$ のとき，右のグラフより

$f(0)=k+1<0$　よって，$k<-1$

これは，$k>0$ をみたさない。よって不適。

(ⅱ) $k<0$ のとき，右のグラフより

$f(0)=k+1>0$　よって，$k>-1$

$\therefore -1<k<0$

以上 (ⅰ)(ⅱ) より，求める k の値の範囲は

$-1<k<0$ …………(答)

ココがポイント

⇦ $f(x)>0$ となるイメージ

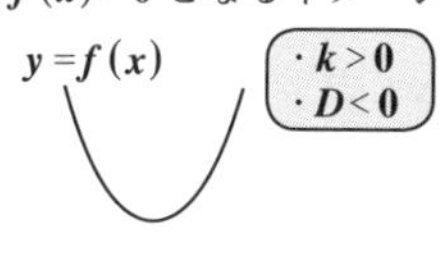

⇦ $D=9k^2-4k^2-4k$
$=5k^2-4k$

⇦ (ⅰ) $k>0$ のとき

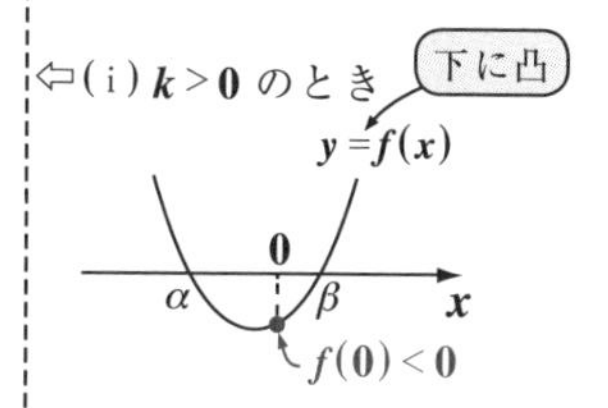

2次方程式の解の範囲

元気力アップ問題 45　難易度 ★★　CHECK 1　CHECK 2　CHECK 3

2次方程式 $x^2+ax+a+3=0$ が相異なる2つの実数解 α, β をもつ。
α, β が次の各条件をみたすように，定数 a の値の範囲を求めよ。

(1) $\alpha<0<\beta$　　(2) $-2<\alpha<1<\beta<4$

(3) $0<\alpha<\beta$　　(4) $\alpha<\beta<0$

ヒント！ 2次関数 $y=f(x)=x^2+ax+a+3$ と x 軸との交点の x 座標が与方程式の実数解 α, β となるので，グラフを描きながら，それぞれの条件をみたすような a の値の範囲を求めていこう。

解答＆解説

ココがポイント

2次方程式 $x^2+ax+a+3=0$ ……①（a：定数）とおき，
2次関数 $y=f(x)=x^2+ax+a+3$ ……② とおくと，
$y=f(x)$ は下に凸の放物線で，これと x 軸との交点の x 座標が①の方程式の実数解 α, β である。

(1) $\alpha<0<\beta$ となるための条件は，

・$f(0)=a+3<0$ より，$a<-3$ ……………………(答)

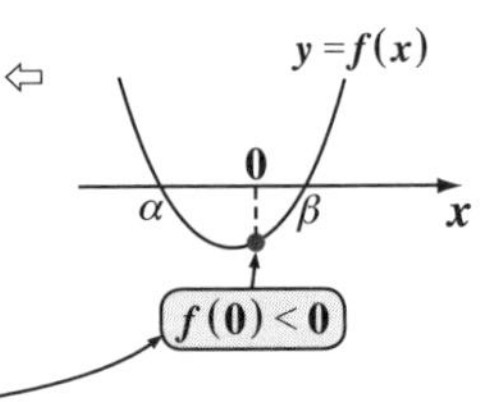

下に凸の放物線 $y=f(x)$ が，$f(0)<0$ をみたすので，$y=f(x)$ は，x 軸と相異なる2点で交わる。よって，2次方程式 $f(x)=0$ は，必ず相異なる2実数解をもち，判別式 $D>0$ は自動的にみたされるので，条件に加えなくていい。

(2) $-2<\alpha<1<\beta<4$ となるための条件は，

(i) $f(-2)=(-2)^2+a\cdot(-2)+a+3$
$=-a+7>0$　　$\therefore\ a<7$

(ii) $f(1)=1^2+a\cdot1+a+3$
$=2a+4<0$　　$\therefore\ a<-2$

(iii) $f(4)=4^2+a\cdot4+a+3$
$=5a+19>0$　　$\therefore\ -\frac{19}{5}<a$

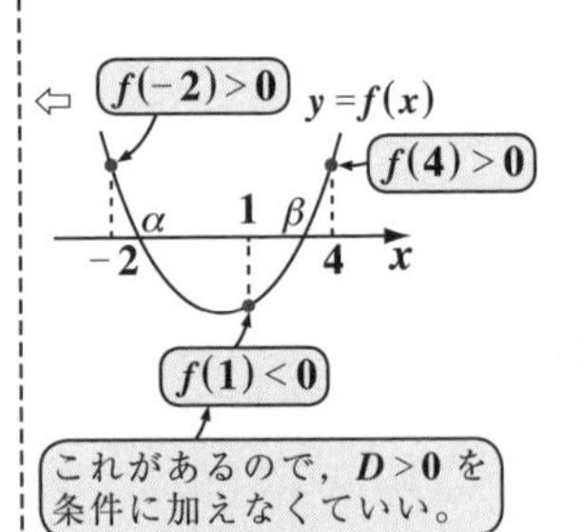

以上 (i)(ii)(iii) より，求める a の値の範囲は，
$-\frac{19}{5}<a<-2$ ……………………………(答)

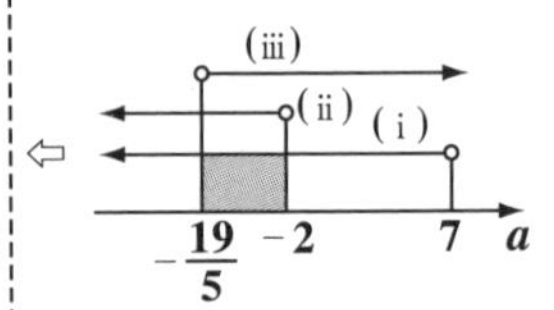

(3) $0 < \alpha < \beta$ となるための条件は，

(ⅰ) 2次方程式 $1 \cdot x^2 + a \cdot x + a + 3 = 0$ ……①の判別式を D とおくと，

$D = a^2 - 4 \cdot 1 \cdot (a+3) = a^2 - 4a - 12 > 0$ より，

$D = a^2 - 4a - 12 = (a-6)(a+2) > 0$

$\therefore \underline{a < -2,\ 6 < a}$

(ⅱ) 放物線 $y = f(x)$ の軸は $x = -\dfrac{a}{2}$ より，

頂点の x 座標のこと

$-\dfrac{a}{2} > 0 \quad \therefore \underline{a < 0}$

(ⅲ) $f(0) = a + 3 > 0$ より，$\underline{-3 < a}$

以上(ⅰ)(ⅱ)(ⅲ)より，求める a の値の範囲は，

$-3 < a < -2$ ……………………………………(答)

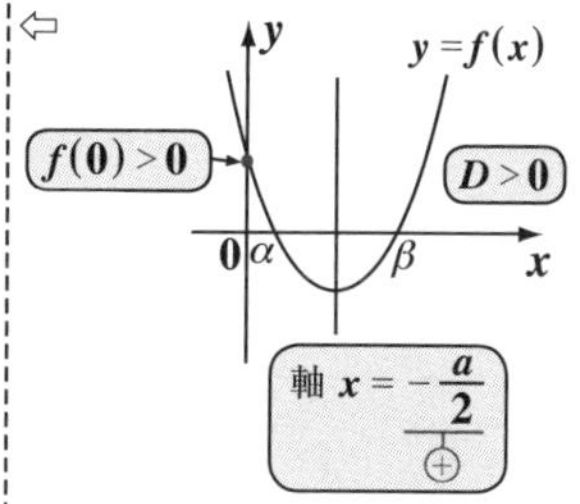

(ⅰ) $D > 0$，(ⅱ) $-\dfrac{a}{2} > 0$

(ⅲ) $f(0) > 0$ をみたせば，必ず，$0 < \alpha < \beta$ となることが，グラフから明らかだね。

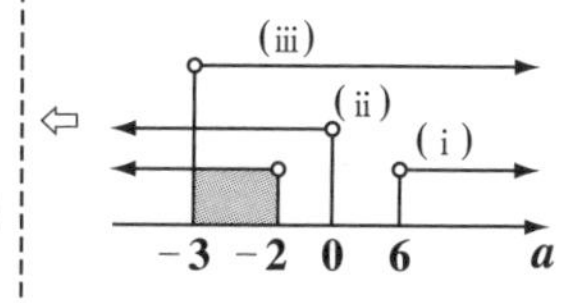

(4) $\alpha < \beta < 0$ となるための条件は，

(ⅰ) 判別式 $D = a^2 - 4a - 12 = (a-6)(a+2) > 0$

$\therefore \underline{a < -2,\ 6 < a}$

(ⅱ) 軸 $-\dfrac{a}{2} < 0$ より，$\underline{0 < a}$

(ⅲ) $f(0) = a + 3 > 0$ より，$\underline{-3 < a}$

以上(ⅰ)(ⅱ)(ⅲ)より，求める a の値の範囲は，

$a > 6$ ……………………………………(答)

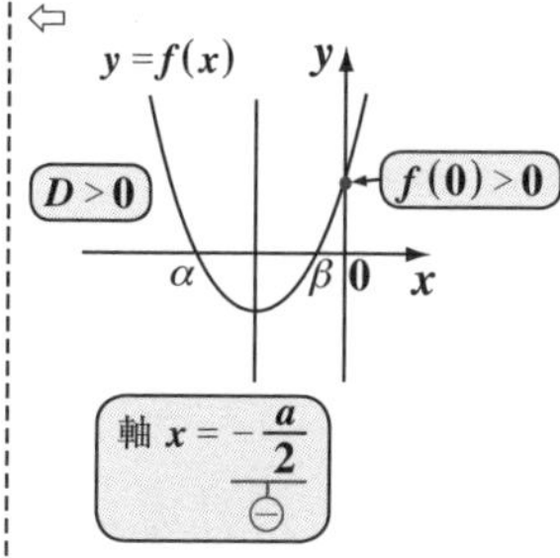

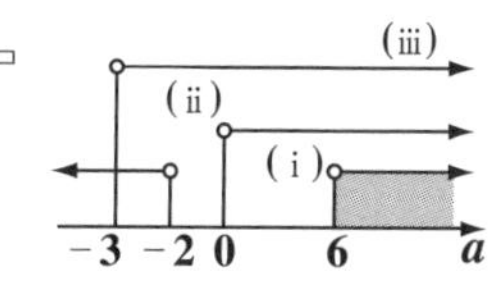

2 次方程式の解の範囲

元気力アップ問題 46	難易度 ★★	CHECK 1	CHECK 2	CHECK 3

2 次方程式 $x^2-(p+2)x+2p+4=0$ が相異なる 2 実数解 α，β をもつ。
α，β が次の条件をみたすように，定数 p の値の範囲を求めよ。

(1) $3<\alpha<\beta$　　　　(2) $1<\alpha<\beta<5$

ヒント！ $y=f(x)=x^2-(p+2)x+2p+4$ とおいて，$y=f(x)$ と x 軸との位置関係から，(1)，(2) それぞれの条件をみたすような p の値の範囲を求めよう。

解答＆解説

ココがポイント

2 次方程式 $x^2-(p+2)x+2p+4=0$ ……① (p：定数) とおき，2 次関数 $y=f(x)=x^2-(p+2)x+2p+4$……② とおくと，$y=f(x)$ は下に凸の放物線で，これと x 軸との交点の x 座標が①の方程式の実数解 α，β である。

(1) $3<\alpha<\beta$ となるための条件は，

(i) ①の 2 次方程式の判別式を D とおくと，

$$D=(p+2)^2-4\cdot1\cdot(2p+4)$$
$$=p^2+4p+4-8p-16$$
$$=p^2-4p-12=(p+2)(p-6)>0 \text{ より，}$$

$p<-2$，$6<p$

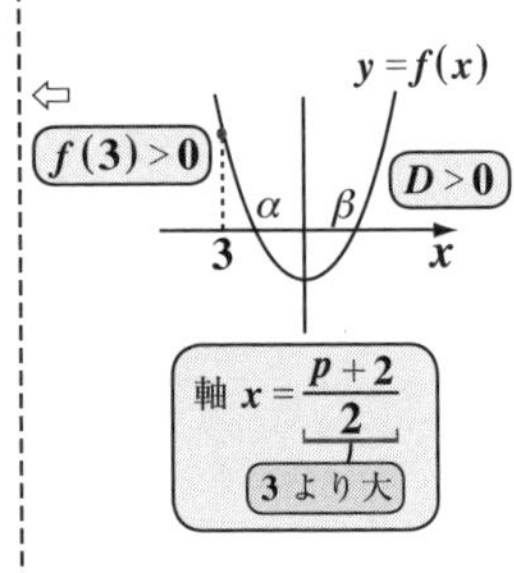

(ii) $y=f(x)$ の軸 $x=\frac{p+2}{2}$ より，

$3<\frac{p+2}{2}$　　　$6<p+2$

$\therefore 4<p$

(iii) $f(3)=9-3(p+2)+2p+4$

$=-p+7>0$

$\therefore p<7$

以上 (i)(ii)(iii) より，求める p の値の範囲は，

$6<p<7$ である。……………………………(答)

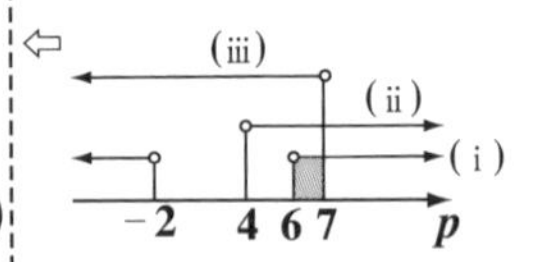

(2) $1<\alpha<\beta<5$ となるための条件は，

(i) ①の2次方程式の判別式 D が

$D=(p+2)(p-6)>0$ より，

$p<-2,\ 6<p$

(ii) $y=f(x)$ の軸 $x=\dfrac{p+2}{2}$ より，

$1<\dfrac{p+2}{2}<5 \qquad 2<p+2<10$

$\therefore\ 0<p<8$

(iii) $f(1)=1-(p+2)+2p+4$

$=p+3>0$

$\therefore\ -3<p$

(iv) $f(5)=25-5(p+2)+2p+4$

$=-3p+19>0$

$\therefore\ p<\dfrac{19}{3}$

以上 (i) ～ (iv) より，求める p の値の範囲は，

$6<p<\dfrac{19}{3}$ である。……………………………(答)

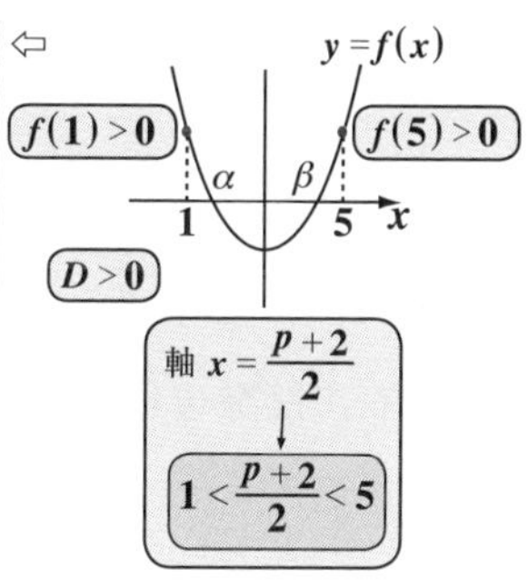

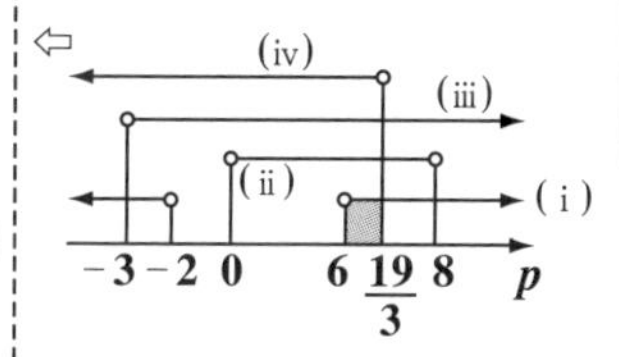

第3章 ● 2次関数の公式の復習

1. 平行移動の公式

$$y=f(x) \xrightarrow[\text{平行移動}]{(p,\ q)\text{だけ}} y-q=f(x-p)$$

2. 2次関数の標準形

$$y=a(x-p)^2+q \quad (a \neq 0)$$

$y=ax^2$ を $(p,\ q)$ だけ平行移動した放物線
頂点：$(p,\ q)$，軸：$x=p$
$a>0$ のとき下に凸
$a<0$ のとき上に凸

3. 2次方程式の解法

$ax^2+bx+c=0 \quad (a \neq 0)$ の解法には，(ⅰ) 因数分解によるものと，

(ⅱ) 解の公式：$x=\dfrac{-b\pm\sqrt{b^2-4ac}}{2a}$ を利用するものの2通りがある。

・解の範囲の問題は，グラフを利用して解いていけばよい。

4. 2次不等式の解

$f(x)=ax^2+bx+c \quad (a>0)$ について，

2次方程式 $f(x)=0$ の判別式を D とおく。

(Ⅰ) $D>0$ のとき，$f(x)=0$ は相異なる2実数解 $\alpha,\ \beta\ (\alpha<\beta)$ をもつ。

(ⅰ) $f(x)>0$ の解：$x<\alpha,\ \beta<x$

(ⅱ) $f(x)<0$ の解：$\alpha<x<\beta$

(Ⅱ) $D=0$ のとき，$f(x)=0$ は重解 α をもつ。

(ⅰ) $f(x)>0$ の解：$x \neq \alpha$

(ⅱ) $f(x)<0$ の解：解なし

(Ⅲ) $D<0$ のとき，$f(x)=0$ は実数解をもたない。

(ⅰ) $f(x)>0$ の解：すべての実数

(ⅱ) $f(x)<0$ の解：解なし

5. 分数不等式の解法

(1) $\dfrac{B}{A}>0 \iff AB>0$　　(2) $\dfrac{B}{A}<0 \iff AB<0$

(3) $\dfrac{B}{A} \geqq 0 \iff AB \geqq 0$ かつ $A \neq 0$

(4) $\dfrac{B}{A} \leqq 0 \iff AB \leqq 0$ かつ $A \neq 0$　など

第４章
CHAPTER

4 図形と計量

▶ **三角比の定義と基本公式**

$\left(\cos^2\theta+\sin^2\theta=1,\ 1+\tan^2\theta=\dfrac{1}{\cos^2\theta}\right.$ など$\left.\right)$

▶ **$\cos(\theta+90°)$ などの変形と三角方程式**

（$\cos(\theta+90°)=-\sin\theta$ など）

▶ **正弦定理，余弦定理，三角形の面積**

（$a^2=b^2+c^2-2bc\cos A$ など）

▶ **ヘロンの公式，空間図形への応用**

$\left(S=\sqrt{s(s-a)(s-b)(s-c)}\right)$

第4章 図形と計量 ●公式＆解法パターン

1. 三角比の定義

(1) 直角三角形による**三角比**の定義

$\sin\theta = \dfrac{b}{c}$　　　$\cos\theta = \dfrac{a}{c}$

$\tan\theta = \dfrac{b}{a}$

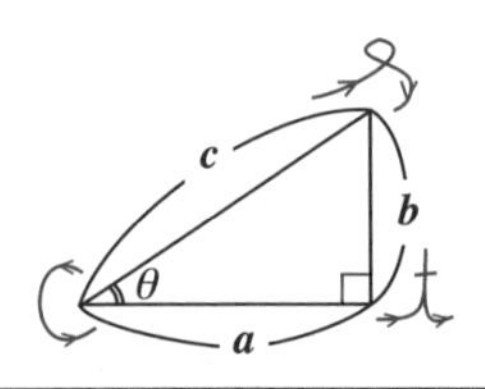

三角比 $\sin\theta$, $\cos\theta$, $\tan\theta$ はいずれも，相似な直角三角形であれば，その直角三角形の大きさ（サイズ）とは無関係に，角 θ の大きさのみによって定まるんだね。

(2) 半径 r の半円による**三角比**の定義

$\sin\theta = \dfrac{y}{r}$,　$\cos\theta = \dfrac{x}{r}$,　$\tan\theta = \dfrac{y}{x}$ $(x \neq 0)$

$(0° \leqq \theta \leqq 180°)$

P(x, y)

(3) 半径 1 の半円による**三角比**の定義

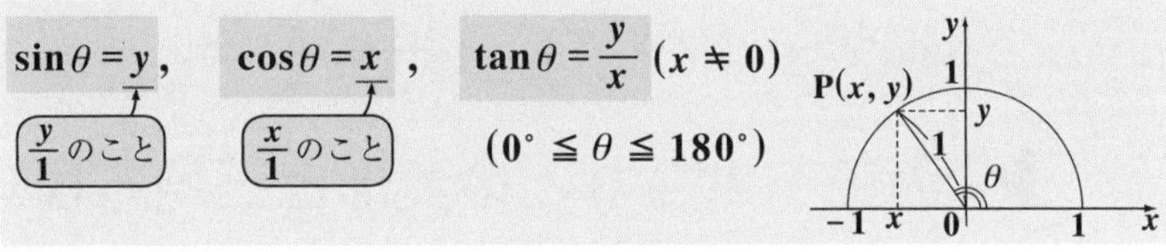

$\sin\theta = y$,　$\cos\theta = x$,　$\tan\theta = \dfrac{y}{x}$ $(x \neq 0)$

（$\dfrac{y}{1}$ のこと）　（$\dfrac{x}{1}$ のこと）

$(0° \leqq \theta \leqq 180°)$

θ	0°	30°	45°	60°	90°	120°	135°	150°	180°
sin	0	$\frac{1}{2}$	$\frac{1}{\sqrt{2}}$	$\frac{\sqrt{3}}{2}$	1	$\frac{\sqrt{3}}{2}$	$\frac{1}{\sqrt{2}}$	$\frac{1}{2}$	0
cos	1	$\frac{\sqrt{3}}{2}$	$\frac{1}{\sqrt{2}}$	$\frac{1}{2}$	0	$-\frac{1}{2}$	$-\frac{1}{\sqrt{2}}$	$-\frac{\sqrt{3}}{2}$	-1
tan	0	$\frac{1}{\sqrt{3}}$	1	$\sqrt{3}$	／	$-\sqrt{3}$	-1	$-\frac{1}{\sqrt{3}}$	0

2. 三角比の基本公式

(i) $\cos^2\theta + \sin^2\theta = 1$　　(ii) $\tan\theta = \dfrac{\sin\theta}{\cos\theta}$ $(\theta \neq 90°)$

(iii) $1 + \tan^2\theta = \dfrac{1}{\cos^2\theta}$ $(\theta \neq 90°)$

(ex) $\tan\theta=\sqrt{2}$ のとき，$\dfrac{1}{1-\sin\theta}+\dfrac{1}{1+\sin\theta}$ の値を求めてみよう。

$$\frac{1}{1-\sin\theta}+\frac{1}{1+\sin\theta}=\frac{1+\cancel{\sin\theta}+1-\cancel{\sin\theta}}{(1-\sin\theta)(1+\sin\theta)}$$

$$=\frac{2}{1-\sin^2\theta}=\frac{2}{\cos^2\theta}$$

$$=2(1+\tan^2\theta)=2\{1+(\sqrt{2})^2\}=2\times3=6$$ となる。

$\cos^2\theta+\sin^2\theta=1$
$1+\tan^2\theta=\dfrac{1}{\cos^2\theta}$

3. $\cos(\theta+90^\circ)$ や $\sin(180^\circ-\theta)$ などの変形

(Ⅰ)90° の関係したもの

$$\begin{cases}\sin(90^\circ-\theta)=\cos\theta\\ \cos(90^\circ-\theta)=\sin\theta\\ \tan(90^\circ-\theta)=\dfrac{1}{\tan\theta}\end{cases}\qquad\begin{cases}\sin(90^\circ+\theta)=\cos\theta\\ \cos(90^\circ+\theta)=-\sin\theta\\ \tan(90^\circ+\theta)=-\dfrac{1}{\tan\theta}\end{cases}$$

(Ⅱ)180° の関係したもの

$$\begin{cases}\sin(180^\circ-\theta)=\sin\theta\\ \cos(180^\circ-\theta)=-\cos\theta\\ \tan(180^\circ-\theta)=-\tan\theta\end{cases}$$

(Ⅰ)90° の関係したものの変形のコツ

(ⅰ)記号の決定

・$\sin\longrightarrow\cos$
・$\cos\longrightarrow\sin$
・$\tan\longrightarrow\dfrac{1}{\tan}$

(ⅱ)符号(⊕, ⊖)の決定

θ を第1象限の角，たとえば $\theta=30^\circ$ とでもおいて，左辺の符号から右辺の符号を決定する。

(Ⅱ)180° の関係したものの変形のコツ

(ⅰ)記号の決定

・$\sin\longrightarrow\sin$
・$\cos\longrightarrow\cos$
・$\tan\longrightarrow\tan$

180° 系では記号は変化しないね！

(ⅱ)符号(⊕, ⊖)の決定

θ を第1象限の角，たとえば $\theta=30^\circ$ とでもおいて，左辺の符号から右辺の符号を決定する。

4. 三角方程式の解法

三角方程式は三角比 $(\sin x,\ \cos x,\ \tan x)$ の入った方程式のことで，$\sin x$ と $\cos x$ の方程式の解 x は，半径 **1** の半円を利用して求め，$\tan x$ の方程式の解 x は直線 $X=1$ を利用して求められるんだね。

(ex) 方程式 $2\cos^2 x-\cos x-1=0\ \ (0°\leqq x\leqq 180°)$ を解いてみよう。

$$\begin{matrix}2 & & 1\\ 1 & & -1\end{matrix}$$

$(2\cos x+1)(\cos x-1)=0$ より，

$\cos x=-\dfrac{1}{2}$，または 1 $\left[X=-\dfrac{1}{2},\ 1\right]$

これから，$x=0°$，または $120°$ が解となる。

$X=-\dfrac{1}{2}$　Y　$X=1$　$x=120°$　$x=0°$　-1　$-\dfrac{1}{2}$　0　1　X

5. 三角比の図形への応用

(1) 正弦定理

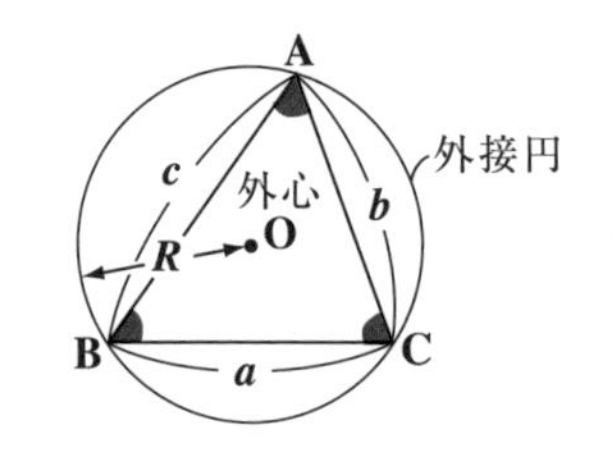

$$\frac{a}{\sin A}=\frac{b}{\sin B}=\frac{c}{\sin C}=2R$$

（R：△ABC の外接円の半径）

(2) 余弦定理 (Ⅰ)

(ⅰ) $a^2=b^2+c^2-2bc\cos A$

(ⅱ) $b^2=c^2+a^2-2ca\cos B$

(ⅲ) $c^2=a^2+b^2-2ab\cos C$

余弦定理 (Ⅰ)(Ⅱ) は，メリーゴーラウンドでリズミカルに覚えよう！

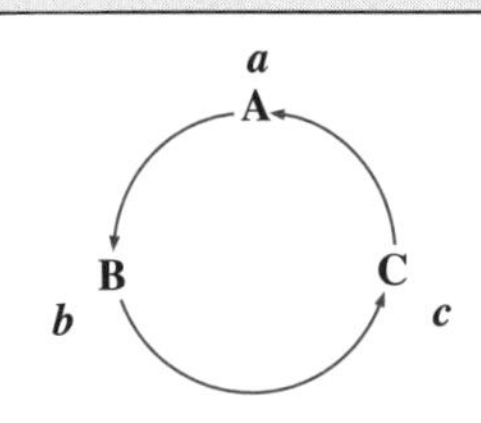

(3) 余弦定理 (Ⅱ)

(ⅰ) $\cos A=\dfrac{b^2+c^2-a^2}{2bc}$

(ⅱ) $\cos B=\dfrac{c^2+a^2-b^2}{2ca}$

(ⅲ) $\cos C=\dfrac{a^2+b^2-c^2}{2ab}$

(4) 三角形の面積

△ABC の面積を S とおくと，

$$S=\frac{1}{2}ab\sin \mathrm{C}=\frac{1}{2}bc\sin \mathrm{A}=\frac{1}{2}ca\sin \mathrm{B}$$

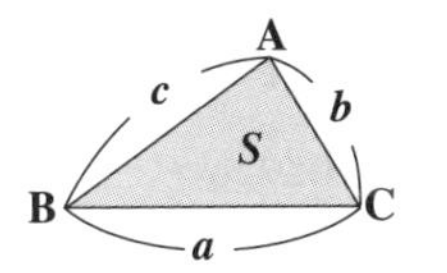

(5) 三角形の内接円の半径

$$S=\frac{1}{2}(a+b+c)\cdot r$$

（r：△ABC の内接円の半径）

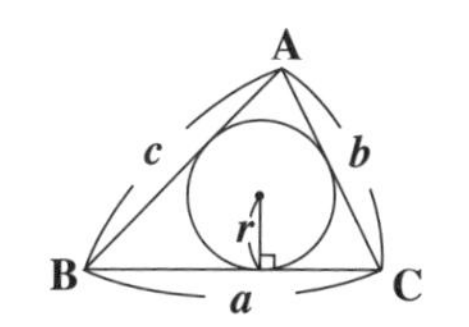

(ex) $\mathrm{AB}=1$，$\mathrm{BC}=\sqrt{2}$，$\mathrm{CA}=2$の△ABCの

$\sin \mathrm{A}$ と△ABC の面積 S を求めよう。

まず，余弦定理を用いて，

$$\cos \mathrm{A}=\frac{b^2+c^2-a^2}{2bc}=\frac{2^2+1^2-(\sqrt{2})^2}{2\cdot 2\cdot 1}=\frac{3}{4}$$

A　$b=2$　$c=1$　B　$a=\sqrt{2}$　C

よって，$\sin \mathrm{A}=\sqrt{1-\cos^2\mathrm{A}}=\sqrt{1-\left(\frac{3}{4}\right)^2}=\sqrt{\frac{7}{16}}=\frac{\sqrt{7}}{4}$

$\therefore$ △ABC の面積 $S=\frac{1}{2}bc\sin \mathrm{A}=\frac{1}{2}\cdot 2\cdot 1\cdot\frac{\sqrt{7}}{4}=\frac{\sqrt{7}}{4}$ となる。

6. 三角比の空間図形への応用

角すいや円すいの体積 V は，

$$V=\frac{1}{3}S\cdot h$$ となる。

（S：底面積，h：高さ）

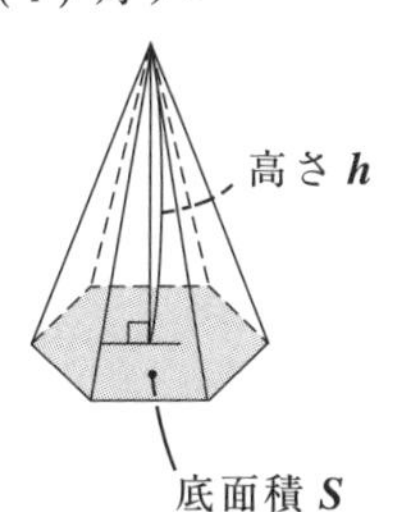

(ⅱ) 円すい

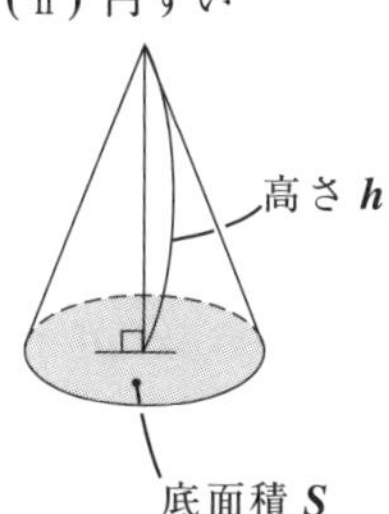

空間図形や立体図形の場合，その側面や断面など，パーツに分けて考えれば，平面図形の問題に帰着するんだね。これについても実践的に練習してみよう。

三角比の式の値

元気力アップ問題 47　難易度 ★　CHECK 1　CHECK 2　CHECK 3

$\sin\theta + \cos\theta = \frac{1}{2}$ ……①のとき，次の三角比の式の値を求めよ。

(1) $\sin\theta\cos\theta$　　(2) $|\sin\theta - \cos\theta|$　　(3) $\sin^3\theta + \cos^3\theta$

(関西学院大＊)

ヒント！ (1) ①の両辺を 2 乗すれば求まる。(2) は$|\sin\theta - \cos\theta|^2 = (\sin\theta - \cos\theta)^2$ とし，(3) は公式 $a^3 + b^3 = (a+b)(a^2 - ab + b^2)$ を利用しよう。

解答＆解説

(1) $\sin\theta + \cos\theta = \frac{1}{2}$ ……①の両辺を 2 乗して，

$\underbrace{\sin^2\theta + \cos^2\theta}_{1} + 2\sin\theta\cos\theta = \frac{1}{4}$ より，

$\sin\theta\cos\theta = \frac{1}{2}\cdot\left(\frac{1}{4} - 1\right) = -\frac{1}{2}\times\frac{3}{4} = -\frac{3}{8}$ ……(答)

(2) $|\sin\theta - \cos\theta|^2 = (\sin\theta - \cos\theta)^2$

$= \underbrace{\sin^2\theta + \cos^2\theta}_{1} - 2\underbrace{\sin\theta\cos\theta}_{\left(-\frac{3}{8}\right)((1)\text{の結果})}$

$= 1 - 2\times\left(-\frac{3}{8}\right) = 1 + \frac{3}{4} = \frac{7}{4}$

よって，この正の平方根をとると，

$|\sin\theta - \cos\theta| = \sqrt{\frac{7}{4}} = \frac{\sqrt{7}}{2}$ ……(答)

(3) $\sin^3\theta + \cos^3\theta$

$= \underbrace{(\sin\theta + \cos\theta)}_{\frac{1}{2}(①\text{より})}(\sin^2\theta - \underbrace{\sin\theta\cos\theta}_{\left(-\frac{3}{8}\right)((1)\text{より})} + \cos^2\theta)$

($\sin^2\theta + \cos^2\theta = 1$ ← 基本公式)

$= \frac{1}{2}\times\left\{1 - \left(-\frac{3}{8}\right)\right\} = \frac{1}{2}\times\frac{11}{8}$

$= \frac{11}{16}$ ……(答)

ココがポイント

⇦ $(\sin\theta + \cos\theta)^2 = \sin^2\theta + 2\sin\theta\cos\theta + \cos^2\theta$

⇦ 基本公式 $\sin^2\theta + \cos^2\theta = 1$

⇦ $|a|^2 = a^2$ だからね。$(\sin\theta - \cos\theta)^2 = \sin^2\theta - 2\sin\theta\cos\theta + \cos^2\theta$

⇦ $|a|^2 = a^2$ のとき，$|a| = \sqrt{a^2}$ $(\because |a| \geqq 0)$

⇦ 因数分解の公式 $a^3 + b^3 = (a+b)(a^2 - ab + b^2)$

三角比の式の値

元気力アップ問題 48	難易度 ★★	CHECK 1	CHECK 2	CHECK 3

$\tan\theta=2$ のとき，次の三角比の式の値を求めよ。

(1) $\dfrac{\cos\theta-\sin\theta}{\cos\theta+\sin\theta}$ （近畿大＊）　(2) $\left(\dfrac{\cos\theta}{1+\sin\theta}+\dfrac{1+\sin\theta}{\cos\theta}\right)^2$ （神奈川大＊）

ヒント！ (1) では，公式 $\tan\theta=\dfrac{\sin\theta}{\cos\theta}$ を，(2) では，公式 $1+\tan^2\theta=\dfrac{1}{\cos^2\theta}$ を利用すれば，すっきり解けるはずだ。頑張ろう！

解答＆解説

$\tan\theta=2$ ……①とおく。

(1) $\dfrac{\cos\theta-\sin\theta}{\cos\theta+\sin\theta}$ の分子･分母を $\cos\theta\ (\neq 0)$ で割ると，

$$\frac{\cos\theta-\sin\theta}{\cos\theta+\sin\theta}=\frac{1-\dfrac{\sin\theta}{\cos\theta}}{1+\dfrac{\sin\theta}{\cos\theta}}=\frac{1-\boxed{\tan\theta}}{1+\boxed{\tan\theta}}$$

（$\tan\theta$ は 2（①より））

$$=\frac{1-2}{1+2}=-\frac{1}{3}$$ （①より）………（答）

(2) $$\left(\frac{\cos\theta}{1+\sin\theta}+\frac{1+\sin\theta}{\cos\theta}\right)^2=\left\{\frac{\cos^2\theta+\boxed{(1+\sin\theta)^2}}{\cos\theta\cdot(1+\sin\theta)}\right\}^2$$

（$(1+\sin\theta)^2$ は $1+2\sin\theta+\sin^2\theta$）

$$=\left\{\frac{2(1+\sin\theta)}{\cos\theta\cdot(1+\sin\theta)}\right\}^2=4\cdot\frac{1}{\cos^2\theta}$$

（$\dfrac{1}{\cos^2\theta}$ は $1+\tan^2\theta$）

$$=4(1+\tan^2\theta)=4\cdot(1+2^2)$$

（$\tan^2\theta$ は 2^2（①より））

$$=4\times5=20$$ ……………………………（答）

ココがポイント

⇦ 公式：$\tan\theta=\dfrac{\sin\theta}{\cos\theta}$

⇦ { }内の分子を求めると，
$\underbrace{\cos^2\theta+\sin^2\theta}_{1}+1+2\sin\theta$
$=2+2\sin\theta$
$=2(1+\sin\theta)$

⇦ 公式：
$1+\tan^2\theta=\dfrac{1}{\cos^2\theta}$

三角比と 2 次方程式

元気力アップ問題 49 | 難易度 ★ | CHECK 1 | CHECK 2 | CHECK 3

$0° \leqq \theta \leqq 180°$ で，$\cos\theta - \sin\theta = -\dfrac{1}{\sqrt{2}}$ ……①であるとき，$\sin\theta$ と $\cos\theta$ の値を求めよ。

ヒント！ ①と，基本公式 $\cos^2\theta + \sin^2\theta = 1$ を連立させて $\cos\theta$ を消去して，$\sin\theta$ の 2 次方程式を作れば，話が見えてくるはずだ。頑張ろう！

解答＆解説

$\cos\theta - \sin\theta = -\dfrac{1}{\sqrt{2}}$ ……① $(0° \leqq \theta \leqq 180°)$ より，

$\cos\theta = \sin\theta - \dfrac{1}{\sqrt{2}}$ ……①′ となる。①′ を公式：

$\underbrace{\cos^2\theta}_{\left(\sin\theta - \frac{1}{\sqrt{2}}\right)^2} + \sin^2\theta = 1$ に代入して，

$\left(\sin\theta - \dfrac{1}{\sqrt{2}}\right)^2 + \sin^2\theta = 1$ ……②となる。②をまとめて

$\underbrace{4}_{a}\sin^2\theta \underbrace{-2\sqrt{2}}_{2b'}\sin\theta \underbrace{-1}_{c} = 0$

$\therefore \sin\theta = \dfrac{\sqrt{2} \pm \sqrt{2+4}}{4} = \dfrac{\sqrt{2} \pm \sqrt{6}}{4}$ （$\sqrt{2} = 1.4\cdots$，$\sqrt{6} = 2.4\cdots$）

ここで，$0 \leqq \sin\theta \leqq 1$ より，

$\sin\theta = \dfrac{\sqrt{2} + \sqrt{6}}{4}$ ……③となる。③を①′ に代入して，

$\cos\theta = \dfrac{\sqrt{2} + \sqrt{6}}{4} - \dfrac{1}{\sqrt{2}} = \dfrac{\sqrt{2} + \sqrt{6} - 2\sqrt{2}}{4} = \dfrac{\sqrt{6} - \sqrt{2}}{4}$

$\therefore \sin\theta = \dfrac{\sqrt{6} + \sqrt{2}}{4}$，$\cos\theta = \dfrac{\sqrt{6} - \sqrt{2}}{4}$ ……………(答)

ココがポイント

⇦ $0° \leqq \theta \leqq 180°$ より，
$0 \leqq \underbrace{\sin\theta}_{Y} \leqq 1$
$-1 \leqq \underbrace{\cos\theta}_{X} \leqq 1$ だね。

⇦ $\sin\theta = s$ とおくと，②は
$\left(s - \dfrac{1}{\sqrt{2}}\right)^2 + s^2 = 1$
$s^2 - \sqrt{2}s + \dfrac{1}{2} + s^2 = 1$
$2s^2 - \sqrt{2}s - \dfrac{1}{2} = 0$
$4s^2 - 2\sqrt{2}s - 1 = 0$

⇦ $s = \dfrac{-b' \pm \sqrt{b'^2 - ac}}{a}$

三角比と2次関数

元気力アップ問題 50	難易度 ★	CHECK 1	CHECK 2	CHECK 3

$0° \leqq \theta \leqq 180°$ のとき，$f(\theta) = \cos\theta - \sin^2\theta$ の最大値と最小値，およびそのときの θ の値を求めよ。

ヒント！ $\sin^2\theta = 1 - \cos^2\theta$ より，$f(\theta)$ は $\cos\theta$ の2次関数となる。よって，$\cos\theta = X$ とおいて $f(\theta) = g(X)$ とおくと，X の2次関数の問題に帰着するんだね。

解答＆解説

$f(\theta) = \cos\theta - \underbrace{\sin^2\theta}_{(1-\cos^2\theta)}$ ……① $(0° \leqq \theta \leqq 180°)$ とおく。

①に $\sin^2\theta = 1 - \cos^2\theta$ を代入して変形すると，

$f(\theta) = \cos\theta - (1 - \cos^2\theta) = \underbrace{\cos^2\theta}_{X^2} + \underbrace{\cos\theta}_{X} - 1$ ……①´

となる。ここで，①´に $\cos\theta = X\ (-1 \leqq X \leqq 1)$ を代入して，$f(\theta)$ を X の2次関数 $g(X)$ とおくと，

$f(\theta) = g(X) = X^2 + X - 1$

$= \left(X + \frac{1}{2}\right)^2 - \frac{5}{4}\quad (-1 \leqq X \leqq 1)$

$g(X)$ は頂点 $\left(-\frac{1}{2}, -\frac{5}{4}\right)$ の下に凸の放物線で $-1 \leqq X \leqq 1$ の範囲のものだ。

よって，右のグラフより，

(i) $X = 1$ のとき，すなわち $\theta = 0°$ のとき，$g(X)$，
（$\cos\theta = 1$ より，$\theta = 0°$）

すなわち $f(\theta)$ は，最大値 1 をとる。……………(答)

(ii) $X = -\frac{1}{2}$ のとき，すなわち $\theta = 120°$ のとき，$g(X)$，
（$\cos\theta = -\frac{1}{2}$ より，$\theta = 120°$）

すなわち $f(\theta)$ は，最小値 $-\frac{5}{4}$ をとる。………(答)

ココがポイント

⇦ $\cos^2\theta + \sin^2\theta = 1$ より，$\sin^2\theta = 1 - \cos^2\theta$ だね。

⇦
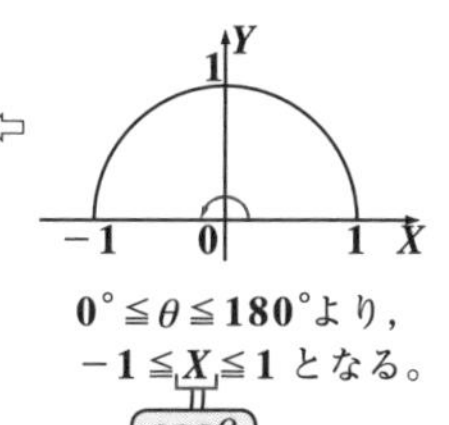

$0° \leqq \theta \leqq 180°$ より，$-1 \leqq \underbrace{X}_{\cos\theta} \leqq 1$ となる。

⇦ $g(X) = \left(X^2 + 1 \cdot X + \frac{1}{4}\right) - 1 - \frac{1}{4}$
（2で割って2乗）

$= \left(X + \frac{1}{2}\right)^2 - \frac{5}{4}$

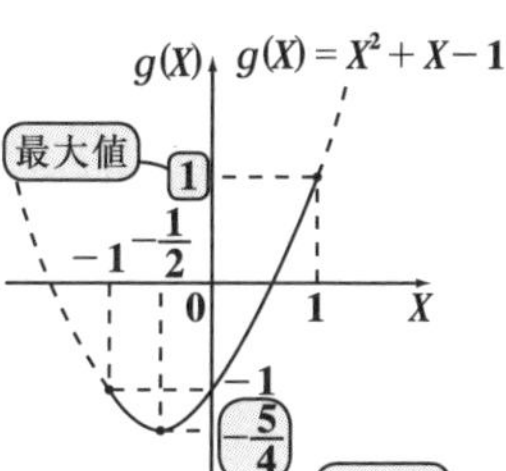

三角比とカニ歩き＆場合分け

元気力アップ問題 51　難易度 ★★　CHECK 1　CHECK 2　CHECK 3

$0° \leqq \theta \leqq 180°$ における，関数 $f(\theta) = -\cos^2\theta - 2a\sin\theta$ の最小値を $m(a)$ とおく。ただし a は定数とする。このとき次の各問いに答えよ。

(1) $\sin\theta = t$ とおいて，$y = f(\theta)$ を t で表し，t の取り得る値の範囲を求めよ。

(2) 最小値 $m(a)$ を求めよ。

(3) $m(a)$ のグラフを図示せよ。　(愛知学院大＊)

ヒント！ (1) $\sin\theta = t$ とおくと $y = f(\theta)$ は，t の2次関数となる。(2) この2次関数は文字定数 a によりカニ歩き（横に移動）するので，その最小値 $m(a)$ を求めるのに3通りの場合分けが必要となるんだね。(3) は，(2) の結果を基にして a を横軸，$m(a)$ を縦軸にとってグラフを描けばいいんだね。頑張ろう！

解答＆解説

$y = f(\theta) = -\underbrace{\cos^2\theta}_{(1-\sin^2\theta)} - 2a\sin\theta$ ……① $(0° \leqq \theta \leqq 180°)$ とおく。①に $\cos^2\theta = 1 - \sin^2\theta$ を代入して，

$y = f(\theta) = \underbrace{\sin^2\theta}_{t^2} - 2a\underbrace{\sin\theta}_{t} - 1$ ……①′ $(0° \leqq \theta \leqq 180°)$ となる。

(1) $\sin\theta = t$ ……②を①′ に代入すると $y = f(\theta)$ は t の2次関数となる。よって，これを $y = f(\theta) = g(t)$ とおくと，

$y = f(\theta) = g(t) = t^2 - 2at - 1$

$\qquad = (t-a)^2 - a^2 - 1$

ここで，$0° \leqq \theta \leqq 180°$ より，$0 \leqq t \leqq 1$

以上より，

$y = g(t) = (t-a)^2 - a^2 - 1$ ……③

$(0 \leqq t \leqq 1)$ となる。 ……………(答)

(2) ③より，$y = g(t)$ は，頂点が $(a, -a^2-1)$ の下に凸の放物線である。

（これにより，$y = g(t)$ はカニ歩きする。）

ココがポイント

⇦ 基本公式：
$\cos^2\theta + \sin^2\theta = 1$

⇦ $(t^2 - 2at + a^2) - a^2 - 1$
（2で割って2乗）
$= (t-a)^2 - a^2 - 1$

⇦

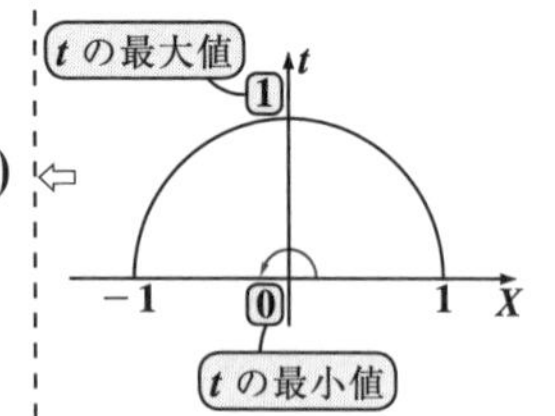

よって，$0 \leqq t \leqq 1$ における $y=g(t)$ の最小値 $m(a)$ は下図に示すように，(i) $a \leqq 0$，(ii) $0 \leqq a \leqq 1$，(iii) $1 \leqq a$ の 3 通りに場合分けして求める。

(i) $a \leqq 0$ のとき

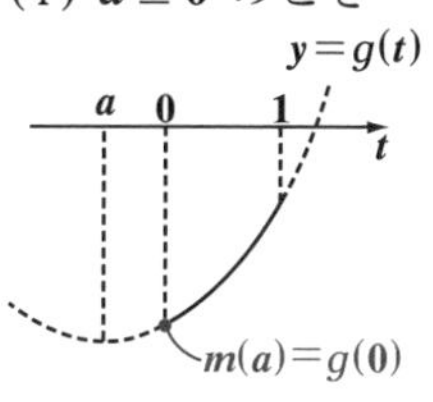

(ii) $0 \leqq a \leqq 1$ のとき

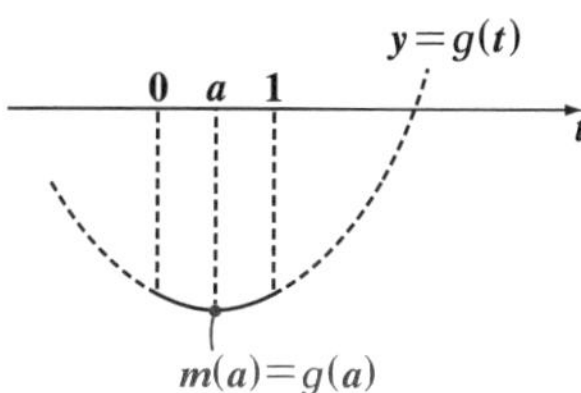

(iii) $1 \leqq a$ のとき

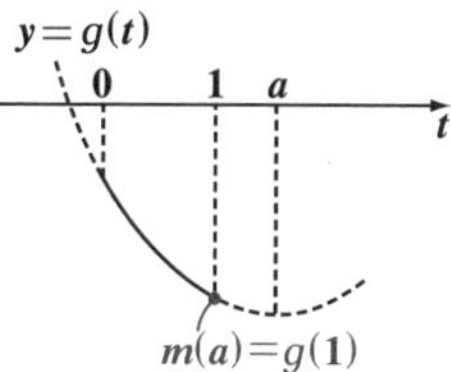

グラフより明らかに，

(i) $a \leqq 0$ のとき，

　最小値 $m(a)=g(0)=-1$

⇦ $g(0)=0^2-2a\cdot 0-1 = -1$

(ii) $0 \leqq a \leqq 1$ のとき，

　最小値 $m(a)=g(a)=-a^2-1$

⇦ $g(a)=(a-a)^2-a^2-1 = -a^2-1$

(iii) $1 \leqq a$ のとき，

　最小値 $m(a)=g(1)=-2a$

⇦ $g(1)=1^2-2a\cdot 1-1 = -2a$

以上 (i)(ii)(iii) より，

$$
\text{最小値 } m(a)=\begin{cases} -1 & (a \leqq 0 \text{ のとき}) \\ -a^2-1 & (0 \leqq a \leqq 1 \text{ のとき}) \\ -2a & (1 \leqq a \text{ のとき}) \end{cases} \cdots ④
$$

……(答)

(3) ④より，横軸に a，縦軸に $m(a)$ をとって，グラフを描くと，下図のようになる。

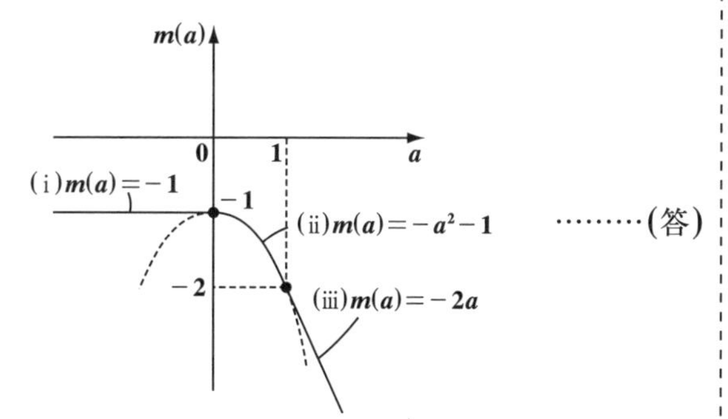

………(答)

$\sin(90^\circ+\theta)$ 等の変形

元気力アップ問題 52	難易度 ★	CHECK 1	CHECK 2	CHECK 3

次の式の値を求めよ。

(1) $\sin(90^\circ-\theta)\cos(180^\circ-\theta)+\cos(90^\circ+\theta)\sin(180^\circ-\theta)$

(2) $\sin75^\circ+\sin120^\circ-\cos150^\circ+\cos165^\circ$ （松山大）

(3) $\dfrac{1}{\sin^2 18^\circ}-\tan^2 108^\circ+\dfrac{1}{2}$ （日本工大）

ヒント！ (1) 90° や 180° の入った三角比は，(i) 記号と (ii) 符号を考えて変形しよう。(2) では $75^\circ=\theta$，(3) では，$18^\circ=\theta$ とおくと話が見えてくるはずだ。

解答＆解説

(1) $\sin(90^\circ-\theta)\cos(180^\circ-\theta)+\cos(90^\circ+\theta)\sin(180^\circ-\theta)$

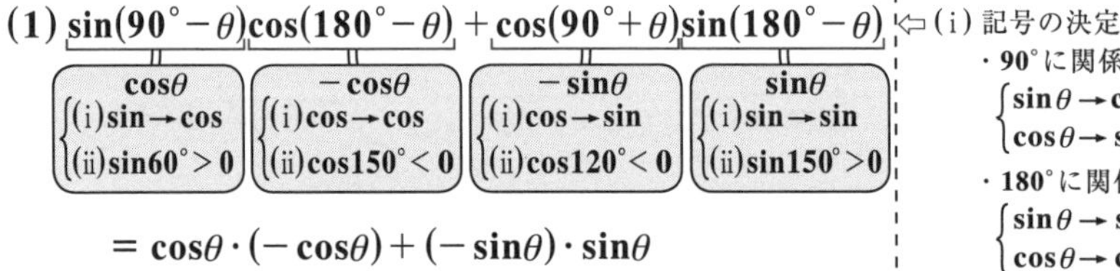

$=\cos\theta\cdot(-\cos\theta)+(-\sin\theta)\cdot\sin\theta$

$=-(\cos^2\theta+\sin^2\theta)=-1$ ……………………（答）

（$\cos^2\theta+\sin^2\theta$ は 1 ← 基本公式）

(2) $\sin75^\circ+\sin120^\circ-\cos150^\circ+\cos165^\circ$

（$\sin120^\circ=\dfrac{\sqrt{3}}{2}$，$\cos150^\circ=\left(-\dfrac{\sqrt{3}}{2}\right)$，$\cos165^\circ=\cos(75^\circ+90^\circ)=-\sin75^\circ$）

$=\sin75^\circ+\dfrac{\sqrt{3}}{2}+\dfrac{\sqrt{3}}{2}-\sin75^\circ=\sqrt{3}$ ………（答）

(3) $\dfrac{1}{\sin^2 18^\circ}-\tan^2 108^\circ+\dfrac{1}{2}=\dfrac{1-\cos^2 18^\circ}{\sin^2 18^\circ}+\dfrac{1}{2}$

（$1-\cos^2 18^\circ=\sin^2 18^\circ$）

（$\tan^2 108^\circ=\left(-\dfrac{1}{\tan18^\circ}\right)^2=\left(\dfrac{\cos18^\circ}{\sin18^\circ}\right)^2=\dfrac{\cos^2 18^\circ}{\sin^2 18^\circ}$）

$=\dfrac{\sin^2 18^\circ}{\sin^2 18^\circ}+\dfrac{1}{2}=1+\dfrac{1}{2}=\dfrac{3}{2}$ ………………（答）

ココがポイント

⇦ (i) 記号の決定

・90° に関係したもの

$\begin{cases}\sin\theta\to\cos\theta\\ \cos\theta\to\sin\theta\end{cases}$

・180° に関係したもの

$\begin{cases}\sin\theta\to\sin\theta\\ \cos\theta\to\cos\theta\end{cases}$

(ii) 符号 (⊕, ⊖) の決定

$\theta=30^\circ$ と考えて，符号を決める。

⇦ $75^\circ=\theta$ とおくと，

$\cos165^\circ=\cos(75^\circ+90^\circ)$
$=\cos(\theta+90^\circ)$
$=-\sin\theta$
$=-\sin75^\circ$

⇦ $18^\circ=\theta$ とおくと，

$\tan108^\circ=\tan(18^\circ+90^\circ)$
$=\tan(\theta+90^\circ)$
$=-\dfrac{1}{\tan\theta}=-\dfrac{1}{\tan18^\circ}$
$=-\dfrac{1}{\frac{\sin18^\circ}{\cos18^\circ}}=-\dfrac{\cos18^\circ}{\sin18^\circ}$

三角方程式

元気力アップ問題 53	難易度 ★	CHECK 1	CHECK 2	CHECK 3

次の三角方程式を解け。

(1) $7\sin x-2\cos^2x-2=0$ $(0°<x<180°)$ (九州産業大＊)

(2) $4\cos x-4\sin^2x+1=0$ $(0°<x<180°)$ (福岡大＊)

ヒント！ (1) では，$\cos^2x=1-\sin^2x$ を与式に代入して，$\sin x$ の 2 次方程式にする。(2) では，$\sin^2x=1-\cos^2x$ として，$\cos x$ の 2 次方程式にもち込もう。

解答＆解説

(1) $7\sin x-2\cos^2x-2=0$ ……① $(0°<x<180°)$

$\cos^2x=1-\sin^2x$ ……②　②を①に代入して，

$7\sin x-2(1-\sin^2x)-2=0$

$2\sin^2x+7\sin x-4=0$

2 ╳ −1
1 　 4 ←たすきがけ

$(2\sin x-1)(\sin x+4)=0$ 常に⊕　$\sin x+4>0$ より，

$\sin x=\frac{1}{2}$　∴ $x=30°,\ 150°$ ……………………(答)

(2) $4\cos x-4\sin^2x+1=0$ ……③ $(0°<x<180°)$

$\sin^2x=1-\cos^2x$ ……④　④を③に代入して，

$4\cos x-4(1-\cos^2x)+1=0$

$4\cos^2x+4\cos x-3=0$

2 ╳ −1
2 　 3 ←たすきがけ

$(2\cos x-1)(2\cos x+3)=0$ 常に⊕　$2\cos x+3>0$ より，

$\cos x=\frac{1}{2}$　∴ $x=60°$ ……………………………(答)

ココがポイント

⇦ 公式：$\cos^2x+\sin^2x=1$

⇦ $\sin x$ の 2 次方程式

⇦ $0<\sin x\leqq 1$ より，$\sin x+4>0$

⇦

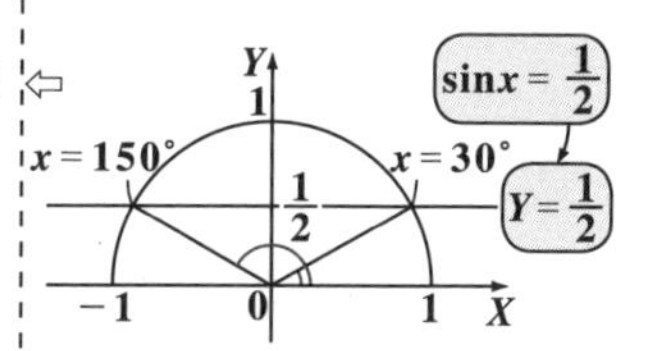

⇦ $\cos x$ の 2 次方程式

⇦ $-1<\cos x<1$ より，$2\cos x+3>0$

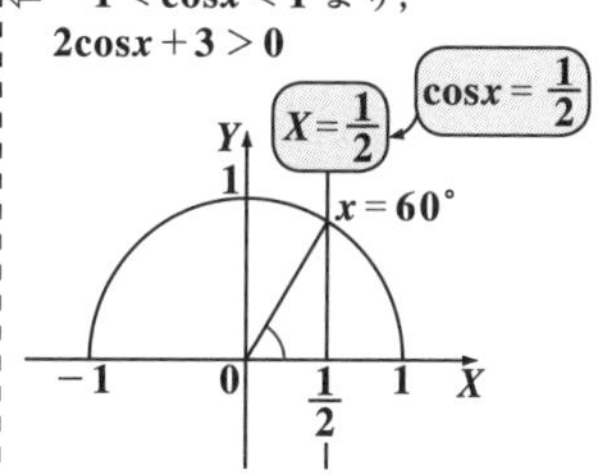

三角不等式

元気力アップ問題 54　難易度 ★★　CHECK 1　CHECK 2　CHECK 3

次の三角不等式を解け。

(1) $3\sin x - 2\cos^2 x \geqq 0$ 　　$(0° \leqq x \leqq 180°)$

(2) $4\sin x\cos x + 2\sin x - 2\cos x - 1 < 0$ 　　$(0° \leqq x \leqq 180°)$

(3) $\dfrac{2}{\tan x + 1} \geqq 1$ 　　$(0° \leqq x \leqq 180°)$

ヒント！ (1) では，まず $\cos^2 x = 1 - \sin^2 x$ として，$\sin x$ の 2 次不等式にもち込もう。(2) では，$A \cdot B < 0$ の形にして，(i)$A > 0$ かつ $B < 0$，または (ii)$A < 0$ かつ $B > 0$ から解けばいい。(3) は，分数不等式 $\dfrac{B}{A} \leqq 0$ の形にして，$A \cdot B \leqq 0$ かつ $A \neq 0$ として解けばいいんだね。頑張ろう！

解答＆解説

(1) $3\sin x - 2\underbrace{\cos^2 x}_{(1-\sin^2 x)} \geqq 0$ ……① $(0° \leqq x \leqq 180°)$ と

おいて，①を変形すると，

⇦ 公式：$\cos^2 x + \sin^2 x = 1$ を使う。

$3\sin x - 2(1 - \sin^2 x) \geqq 0$

$2\sin^2 x + 3\sin x - 2 \geqq 0$

⇦ $\sin x$ の 2 次不等式になった！

$$\begin{matrix} 2 & & -1 \\ & \times & \\ 1 & & 2 \end{matrix} \quad \leftarrow \text{たすきがけ}$$

$(2\sin x - 1)(\sin x + 2) \geqq 0$ ……①′ となる。

常に⊕ ← $0 \leqq \sin x \leqq 1$ より

ここで，$0° \leqq \theta \leqq 180°$より，$0 \leqq \sin x \leqq 1$

よって，$\sin x + 2 > 0$ より，①′ の両辺をこれで割って，

$2\sin x - 1 \geqq 0$ 　　$\sin x \geqq \dfrac{1}{2}$

⇦
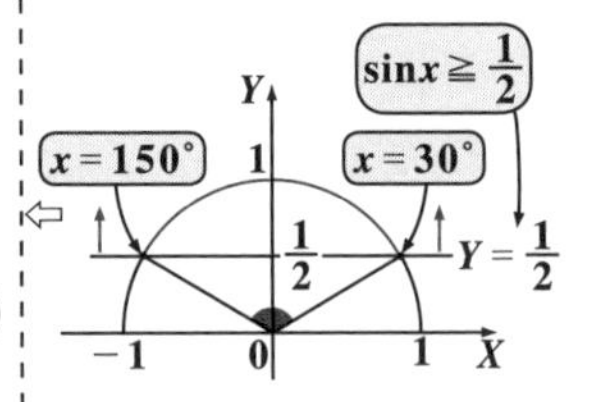

∴①の解は，$30° \leqq x \leqq 150°$ ……………………(答)

(2) $\underbrace{4\sin x\cos x + 2\sin x}_{2\sin x(2\cos x+1)}\underbrace{-2\cos x - 1}_{-(2\cos x+1)} < 0$ …② $(0° \leqq x \leqq 180°)$

とおいて，②の左辺を因数分解すると，②は，

$\underbrace{(2\cos x + 1)}_{A}\underbrace{(2\sin x - 1)}_{B} < 0$ ……②′ となる。よって ← $A \cdot B < 0$ の形だ！

(i) $2\cos x + 1 > 0$ かつ $2\sin x - 1 < 0$，または
(ii) $2\cos x + 1 < 0$ かつ $2\sin x - 1 > 0$ である。

(i) $2\cos x + 1 > 0$ かつ $2\sin x - 1 < 0$，すなわち

$\cos x > -\dfrac{1}{2}$ かつ $\sin x < \dfrac{1}{2}$ より，

$0° \leqq x < 30°$ となる。

(ii) $2\cos x + 1 < 0$ かつ $2\sin x - 1 > 0$，すなわち

$\cos x < -\dfrac{1}{2}$ かつ $\sin x > \dfrac{1}{2}$ より，

$120° < x < 150°$ となる。

以上 (i)(ii) より，②の解は，

$0° \leqq x < 30°$ または $120° < x < 150°$ ………(答)

⇦ $\sin x$ を s，$\cos x$ を c とおくと，
$4sc + 2s - 2c - 1$
$= 2s(2c+1) - (2c+1)$
$= (2c+1)(2s-1)$

⇦ $A \cdot B < 0$ のとき，
(i) $A > 0$ かつ $B < 0$
または
(ii) $A < 0$ かつ $B > 0$
のいずれかだね。

⇦ (i)
⇦ (ii)

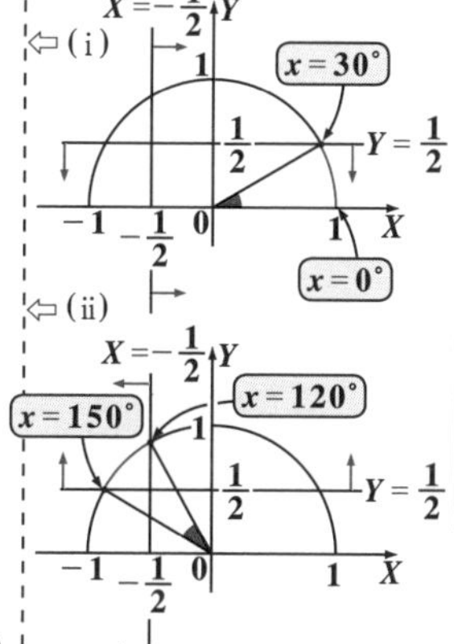

(3) $\dfrac{2}{\tan x + 1} \geqq 1$ ……③ $(0° \leqq x \leqq 180°)$ とおいて，

③を変形すると，$\dfrac{\tan x - 1}{\tan x + 1} \leqq 0$ ← $\dfrac{B}{A} \leqq 0$ の形だ！

よって，$(\tan x + 1)(\tan x - 1) \leqq 0$ かつ $\tan x + 1 \neq 0$

$\therefore -1 < \tan x \leqq 1$ ……③′ となる。

$\tan x$ は，右図に示すように，直線 $X = 1$ 上の点の Y 座標を表すので，③′ より③の解は，

$0° \leqq x \leqq 45°$ または $135° < x \leqq 180°$ ………(答)

⇦ $\tan x$ を t とおくと，
$1 - \dfrac{2}{t+1} \leqq 0$
$\dfrac{t-1}{t+1} \leqq 0$

⇦ $\dfrac{B}{A} \leqq 0$ のとき
$A \cdot B \leqq 0$ かつ $A \neq 0$

⇦

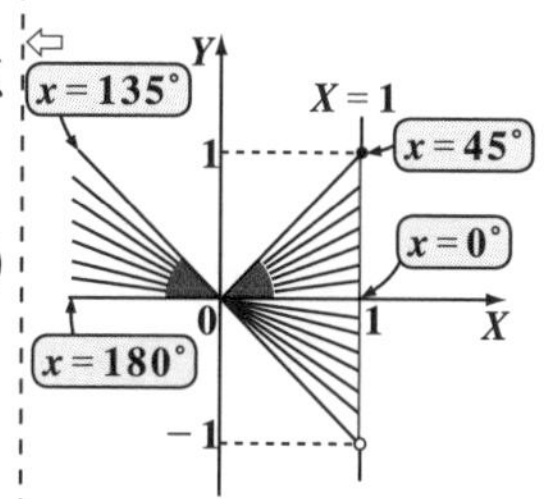

正弦定理・余弦定理

元気力アップ問題 55	難易度 ★	CHECK 1	CHECK 2	CHECK 3

三角形 ABC において $AB=2$, $\angle B=105°$, $\angle C=45°$ のとき, $\angle A$, BC, CA, およびこの三角形の外接円の半径 R を求めよ。

ヒント！ $\triangle ABC$ は, $\angle B=105°$, $\angle C=45°$ より, $\angle A=30°$ だね。よって, 正弦定理より BC と R を求め, 余弦定理を使って, CA を求めればいいんだね。

解答＆解説

ココがポイント

右図に示すように, $\triangle ABC$ の $\angle B=105°$, $\angle C=45°$ より, $\angle A=180°-(\angle B+\angle C)$

$=180°-(105°+45°)=30°$ ……………(答)

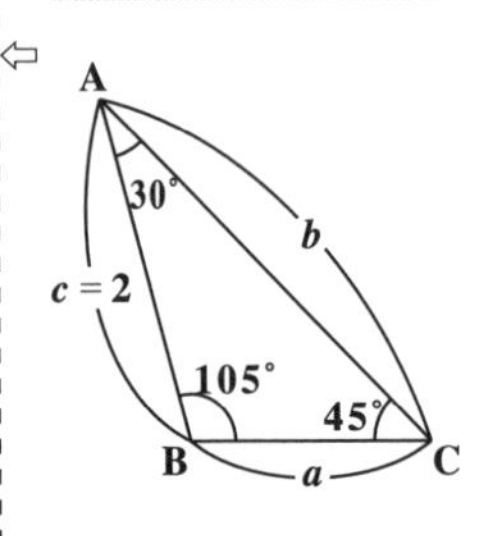

(i) また, $c=AB=2$ より, $\triangle ABC$ に正弦定理を用いて, $a=BC$ と $\triangle ABC$ の外接円の半径 R を求めることができる。よって,

$$\frac{a}{\sin30°}=\frac{2}{\sin45°}=2R \text{ より}$$

- $\dfrac{a}{\sin30°}=\dfrac{a}{\frac{1}{2}}=2a$
- $\dfrac{2}{\sin45°}=\dfrac{2}{\frac{1}{\sqrt{2}}}=2\sqrt{2}$

$2a=2\sqrt{2}=2R$

$\therefore a=BC=\sqrt{2}$ ………(答)

$R=\sqrt{2}$ ……………………………………(答)

⇦ 正弦定理 $\dfrac{a}{\sin A}=\dfrac{c}{\sin C}=2R$

(ii) $\angle C=45°$, $a=\sqrt{2}$, $c=2$ より, $\triangle ABC$ に余弦定理を用いると,

$$c^2=a^2+b^2-2ab\cdot\cos C$$

($c^2=2^2$, $a^2=(\sqrt{2})^2$, $a=\sqrt{2}$, $\cos45°=\frac{1}{\sqrt{2}}$)

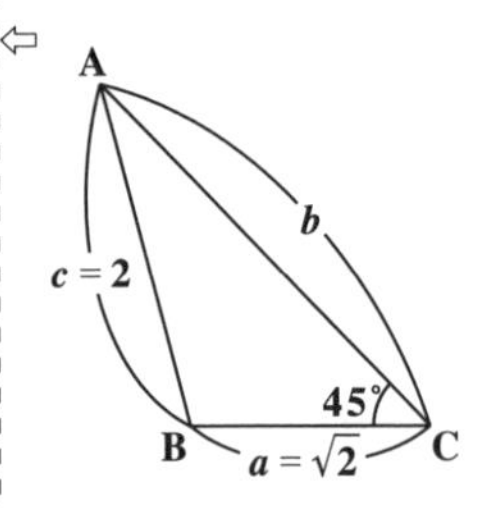

$$4=2+b^2-2\sqrt{2}b\cdot\frac{1}{\sqrt{2}}$$

$b^2-2b-2=0$ $\quad\therefore b=1\pm\sqrt{1+2}=1\pm\sqrt{3}$ ($\sqrt{3}=1.7\cdots$)

⇦ $ax^2+2b'x+c=0$ の解 $x=\dfrac{-b'\pm\sqrt{b'^2-ac}}{a}$

ここで, $b>0$ より

$CA=b=1+\sqrt{3}$ ……………………………(答)

余弦定理・正弦定理

元気力アップ問題 56　難易度 ★　CHECK 1　CHECK 2　CHECK 3

次の各問いに答えよ。

(1) △**ABC** において，**BC**：**CA**：**AB**＝**4**：**5**：**6** のとき，**cosA** を求めよ。

(2) △**ABC** において，$\dfrac{8}{\sin A}=\dfrac{7}{\sin B}=\dfrac{5}{\sin C}$ のとき，∠**B** を求めよ。

（中央大）

ヒント！ △ABC の 3 辺の長さ a，b，c の比が与えられれば，余弦定理を用いて，∠A，∠B，∠C のいずれの余弦 (cos) も求めることができるんだね。

解答＆解説

(1) △**ABC** において，

BC：CA：AB＝a：b：c＝4：5：6 より，

$a=4k$，$b=5k$，$c=6k$（k：正の定数）とおける。

ここで，△ABC に余弦定理を用いると，

$$\cos A=\frac{b^2+c^2-a^2}{2bc}=\frac{(5k)^2+(6k)^2-(4k)^2}{2\cdot5k\cdot6k}$$

$$=\frac{(25+36-16)k^2}{60k^2}=\frac{45}{60}=\frac{3}{4}\ \cdots\cdots\cdots\text{(答)}$$

(2) △**ABC** において，正弦定理より，

sinA：sinB：sinC＝a：b：c である。よって，

$\dfrac{8}{\sin A}=\dfrac{7}{\sin B}=\dfrac{5}{\sin C}$ より，

sinA：sinB：sinC＝a：b：c＝8：7：5

∴ $a=8k$，$b=7k$，$c=5k$（k：正の定数）とおいて，△ABC に余弦定理を用いると，

$$\cos B=\frac{c^2+a^2-b^2}{2ca}=\frac{(5k)^2+(8k)^2-(7k)^2}{2\cdot5k\cdot8k}$$

$$=\frac{(25+64-49)k^2}{80k^2}=\frac{40}{80}=\frac{1}{2}$$

∴ ∠B＝60°　（∵ 0°＜B＜180°）……………(答)

ココがポイント

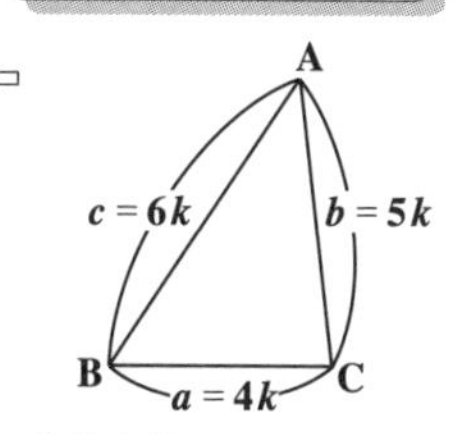

⇦ 余弦定理
$a^2=b^2+c^2-2bc\cdot\cos A$
より，$\cos A=\dfrac{b^2+c^2-a^2}{2bc}$

⇦ 正弦定理
$\dfrac{a}{\sin A}=\dfrac{b}{\sin B}=\dfrac{c}{\sin C}$

⇦ 余弦定理
$b^2=c^2+a^2-2ca\cdot\cos B$
より，$\cos B=\dfrac{c^2+a^2-b^2}{2ca}$

円に内接する四角形

元気力アップ問題 57　難易度 ★★　CHECK 1　CHECK 2　CHECK 3

四角形 **ABCD** は円に内接し，**AB = 6**，**BC = 5**，**CD = 5**，**DA = 3** である。このとき，**AC** と四角形 **ABCD** の面積を求めよ。（大阪産業大＊）

ヒント！ 四角形 **ABCD** は円に内接するので，内対角の和が **180°** となる。よって $\angle B + \angle D = 180°$ より，$\angle B = \theta$ とおくと，$\angle D = 180° - \theta$ となるんだね。

解答＆解説

円に内接する四角形 **ABCD** は $AB = 6$, $BC = CD = 5$, $DA = 3$ であり，右図に示すように $AC = x$，そして $\angle B = \theta$ おくと，$\angle D = 180° - \theta$ となる。

(i) △ABC に余弦定理を用いると，

$$x^2 = 6^2 + 5^2 - 2 \cdot 6 \cdot 5 \cdot \cos\theta$$

$\therefore\ x^2 = 61 - 60\cos\theta$ ……①となり，また

(ii) △ACD に余弦定理を用いると，

$$x^2 = \underbrace{3^2 + 5^2}_{9+25=34} - 2 \cdot 3 \cdot 5 \cdot \underbrace{\cos(180° - \theta)}_{-\cos\theta}$$

180°系の変形
・cos → cos
・cos150° < 0
より ⊖

$\therefore\ x^2 = 34 + 30\cos\theta$ ……②となる。

①，②より x^2 を消去して $\cos\theta$ を求めると，

$\cos\theta = \dfrac{3}{10}$ ……③　　③を②に代入して，

$$AC^2 = x^2 = 34 + 30 \times \frac{3}{10} = 43$$

$\therefore\ AC = \sqrt{43}$　（$\because AC > 0$）……………………………（答）

③より，$\sin\theta = \sqrt{1 - \cos^2\theta} = \dfrac{\sqrt{91}}{10}$

よって⏢ABCD の面積は，

180°系の変形
・sin → sin
・sin150° > 0
より ⊕

$$⏢ABCD = \frac{1}{2} \cdot 6 \cdot 5 \cdot \sin\theta + \frac{1}{2} \cdot 3 \cdot 5 \cdot \underbrace{\sin(180° - \theta)}_{\sin\theta}$$

$$= \left(15 + \frac{15}{2}\right) \cdot \sin\theta = \frac{45}{2} \times \frac{\sqrt{91}}{10} = \frac{9\sqrt{91}}{4} \cdots (答)$$

ココがポイント

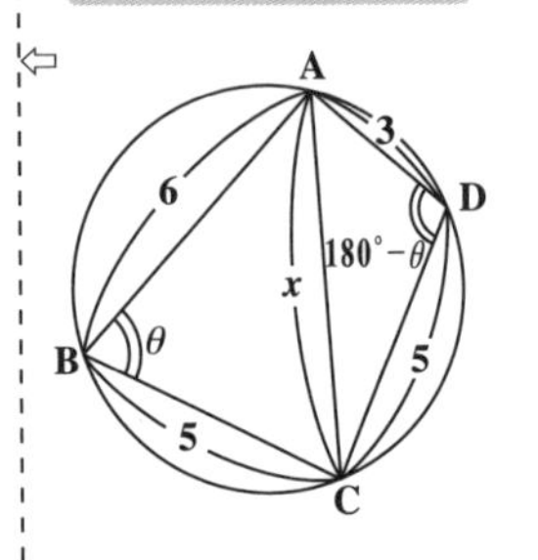

⇦ $61 - 60\cos\theta = 34 + 30\cos\theta$
$90\cos\theta = 27$
$\cos\theta = \dfrac{27}{90} = \dfrac{3}{10}$

⇦ $\sqrt{1 - \left(\dfrac{3}{10}\right)^2} = \sqrt{\dfrac{91}{100}} = \dfrac{\sqrt{91}}{10}$

⇦ ⏢ABCD = △ABC + △ACD

内接円の半径

元気力アップ問題 58　難易度 ★★　CHECK 1　CHECK 2　CHECK 3

三角形 ABC が $2\cos A = \dfrac{\sin C}{\sin B}$ ……①を満たすとき，

(1) 三角形 ABC はどのような三角形か。

(2) AB＝6, BC＝5 のとき，三角形 ABC の内接円の半径を求めよ。(山形大)

ヒント！ (1) ①を，余弦定理と正弦定理を使って，3 辺 a, b, c の式に変形するといいよ。(2) は，(1) の結果を利用して，内接円の半径 r の公式通りに求めればいいんだね。

解答＆解説

(1) $2\cos A = \dfrac{\sin C}{\sin B}$ ……①に

$\cos A = \dfrac{b^2+c^2-a^2}{2bc}$，$\sin B = \dfrac{b}{2R}$，$\sin C = \dfrac{c}{2R}$ を

代入して変形すると，

$2\cdot\dfrac{b^2+c^2-a^2}{2bc} = \dfrac{c}{b}$　　$b^2+c^2-a^2 = c^2$

$a^2 = b^2$　∴ $a = b$　（∵ $a>0$, $b>0$）

（a は BC，b は CA のこと）

∴△ABC は BC＝CA の二等辺三角形 ………(答)

(2) AB＝c＝6, BC＝a＝5,

(1) の結果より，$a=b$　∴ $b=5$

ここで，△ABC の面積を S，内接円の半径を r とおくと，

$S = \dfrac{1}{2}(a+b+c)\cdot r$

よって，$S = \dfrac{1}{2}\times 6\times 4 = 12$ より，

$12 = \dfrac{1}{2}(5+5+6)\cdot r$　　$12 = 8r$

∴ $r = \dfrac{12}{8} = \dfrac{3}{2}$ ………………………(答)

ココがポイント

⇦ 正弦定理：$\dfrac{b}{\sin B} = \dfrac{c}{\sin C} = 2R$

⇦ 右辺 $= \dfrac{\frac{c}{2R}}{\frac{b}{2R}} = \dfrac{c}{b}$

⇦

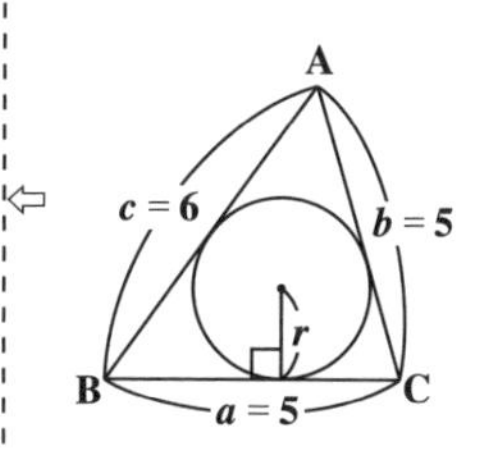

⇦

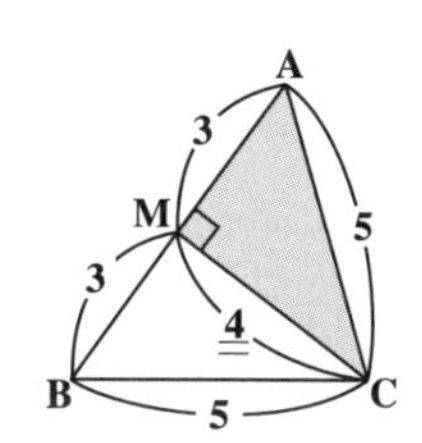

辺 AB の中点を M とおいて，直角三角形 AMC に着目すると，MC(高さ) が 4 であることが分かる。

頂角の二等分線の定理と余弦定理

元気力アップ問題 59　難易度 ★　CHECK 1　CHECK 2　CHECK 3

△ **ABC** において **BC = 6, CA = 3, AB = 5** である。∠**A** の二等分線と辺 **BC** との交点を **D** とする。このとき，**cosB** と線分 **AD** の長さを求めよ。

ヒント！ まず，△ **ABC** に余弦定理を用いて，**cosB** を求め，次に△ **ABD** に余弦定理を使って，**AD** を求めよう。今回は，頂角の二等分線の定理も利用しよう。

解答＆解説

(i) $BC = a = 6$，$CA = b = 3$，$AB = c = 5$ より，

△ **ABC** に余弦定理を用いると，

$$\cos B = \frac{c^2 + a^2 - b^2}{2ca} = \frac{5^2 + 6^2 - 3^2}{2 \cdot 5 \cdot 6}$$

$$= \frac{25 + 36 - 9}{60} = \frac{52}{60} = \frac{13}{15} \quad \cdots\cdots\cdots\text{(答)}$$

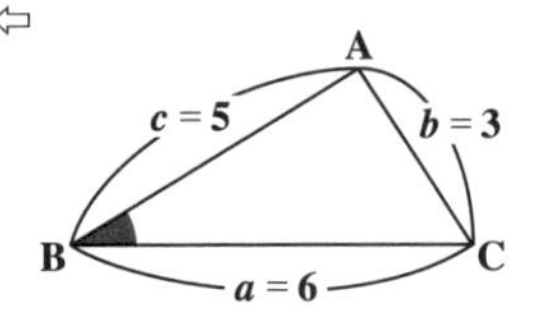

(ii) 頂角∠**A** の二等分線と辺 **BC** との交点を **D** とおくと，頂角の二等分線の定理より，

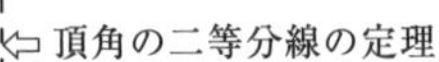

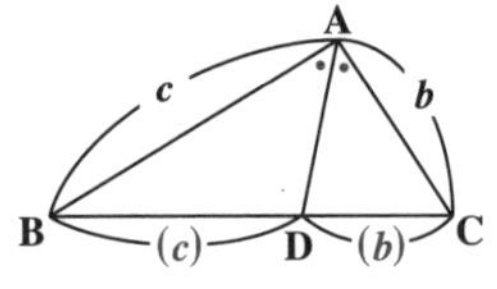

$BD : DC = c : b = 5 : 3$ となる。

よって，$BD = \frac{5}{5+3} \times a = \frac{5}{8} \times 6 = \frac{15}{4}$

よって $AD = x$ とおいて，△ **ABD** に余弦定理を用いると，

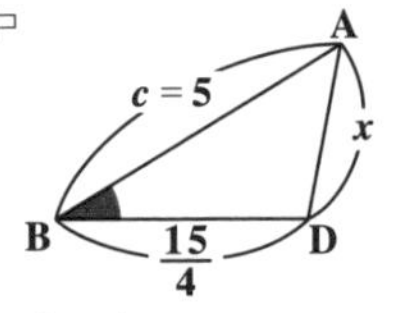

$$AD^2 = x^2 = \underset{c^2}{5^2} + \underset{BD^2}{\left(\frac{15}{4}\right)^2} - 2 \cdot \underset{c}{5} \cdot \underset{BD}{\frac{15}{4}} \cdot \underset{\cos B}{\frac{13}{15}}$$

$$= 25 + \frac{225}{16} - \frac{65}{2}$$

$$= -\frac{15}{2} + \frac{225}{16} = \frac{225 - 120}{16} = \frac{105}{16}$$

$$\therefore x = AD = \sqrt{\frac{105}{16}} = \frac{\sqrt{105}}{4} \quad \cdots\cdots\cdots\text{(答)}$$

余弦定理
$x^2 = c^2 + BD^2 - 2 \cdot c \cdot BD \cdot \cos B$

$25 - \frac{65}{2} = \frac{50 - 65}{2} = -\frac{15}{2}$

ヘロンの公式

元気力アップ問題 60　難易度 ★　CHECK 1　CHECK 2　CHECK 3

△ ABC において BC：CA：AB＝2：3：4 であり，その面積は $3\sqrt{15}$ である。このとき，△ ABC の内接円の半径を求めよ。

ヒント！ 3 辺の比 $a:b:c=2:3:4$ が与えられているので，$a=2k$，$b=3k$，$c=4k$ とおいて，ヘロンの公式から△ ABC の面積 S を k の式で表せばいいね。頑張ろう！

解答＆解説

△ ABC において，BC：CA：AB＝$a:b:c=2:3:4$ より，正の定数 k を用いて

$a=2k$，$b=3k$，$c=4k$ とおく。ここで

$s=\frac{1}{2}(a+b+c)=\frac{1}{2}(2k+3k+4k)=\frac{9}{2}k$ より，

△ ABC の面積を S とおくと，ヘロンの公式より

$$S=\sqrt{s(s-\underset{2k}{a})(s-\underset{3k}{b})(s-\underset{4k}{c})}=\sqrt{\frac{9}{2}k\cdot\frac{5}{2}k\cdot\frac{3}{2}k\cdot\frac{1}{2}k}$$

$$=\frac{\sqrt{9\cdot5\cdot3}}{4}k^2=\frac{3\sqrt{15}}{4}k^2 \quad \cdots\cdots①$$ となる。

また，$S=3\sqrt{15}$ ……②と与えられているので，①，②より

$\frac{3\sqrt{15}}{4}k^2=3\sqrt{15}$　　$k^2=4$　　$\therefore k=2$　$(\because k>0)$

以上より，$a=2\cdot2=4$，$b=3\cdot2=6$，$c=4\cdot2=8$ となる。

よって，△ ABC の内接円の半径を r とおくと，

$\underset{3\sqrt{15}}{S}=\frac{1}{2}(\underset{4+6+8=18}{a+b+c})\cdot r$ より，$3\sqrt{15}=9r$

$\therefore r=\frac{\sqrt{15}}{3}$ ……………………………………(答)

ココがポイント

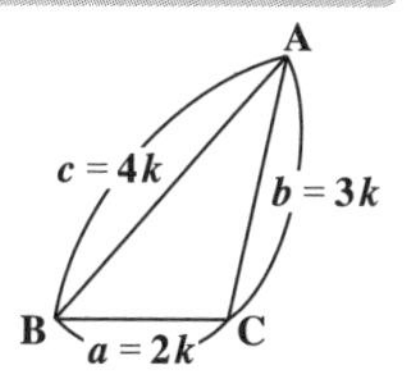

⇦ヘロンの公式
$s=\frac{1}{2}(a+b+c)$ を用いて
△ ABC の面積 S は，
$S=\sqrt{s(s-a)(s-b)(s-c)}$
となる。

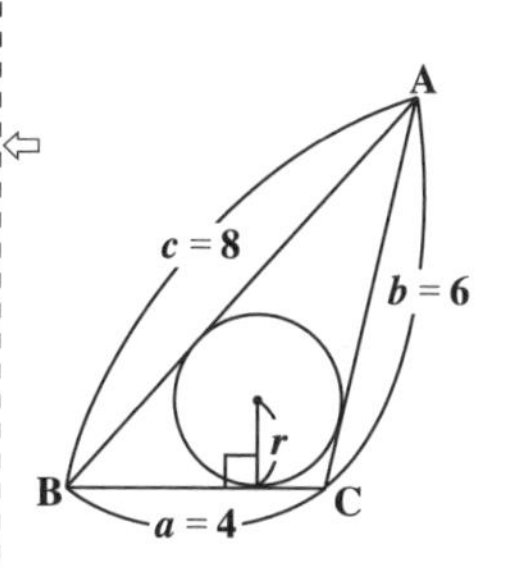

三角形の面積，相加・相乗平均

元気力アップ問題 61	難易度 ★★	CHECK 1	CHECK 2	CHECK 3

3 辺の長さが **AB＝4, BC＝5, CA＝7** である三角形 **ABC** について考える。辺 **AB** 上の点 **P**，辺 **AC** 上の点 **Q** を，△ **APQ** の面積が△ **ABC** の面積の半分となるようにとる。

(1) **cosA** の値を求めよ。

(2) △ **ABC** の面積を求めよ。

(3) **AP**$=x$, **AQ**$=y$ とおくとき，xy の値を求めよ。

(4) 線分 **PQ** の長さの最小値を求めよ。（関西大）

ヒント！ **(1)** は余弦定理を用い，**(2)** は三角形の面積の公式を利用しよう。もちろん，ヘロンの公式を使ってもいいよ。**(3)** は△ **APQ** $=\frac{1}{2}$△ **ABC** から，xy の値を求める。**(4)** では，相加・相乗平均の不等式を利用するとうまくいくんだね。頑張ろう！

解答＆解説

△ **ABC** において，**AB**$=c=4$，**BC**$=a=5$，**CA**$=b=7$ である。

(1) △ **ABC** に余弦定理を用いて，

$$\cos A=\frac{b^2+c^2-a^2}{2bc}=\frac{7^2+4^2-5^2}{2\cdot7\cdot4}$$

$$=\frac{49+16-25}{2\cdot7\cdot4}=\frac{40}{8\cdot7}=\frac{5}{7}\ \cdots\cdots①\ \cdots\cdots(答)$$

(2) $\sin A>0$ より，

$$\sin A=\sqrt{1-\cos^2A}=\sqrt{1-\left(\frac{5}{7}\right)^2}=\sqrt{\frac{49-25}{49}}$$

$$=\sqrt{\frac{24}{49}}=\frac{2\sqrt{6}}{7}\ \cdots\cdots②$$

よって，△ **ABC** の面積を S とおくと，

$$S=\frac{1}{2}b\cdot c\cdot\sin A=\frac{1}{2}\cdot7\cdot4\cdot\frac{2\sqrt{6}}{7}$$

$$=4\sqrt{6}\ \cdots\cdots(答)$$

ココがポイント

⇦

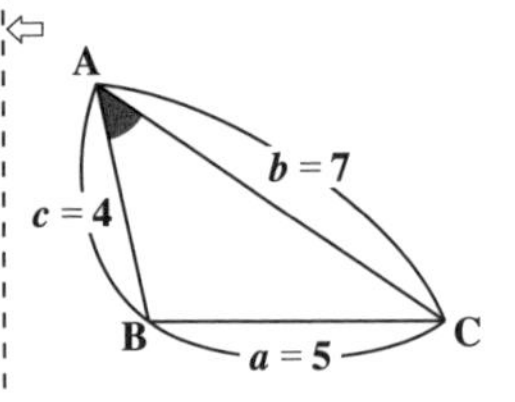

⇦ $\sin^2A+\cos^2A=1$ より，
$\sin A=\pm\sqrt{1-\cos^2A}$
$\sin A>0$ より，
$\sin A=\sqrt{1-\cos^2A}$

⇦ ヘロンの公式を使うと，
$s=\frac{1}{2}(5+7+4)=8$
$\therefore S=\sqrt{8(8-5)(8-7)(8-4)}$
$=\sqrt{8\cdot3\cdot1\cdot4}=4\sqrt{6}$

(3) $AP = x$, $AQ = y$ $(0 < x < 4,\ 0 < y < 7)$ より，

△APQ の面積を S' とおくと

$$S' = \frac{1}{2}x \cdot y \cdot \underbrace{\sin A}_{\frac{2\sqrt{6}}{7}\ (②より)} = \frac{\sqrt{6}}{7}xy$$

ここで，$\triangle APQ = \frac{1}{2}\triangle ABC$ より，$S' = \frac{1}{2}S$

$\therefore \frac{\sqrt{6}}{7}xy = \frac{1}{2} \cdot 4\sqrt{6}$ より，$xy = 14$ ……③ ……(答)

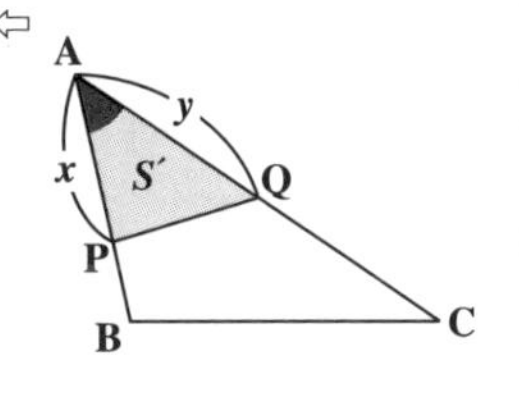

(4) △APQ に余弦定理を用いると，

$$PQ^2 = x^2 + y^2 - 2\underbrace{xy}_{14(③より)} \cdot \underbrace{\cos A}_{\frac{5}{7}(①より)}$$

$$= x^2 + y^2 - 2 \times 14 \times \frac{5}{7}$$

$\therefore PQ^2 = x^2 + y^2 - 20$ ……④となる。ここで，

$x^2 > 0$, $y^2 > 0$ より，相加・相乗平均の不等式を用いると，

⇦相加・相乗平均の不等式
$A > 0$, $B > 0$ のとき，
$A + B \geqq 2\sqrt{AB}$
(等号成立条件：$A = B$)

$$x^2 + y^2 \geqq 2\underbrace{\sqrt{x^2y^2}}_{|xy| = xy\ (\because x > 0,\ y > 0)} = 2xy = 2 \times 14 = 28 \quad (③より)$$

よって④より，

$$PQ^2 = x^2 + y^2 - 20 \geqq 28 - 20 = 8$$

(等号成立条件：$x^2 = y^2$ より，$x = y = \sqrt{14}$
($\because xy = 14$ (③より)))

以上より，$x = y = \sqrt{14}$ のとき PQ は最小となり，

最小値 $PQ = \sqrt{8} = 2\sqrt{2}$ である。 ………………(答)

正四面体

元気力アップ問題 62	難易度 ★★	CHECK 1	CHECK 2	CHECK 3

1 辺の長さが 6 の正四面体 ABCD について，辺 BC を 1：2 の比に内分する点を E，辺 CD の中点を M とする。

(1) 線分 AM, AE, EM の長さを求めよ。

(2) $\angle EAM = \theta$ とおくとき，$\cos\theta$ の値を求めよ。

(3) △AEM の面積を求めよ。　　(大阪教育大)

ヒント！ 正四面体，つまり立体図形の問題だけれど，1 つ 1 つパーツや断面に分けて考えていけば，結局はこれまで練習してきた平面図形の問題に帰着するんだね。導入に従って，丁寧に解いていこう！

解答＆解説

ココがポイント

1 辺の長さ 6 の正四面体 ABCD を右図に示す。

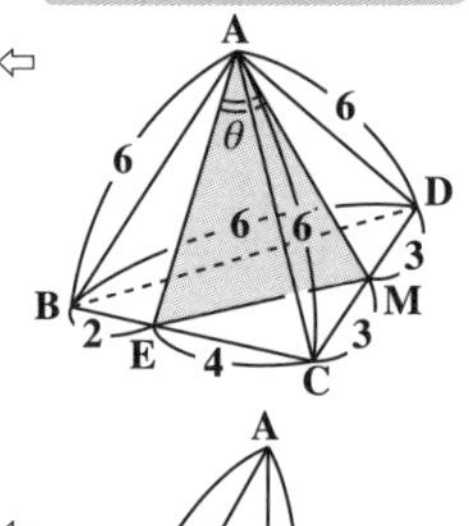

・点 E は辺 BC を 1：2 に内分するので，

BE = 2，EC = 4

・点 M は，辺 CD の中点より，CM = MD = 3

(1) (i) 線分 AM について，

△ACM は，3 辺の比が $1:2:\sqrt{3}$ の直角三角形より，

$AM = 3\sqrt{3}$ ……………………(答)

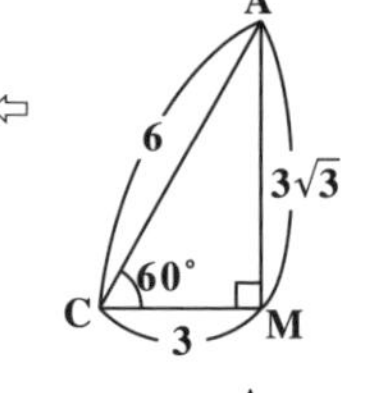

(ii) △ABE に余弦定理を用いると，

$$AE^2 = \underbrace{AB^2}_{6^2} + \underbrace{BE^2}_{2^2} - 2\underbrace{AB}_{6}\cdot\underbrace{BE}_{2}\cdot\underbrace{\cos 60^\circ}_{\frac{1}{2}}$$

$$= 36 + 4 - 2\times 6\times 2\times\frac{1}{2} = 28$$

$\therefore AE = \sqrt{28} = 2\sqrt{7}$　($\because AE > 0$) …………(答)

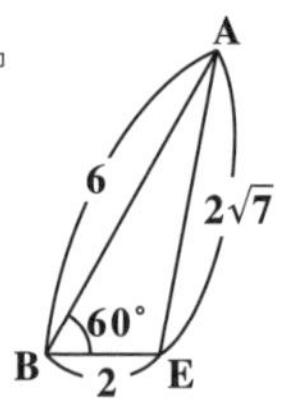

(iii) △CME に余弦定理を用いると，

$$EM^2 = \underbrace{EC^2}_{4^2} + \underbrace{CM^2}_{3^2} - 2\underbrace{EC}_{4}\cdot\underbrace{EM}_{3}\cdot\underbrace{\cos 60^\circ}_{\frac{1}{2}}$$

$$= 16 + 9 - 2\times 4\times 3\times\frac{1}{2} = 13$$

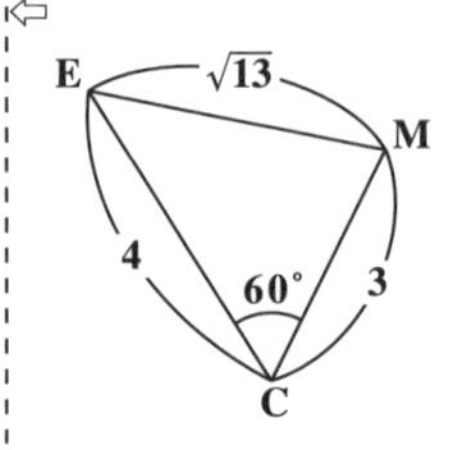

$\therefore\ \mathrm{EM}=\sqrt{13}\quad(\because\ \mathrm{EM}>0)$ ……………………(答)

(2) **(1)** の結果より，△**AEM** は，$\mathrm{AE}=2\sqrt{7}$，$\mathrm{EM}=\sqrt{13}$，$\mathrm{AM}=3\sqrt{3}$ の三角形より，$\angle\mathrm{EAM}=\theta$ とおくと，余弦定理から

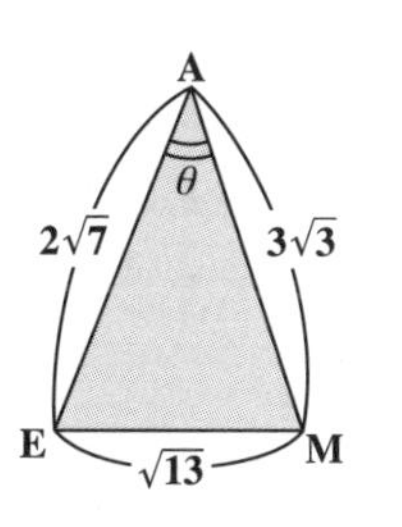

$$\cos\theta=\frac{\mathrm{AE}^2+\mathrm{AM}^2-\mathrm{EM}^2}{2\cdot\mathrm{AE}\cdot\mathrm{AM}}$$

$$=\frac{(2\sqrt{7})^2+(3\sqrt{3})^2-(\sqrt{13})^2}{2\cdot2\sqrt{7}\cdot3\sqrt{3}}\quad \text{よって，}$$

⇦ $\dfrac{28+27-13}{12\cdot\sqrt{21}}=\dfrac{42}{12\sqrt{21}}=\dfrac{7}{2\sqrt{21}}=\dfrac{7\sqrt{21}}{2\times21}=\dfrac{\sqrt{21}}{6}$

$\cos\theta=\dfrac{\sqrt{21}}{6}$ ……………………………………………(答)

(3) $0^\circ<\theta<180^\circ$ より，$\sin\theta>0$　よって，

$$\sin\theta=\sqrt{1-\cos^2\theta}=\sqrt{1-\left(\frac{\sqrt{21}}{6}\right)^2}$$

$$=\sqrt{\frac{36-21}{36}}=\frac{\sqrt{15}}{6}$$

∴求める△**AEM** の面積を S とおくと，

⇦今回，△**AEM** の **3** 辺の長さが **(1)** で分かっているので，ヘロンの公式を用いても解けるけれど計算がメンドウなので，この導入に従って解いた方が早いと思う。

$$S=\frac{1}{2}\underbrace{\mathrm{AE}}_{2\sqrt{7}}\cdot\underbrace{\mathrm{AM}}_{3\sqrt{3}}\cdot\underbrace{\sin\theta}_{\frac{\sqrt{15}}{6}}$$

$$=\frac{1}{2}\times2\sqrt{7}\times3\sqrt{3}\times\frac{\sqrt{15}}{6}$$

$\therefore\ S=\dfrac{\sqrt{7}\times\sqrt{3}\times\sqrt{15}}{2}=\dfrac{3\sqrt{35}}{2}$ ……………………(答)

第 4 章 ● 図形と計量の公式の復習

1．半径 r の半円による三角比の定義

$$\cos\theta=\frac{x}{r},\quad \sin\theta=\frac{y}{r},\quad \tan\theta=\frac{y}{x}$$

$(x \neq 0)$

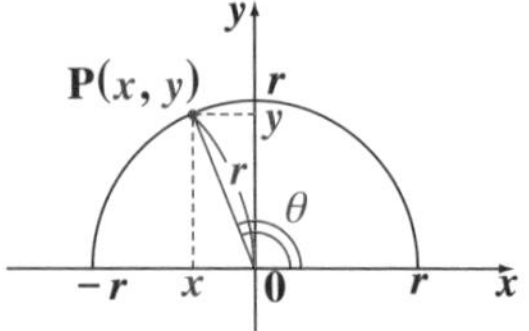

2．三角比の基本公式

(1) $\cos^2\theta+\sin^2\theta=1$ (2) $\tan\theta=\dfrac{\sin\theta}{\cos\theta}$ (3) $1+\tan^2\theta=\dfrac{1}{\cos^2\theta}$

3．$\cos(\theta+90°)$ や $\sin(180°-\theta)$ などの変形

(ⅰ)90° の関係したもの

cos ⟶ sin など，記号を決めて，符号 (⊕, ⊖) を決定する。

(ⅱ)180° の関係したもの

cos ⟶ cos など，記号を決めて，符号 (⊕, ⊖) を決定する。

4．正弦定理

$$\frac{a}{\sin A}=\frac{b}{\sin B}=\frac{c}{\sin C}=2R$$

(R：△ABC の外接円の半径)

5．余弦定理

(ⅰ) $a^2=b^2+c^2-2bc\cos A$

(ⅱ) $b^2=c^2+a^2-2ca\cos B$

(ⅲ) $c^2=a^2+b^2-2ab\cos C$

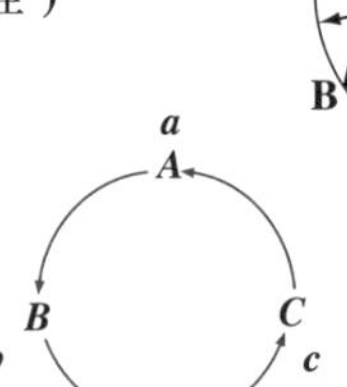

6．三角形の面積 S

$$S=\frac{1}{2}ab\sin C=\frac{1}{2}bc\sin A=\frac{1}{2}ca\sin B$$

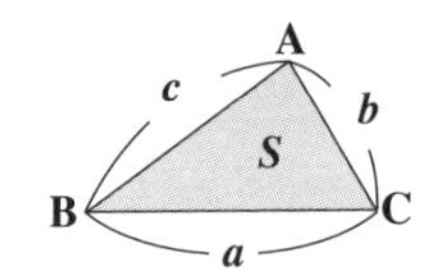

7．三角形の内接円の半径 r

$$S=\frac{1}{2}(a+b+c)r$$ (S：△ABC の面積)

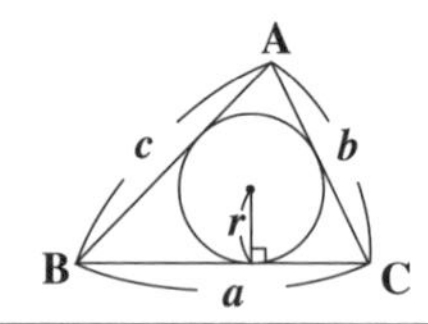

第 5 章
CHAPTER

5 データの分析

▶ データの代表値

（平均値，メジアン，モード）

▶ 箱ひげ図と四分位数

▶ 分散 (S^2) と標準偏差 (S)

$$\left(S^2 = \frac{(x_1 - m) + (x_2 - m)^2 + \cdots + (x_n - m)^2}{n} \right)$$

▶ 共分散 S_{XY} と相関係数 r_{XY}

$$\left(r_{XY} = \frac{S_{XY}}{S_X \cdot S_Y} \right)$$

第5章 データの分析 ●公式＆解法パターン

1. データの整理と分析

与えられた数値データを，各階級に分類して，各階級に入るデータの個数(**度数**)を求め，**度数分布表**を作って，それをグラフ(**ヒストグラム**)で表したりするんだね。下に，ある得点データ X の度数分布表とヒストグラムの例を示そう。

表1　度数分布表

得点 X	階級値	度数	相対度数
$30 \leqq X < 40$	35	1	0.05
$40 \leqq X < 50$	45	2	0.1
$50 \leqq X < 60$	55	3	0.15
$60 \leqq X < 70$	65	6	0.3
$70 \leqq X < 80$	75	5	0.25
$80 \leqq X < 90$	85	2	0.1
$90 \leqq X \leqq 100$	95	1	0.05
総計		20	1

図1　ヒストグラム

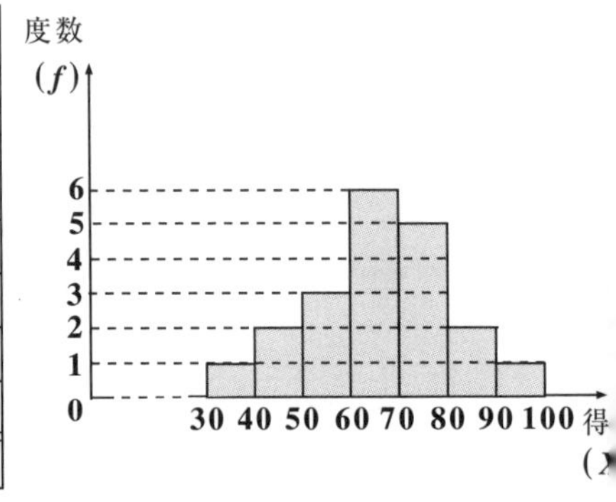

ここで，**階級値**とは，各階級の真ん中の値のことで，また各階級の相対度数とは

$(\text{各階級の相対度数}) = \dfrac{(\text{各階級の度数})}{(\text{度数の総計})}$　で計算されるもののことだ。

2. データ分布の代表値

データ分布の代表値として，(1) 平均値 $\overline{X}$ (または m)，(2) メジアン(中央値) m_e, (3) モード(最頻値) m_o の 3 つがあるんだね。

(1) n 個のデータ x_1, x_2, x_3, …, x_n の**平均値** $\overline{X}$ $(=m)$ は，次式で求める。

$$\overline{X} = m = \frac{x_1 + x_2 + x_3 + \cdots + x_n}{n}$$

(2) **メジアン(中央値)** の求め方は次の通りだ。

(i) $2n+1$ 個(奇数)個のデータを小さい順に並べたもの：

$x_1, x_2, \cdots, x_n, x_{n+1}, x_{n+2}, x_{n+3}, \cdots, x_{2n+1}$ のメジアンは，

x_{n+1} となる。

(ii) $2n$ 個(偶数)個のデータを小さい順に並べたもの：

$x_1, x_2, \cdots, x_{n-1}, x_n, x_{n+1}, x_{n+2}, \cdots, x_{2n}$ のメジアンは，

$\dfrac{x_n+x_{n+1}}{2}$ となる。

(3) **モード(最頻値)** とは，度数が最も大きい階級の階級値のことだ。

(図 **1** のヒストグラムの例では，モードは **65** となる。)

3. 箱ひげ図の作成法

与えられたデータの**最小値**，**第 1 四分位数（25％点）**，**第 2 四分位数(中央値)**，**第 3 四分位数（75％点）**，および**最大値**を用いて，箱ひげ図を作成することができる。データ数 $n=10$ のある得点データ X の箱ひげ図の例を下に示す。

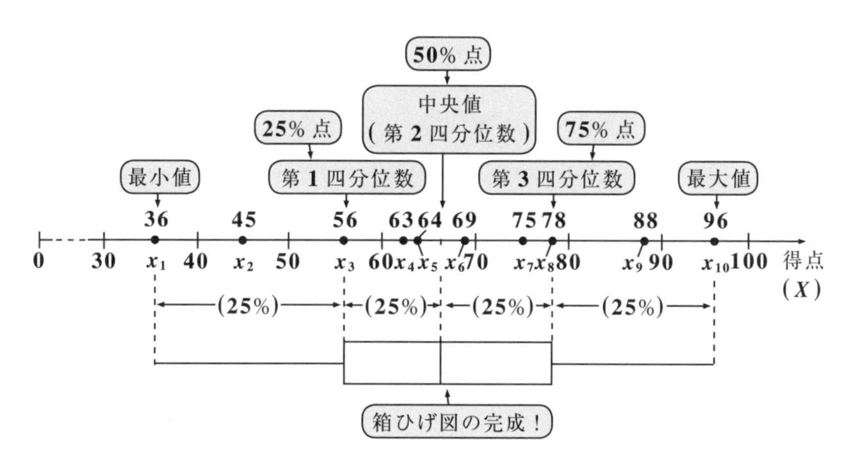

4. 分布の散らばり度を示す分散と標準偏差

n 個の数値データ x_1, x_2, …, x_n の散らばり具合を示す指標として分散 S^2 と標準偏差 S は次の式で求められる。

(i) **分散** $S^2 = \dfrac{(x_1 - m)^2 + (x_2 - m)^2 + \cdots + (x_n - m)^2}{n}$

(ii) **標準偏差** $S = \sqrt{S^2}$

(ただし, m は平均値, すなわち $m = \dfrac{x_1 + x_2 + \cdots + x_n}{n}$ である。)

分散 S^2 は, 計算式 $S^2 = \dfrac{1}{n}(x_1{}^2 + x_2{}^2 + \cdots + x_n{}^2) - m^2$ で求めてもいいよ。

5. 2変数データと散布図

(x_1, y_1), (x_2, y_2), …, (x_n, y_n) のように, 2 変数が対(つい)になった n 組のデータについては, 図 2 に示すような**散布図**(さんぷず)を描いて, 2 つの変数 X と Y の関係を調べる。そして,

(i) 一方が増加すると他方も増加する傾向があるとき, X と Y の間に**正の相関**(そうかん)があるといい,

(ii) 一方が増加すると他方が減少する傾向があるとき, X と Y の間に**負の相関**があるという。

図 2　2 変数データの散布図

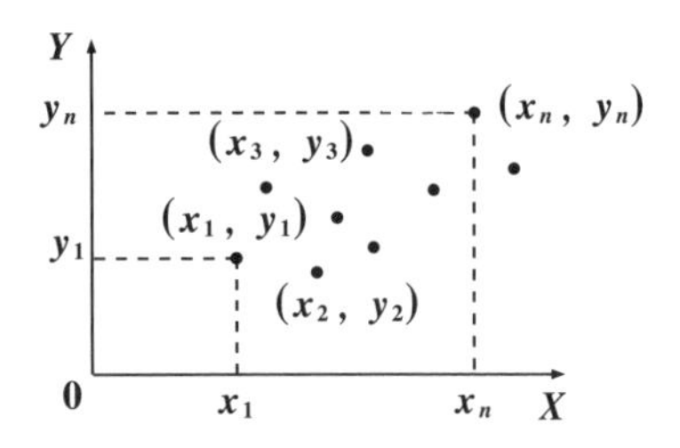

(i) 正の相関があるとき

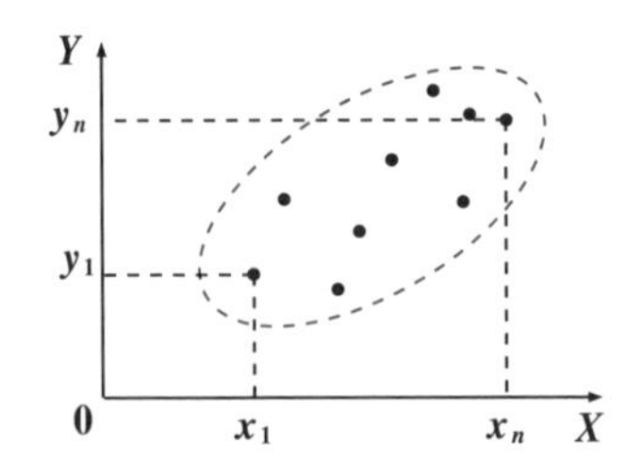

(ii) 負の相関があるとき

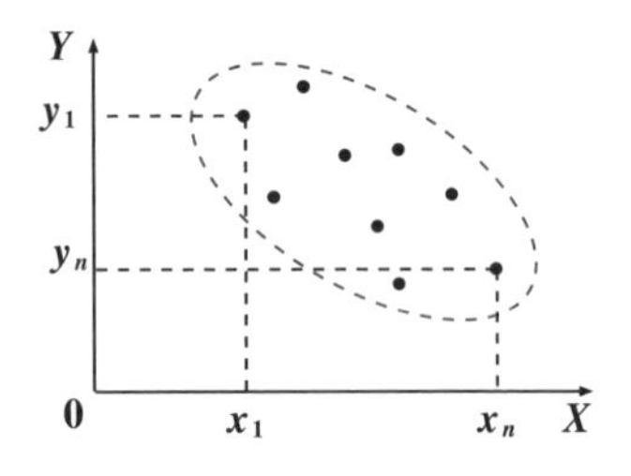

6. 2変数データの共分散と相関係数

2 変数データ $(x_1,\ y_1)$, $(x_2,\ y_2)$, …, $(x_n,\ y_n)$ について，変数 $X = x_1$, x_2, …, x_n と変数 $Y = y_1$, y_2, …, y_n の分散と標準偏差は，それぞれ次のように求められる。

- X の**分散** $S_X{}^2 = \dfrac{1}{n}\{(x_1 - m_X)^2 + (x_2 - m_X)^2 + \cdots + (x_n - m_X)^2\}$
- X の**標準偏差** $S_X = \sqrt{S_X{}^2}$　　　（ただし，m_X は X の平均値）

- Y の**分散** $S_Y{}^2 = \dfrac{1}{n}\{(y_1 - m_Y)^2 + (y_2 - m_Y)^2 + \cdots + (y_n - m_Y)^2\}$
- Y の**標準偏差** $S_Y = \sqrt{S_Y{}^2}$　　　（ただし，m_Y は Y の平均値）

(1) これに対して，X と Y の**共分散**（きょうぶんさん）S_{XY} は次式で求められる。

共分散 $S_{XY} = \dfrac{1}{n}\{(x_1 - m_X)(y_1 - m_Y) + (x_2 - m_X)(y_2 - m_Y) + \cdots$
$\cdots + (x_n - m_X)(y_n - m_Y)\}$

(2) さらに，X と Y の**相関係数**（そうかんけいすう）r_{XY} は，共分散 S_{XY} と X と Y それぞれの標準偏差 S_X と S_Y を用いて，次式で求める。

相関係数 $r_{XY} = \dfrac{S_{XY}}{S_X \cdot S_Y}$

この相関係数 r_{XY} は，$-1 \leqq r_{XY} \leqq 1$ の範囲の値を取り，(i)r_{XY} が -1 に近い程，負の相関が強く，(ii)r_{XY} が 1 に近い程，正の相関が強い。この相関係数 r_{XY} の値と散布図の関係を図 3 に示しておく。

図 3　相関係数 r_{XY} の値と散布図との関係

(i) $r_{XY} = -1$　(ii) $-1 < r_{XY} < 0$　(iii) $r_{XY} = 0$　(iv) $0 < r_{XY} < 1$　(v) $r_{XY} = 1$

$r_{XY} = -1$ ←――→ $r_{XY} = 0$ ←――→ $r_{XY} = 1$

（強い）負の相関（弱い）　（弱い）正の相関（強い）

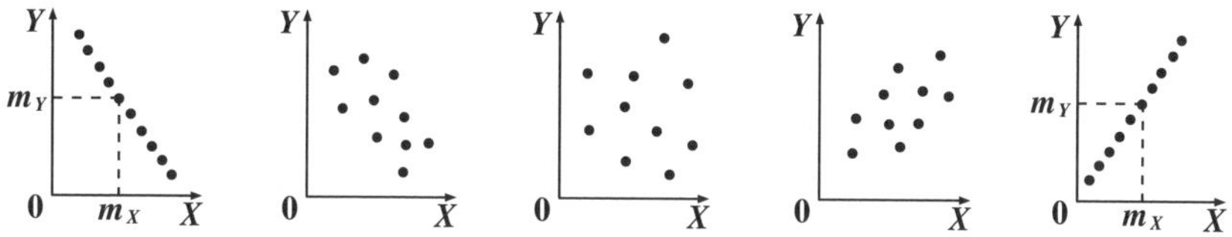

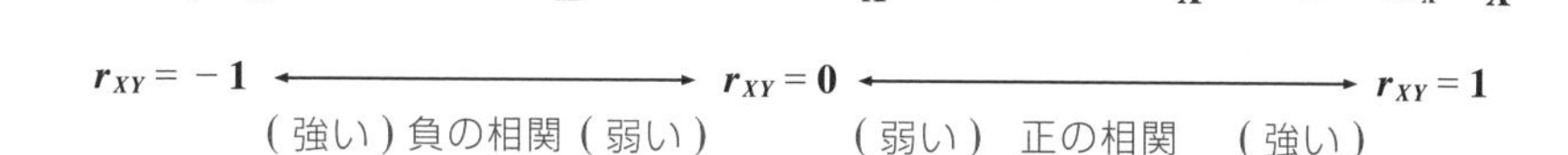

ヒストグラム・箱ひげ図

元気力アップ問題 63　難易度 ★　CHECK 1　CHECK 2　CHECK 3

次の **12** 個の数値データ X がある。

19，28，9，15，22，4，13，21，31，17，11，26

(1) データ X を，$0 \leqq X < 5$，$5 \leqq X < 10$，$10 \leqq X < 15$，…，$30 \leqq X \leqq 35$ の階級に分類して，度数分布表を作り，ヒストグラムを描け。

(2) データ X のメジアン m_e とモード m_o を求めよ。

(3) データ X の第 **1** 四分位数 q_1，第 **2** 四分位数 q_2，第 **3** 四分位数 q_3 を求めて，箱ひげ図を描け。

ヒント！ **(1)** データ X を小さい順に並べて，各階級に分類して度数分布表とヒストグラムを作ろう。**(3)12** 個のデータ X の第 **1**，第 **2**，第 **3** 四分位数を正確に求めよう。

解答＆解説

ココがポイント

(1) データ X を小さい順に並べたものを $X = x_1$，x_2，…，x_{12} とおくと，

x_1	x_2	x_3	x_4	x_5	x_6	x_7	x_8	x_9	x_{10}	x_{11}	x_{12}
4	9	11	13	15	17	19	21	22	26	28	31

となる。よって，データ X を，$0 \leqq X < 5$，$5 \leqq X < 10$，…，$30 \leqq X \leqq 35$ の各階級に分類して，度数分布表を作ると右のようになる。また，これを基にヒストグラムを描くと，下図のようになる。

度数分布表

X の階級	階級値	度数 f
$0 \leqq X < 5$	2.5	1
$5 \leqq X < 10$	7.5	1
$10 \leqq X < 15$	12.5	2
$15 \leqq X < 20$	17.5	3
$20 \leqq X < 25$	22.5	2
$25 \leqq X < 30$	27.5	2
$30 \leqq X \leqq 35$	32.5	1

ヒストグラム

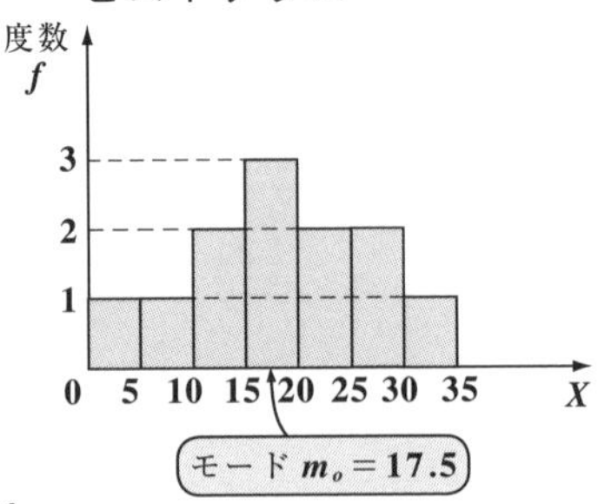

………(答)

(2)(ⅰ) メジアン(中央値)m_e は，x_6 と x_7 の相加平均となるので，

$$m_e = \frac{x_6 + x_7}{2} = \frac{17 + 19}{2} = 18 \quad \cdots\cdots\cdots\cdots\text{(答)}$$

⇦ x_1, x_2, …, x_6, x_7, …, x_{12}

$m_e = \dfrac{x_6 + x_7}{2}$

(ⅱ) モード(最頻値)は度数が最大の階級の階級値のことなので，

$$m_o = \frac{15 + 20}{2} = 17.5 \quad \cdots\cdots\cdots\cdots\text{(答)}$$

⇦ 階級 $15 \leqq X < 20$ の度数 $f = 3$ となって，これが最大だね。

(3) 最小値 $m = x_1 = 4$

第1四分位数 $q_1 = \dfrac{x_3 + x_4}{2} = \dfrac{11 + 13}{2} = 12$

第2四分位数 $q_2 = m_e = 18$

⇦ 第2四分位数はメジアン m_e と同じものだね。

第3四分位数 $q_3 = \dfrac{x_9 + x_{10}}{2} = \dfrac{22 + 26}{2} = 24$

最大値 $M = x_{12} = 31$

$\therefore q_1 = 12,\ q_2 = 18,\ q_3 = 24$ ……………………(答)

以上より，このデータ X の箱ひげ図を描くと次のようになる。

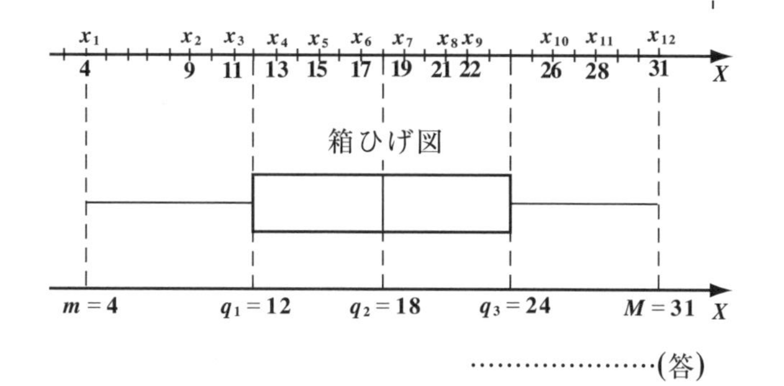

……………………(答)

平均値と分散

元気力アップ問題 64	難易度 ★	CHECK 1	CHECK 2	CHECK 3

次の **12** 個の数値データ X がある。

4, 9, 11, 13, 15, 17, 19, 21, 22, 26, 28, 31

このデータ X の平均値 m と分散 S^2 と標準偏差 S の値を求めよ。

ヒント！ 平均値の公式 $m = \frac{1}{12}(x_1 + x_2 + \cdots + x_{12})$ と，分散の公式 $S^2 = \frac{1}{12}\{(x_1 - m)^2 + (x_2 - m)^2 + \cdots + (x_{12} - m)^2\}$ を使って求めよう。表を利用すると体系立てて間違いなく求めることができるんだね。頑張ろう！

解答＆解説

12 個のデータ X を $X = x_1, x_2, \cdots, x_{12}$

とおくと，

(i) 平均値 m は，

$$m = \frac{1}{12}(x_1 + x_2 + \cdots + x_{12})$$
$$= \frac{1}{12}(4 + 9 + \cdots + 31)$$
$$= \frac{216}{12} = 18 \quad \cdots\cdots\cdots\cdots(\text{答})$$

(ii) 分散 S^2 は，

$$S^2 = \frac{1}{12}\{(x_1 - m)^2 + (x_2 - m)^2 + \cdots + (x_{12} - m)^2\}$$
$$= \frac{1}{12}\{(-14)^2 + (-9)^2 + \cdots + 13^2\}$$
$$= \frac{1}{12}(196 + 81 + \cdots + 169)$$
$$= \frac{720}{12} = 60 \quad \cdots\cdots\cdots\cdots(\text{答})$$

(iii) 標準偏差 S は，

$$S = \sqrt{S^2} = \sqrt{60}$$
$$= \sqrt{2^2 \times 15} = 2\sqrt{15} \quad \cdots\cdots\cdots(\text{答})$$

ココがポイント

m と S^2 と S を求めるための表

データ No	データ X	偏差 $x_i - m$	偏差平方 $(x_i - m)^2$
1	4	−14	196
2	9	−9	81
3	11	−7	49
4	13	−5	25
5	15	−3	9
6	17	−1	1
7	19	1	1
8	21	3	9
9	22	4	16
10	26	8	64
11	28	10	100
12	31	13	169
合計	216		720
平均	18		60

平均値 m

分散 $S^2 = 60$

標準偏差 $S = \sqrt{S^2} = 2\sqrt{15}$

データ $X = x_1, x_2, \cdots, x_{12}$ は，元気力アップ問題 **63** のものと同じだね。

平均値と分散

元気力アップ問題 65　難易度 ★　CHECK 1　CHECK 2　CHECK 3

次の **15** 個の数値データ X がある。

10, 6, 14, 20, 12, 8, 0, 17, 2, 9, 11, 3, 18, 6, 14

このデータ X の平均値 m と分散 S^2 と標準偏差 S の値を求めよ。

ヒント！ 平均値 m と分散 S^2 を公式通りに，表を利用して求めればいいね。データの数が大きいけれど，機械的に計算すればいいだけだからね。頑張ろう！

解答＆解説

15 個のデータ X を $X = x_1, x_2, \cdots, x_{15}$

とおくと，

(i) 平均値 m は，

$$m = \frac{1}{15}(x_1 + x_2 + \cdots + x_{15})$$
$$= \frac{1}{15}(10 + 6 + \cdots + 14)$$
$$= \frac{150}{15} = 10 \quad \cdots\cdots\cdots(答)$$

(ii) 分散 S^2 は，

$$S^2 = \frac{1}{15}\{(x_1 - m)^2 + (x_2 - m)^2 + \cdots + (x_{15} - m)^2\}$$
$$= \frac{1}{15}\{0^2 + (-4)^2 + \cdots + 4^2\}$$
$$= \frac{500}{15} = \frac{100}{3} \quad \cdots\cdots\cdots(答)$$

(iii) 標準偏差 S は，

$$S = \sqrt{\frac{100}{3}} = \frac{10}{\sqrt{3}} = \frac{10\sqrt{3}}{3} \quad \cdots\cdots\cdots(答)$$

ココがポイント

m と S^2 と S を求めるための表

データ No	データ X	偏差 $x_i - m$	偏差平方 $(x_i - m)^2$
1	10	0	0
2	6	−4	16
3	14	4	16
4	20	10	100
5	12	2	4
6	8	−2	4
7	0	−10	100
8	17	7	49
9	2	−8	64
10	9	−1	1
11	11	1	1
12	3	−7	49
13	18	8	64
14	6	−4	16
15	14	4	16
合計	150		500
平均	10		$\frac{100}{3}$

平均値 m　　分散 S^2

標準偏差 $S = \sqrt{\frac{100}{3}} = \frac{10\sqrt{3}}{3}$

箱ひげ図と平均値・分散

元気力アップ問題 66　難易度 ★★　CHECK 1　CHECK 2　CHECK 3

小さい順に並べた次の **9** 個のデータ X の箱ひげ図を右に示す。

x_1, **4**, x_3, **7**, x_5, **9**, x_7, **12**, x_9

(1) x_1, x_3, x_5, x_7, x_9 の値を求めよ。

(2) このデータ X の平均値 m, 分散 S^2, 標準偏差 S の値を求めよ。

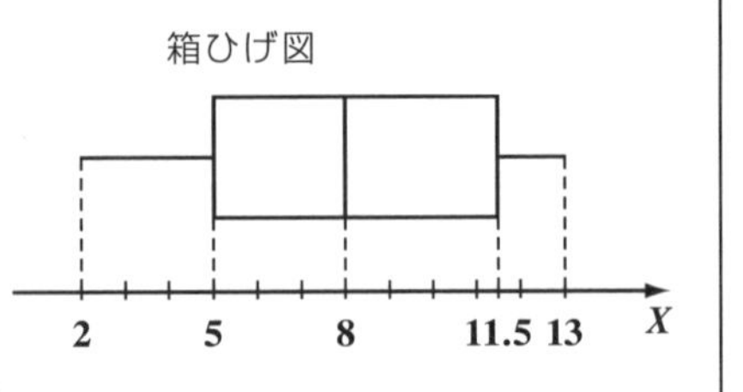

ヒント！ **9** 個のデータ $X = x_1, x_2, \cdots, x_9$ の第 **1**, 第 **2**, 第 **3** 四分位数を順に q_1, q_2, q_3 とおくと, $q_1 = \frac{x_2 + x_3}{2}$, $q_2 = x_5$, $q_3 = \frac{x_7 + x_8}{2}$ となるんだね。そしてすべてのデータが分かったら, 公式と表を使って, 平均値 m, 分散 S^2, 標準偏差 S を求めよう。

解答&解説

ココがポイント

(1) **9** 個のデータ $X = x_1, x_2, \cdots, x_9$ とおくと,

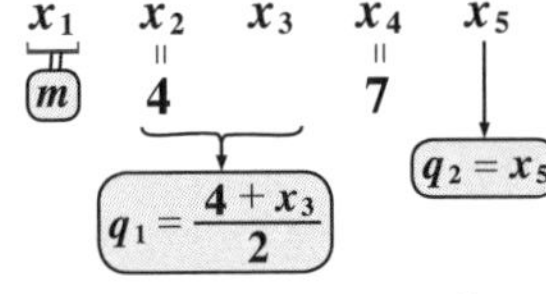

となる。右に示す箱ひげ図より,

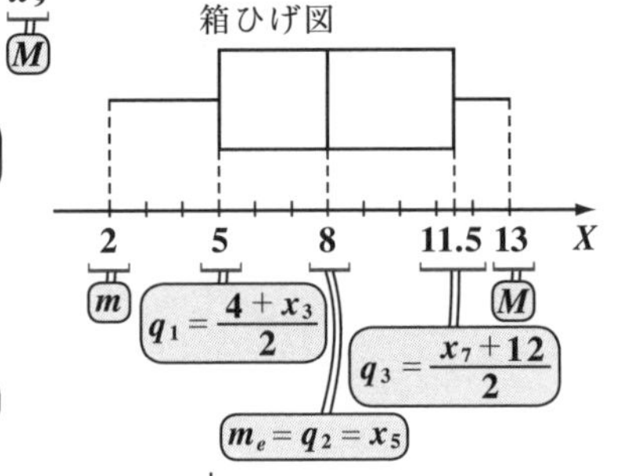

$m = x_1 = 2$

$q_1 = \frac{4 + x_3}{2} = 5$ → $x_3 = 10 - 4 = 6$

$q_2 = x_5 = 8$

$q_3 = \frac{x_7 + 12}{2} = 11.5$ → $x_7 = 23 - 12 = 11$

$M = x_9 = 13$

（ただし, m : 最小値, M : 最大値,
q_1, q_2, q_3 : 第 **1**, 第 **2**, 第 **3** 四分位数）

$\therefore x_1 = 2, \ x_3 = 6, \ x_5 = 8, \ x_7 = 11, \ x_9 = 13$ ……(答)

(2) (1) の結果より，$X = x_1, x_2, \cdots, x_9$ は，

$x_1 = 2,\ x_2 = 4,\ x_3 = 6,\ x_4 = 7,\ x_5 = 8,\ x_6 = 9,$

$x_7 = 11,\ x_8 = 12,\ x_9 = 13$ である。

以上より，このデータ X の

(i) 平均値 m は，

$$m = \frac{1}{9}(x_1 + x_2 + \cdots + x_9)$$
$$= \frac{1}{9}(2 + 4 + \cdots + 13)$$
$$= \frac{72}{9} = 8 \quad \cdots\cdots\cdots\cdots\text{(答)}$$

(ii) 分散 S^2 は，

$$S^2 = \frac{1}{9}\left\{(x_1 - m)^2 + (x_2 - m)^2 + \cdots + (x_9 - m)^2\right\}$$
$$= \frac{1}{9}\left\{(-6)^2 + (-4)^2 + \cdots + 5^2\right\}$$
$$= \frac{108}{9} = 12 \quad \cdots\cdots\cdots\cdots\text{(答)}$$

(iii) 標準偏差 S は，

$$S = \sqrt{S^2} = \sqrt{12} = 2\sqrt{3} \quad \cdots\cdots\text{(答)}$$

m と S^2 と S を求めるための表

データ No	データ X	偏差 $x_i - m$	偏差平方 $(x_i - m)^2$
1	2	−6	36
2	4	−4	16
3	6	−2	4
4	7	−1	1
5	8	0	0
6	9	1	1
7	11	3	9
8	12	4	16
9	13	5	25
合計	72		108
平均	8		12

平均値 m　分散 S^2

標準偏差 $S = \sqrt{S^2} = 2\sqrt{3}$

平均値と分散

元気力アップ問題 67　難易度 ★★　CHECK 1　CHECK 2　CHECK 3

4 つのデータ x, 4, y, 8 がある。このデータの平均値は 5 で，分散は $\frac{7}{2}$ である。このとき x と y の値を求めよ。ただし，$x<y$ とする。

ヒント！ 平均値 $m=5$ と，分散 $S^2=\frac{7}{2}$ から，x と y についての方程式が導けるね。

解答＆解説

4 つのデータ x, 4, y, 8 について，

(i) この平均値 $m=5$ より，

$m=\frac{1}{4}(x+4+y+8)=5$　よって，

$y=8-x$ ……①　となる。

(ii) この分散 $S^2=\frac{7}{2}$ より，

$S^2=\frac{1}{4}\left\{(x-5)^2+(-1)^2+(y-5)^2+3^2\right\}=\frac{7}{2}$

よって，$(x-5)^2+(y-5)^2+10=14$

$(x-5)^2+(y-5)^2=4$ ……②　となる。

（y は $8-x$（①より））

②に①を代入して，

$(x-5)^2+(3-x)^2=4$ ……③　となる。

③をまとめて，

$x^2-8x+15=0$　　$(x-3)(x-5)=0$

$\therefore x=3$ または 5

(ア) $x=3$ のとき，①より，　$y=8-3=5$

（これは，$x<y$ をみたす。）

(イ) $x=5$ のとき，①より，　$y=8-5=3$

これは，$x<y$ をみたさない。よって，不適。

以上 (ア), (イ) より，

$(x, y)=(3, 5)$ ……………………………(答)

ココがポイント

⇦ $x+y+12=20$
$x+y=8$
$y=8-x$

⇦ $S^2=\frac{1}{4}\{(x-5)^2+(4-5)^2+(y-5)^2+(8-5)^2\}$

⇦ $x^2-10x+25+x^2-6x+9=4$
$2x^2-16x+30=0$
$x^2-8x+15=0$

平均値と分散

元気力アップ問題 68	難易度 ★★	CHECK 1	CHECK 2	CHECK 3

8 つのデータ $\alpha, \beta, 5, 0, 2, 7, 1, 6$ がある。このデータの平均値は **4** で，分散は $\frac{15}{2}$ である。このとき $\alpha, \beta\ (\alpha < \beta)$ の値を求めよ。

ヒント！ 元気力アップ問題 **67** と同様に，平均値 $m = 4$ と，分散 $S^2 = \frac{15}{2}$ から，α と β の値を求めよう。

解答＆解説

8 つのデータ $\alpha, \beta, 5, 0, 2, 7, 1, 6$ について，

(i) この平均値 $m = 4$ より，

$m = \frac{1}{8}(\alpha + \beta + 5 + 0 + 2 + 7 + 1 + 6) = 4$　　よって，

$\beta = 11 - \alpha$ ……①　　となる。

(ii) この分散 $S^2 = \frac{15}{2}$ より，

$S^2 = \frac{1}{8}\{(\alpha-4)^2 + (\beta-4)^2 + 1^2 + (-4)^2 + (-2)^2 + 3^2 + (-3)^2 + 2^2\}$

$= \frac{15}{2}$　となる。よって，

$(\alpha - 4)^2 + (\beta - 4)^2 = 17$ ……②となる。

（β は $11 - \alpha$（①より））

②に①を代入して，

$(\alpha - 4)^2 + (7 - \alpha)^2 = 17$ となる。これをまとめて，

$\alpha^2 - 11\alpha + 24 = 0$　　$(\alpha - 3)(\alpha - 8) = 0$

$\therefore \alpha = 3$ または 8

(ア) $\alpha = 3$ のとき，①より，　$\beta = 11 - 3 = 8$

(これは，$\alpha < \beta$ をみたす。)

(イ) $\alpha = 8$ のとき，①より，　$y = 11 - 8 = 3$

これは，$\alpha < \beta$ をみたさない。よって，不適。

以上 (ア), (イ) より，

$(\alpha, \beta) = (3, 8)$ ……………………………(答)

ココがポイント

⇦ $\alpha + \beta + 21 = 32$
$\alpha + \beta = 11$
$\beta = 11 - \alpha$

⇦ $(\alpha - 4)^2 + (\beta - 4)^2 + 1 + 16 + 4 + 9 + 9 + 4 = \frac{15}{2} \times 8$ より，
$(\alpha - 4)^2 + (\beta - 4)^2 + 43 = 60$
$(\alpha - 4)^2 + (\beta - 4)^2 = 17$

⇦ $\alpha^2 - 8\alpha + 16 + 49 - 14\alpha + \alpha^2 = 17$
$2\alpha^2 - 22\alpha + 48 = 0$
$\alpha^2 - 11\alpha + 24 = 0$

共分散と相関係数

元気力アップ問題 69	難易度 ★★	CHECK 1	CHECK 2	CHECK 3

次の 6 組の 2 変数データがある。

$(5,4),(1,7),(9,4),(7,3),(4,4),(10,2)$

ここで 2 変数 X, Y を

$X=5,1,9,7,4,10,\quad Y=4,7,4,3,4,2$ とおく。

(1) XY 平面上に，この 2 変数データの散布図を描け。

(2) X と Y の共分散 S_{XY} と相関係数 r_{XY} を求めよ。

ヒント！ (1) 散布図を描けば, 負の相関があることが分かるはずだ。(2) 共分散 S_{XY} と相関係数 r_{XY} の計算には, 表を用いるとミスなく計算できるはずだ。

解答＆解説

ココがポイント

(1) 6 組のデータ

$(X,Y)=(5,4),(1,7),(9,4),$

$(7,3),(4,4),(10,2)$ の

散布図は右のようになる。……(答)

（この散布図から, X と Y の間に負の相関関係があることが読み取れる！）

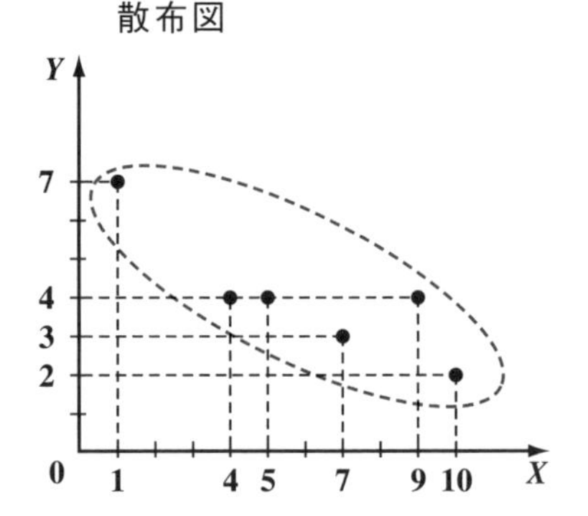

(2) $X=x_1, x_2, x_3, x_4, x_5, x_6$

$=5\ ,1\ ,9\ ,7\ ,4\ ,10$

$Y=y_1, y_2, y_3, y_4, y_5, y_6$

$=4\ ,7\ ,4\ ,3\ ,4\ ,2$ とおき，

X と Y の平均をそれぞれ m_X, m_Y, 分散をそれぞれ S_X^2, S_Y^2, また標準偏差を S_X, S_Y とおく。

これらを基に, X と Y の共分散 S_{XY} と相関係数 r_{XY} の値を，次の表を利用して求める。

⇦ $S_X^2=\frac{1}{6}\{(x_1-m_X)^2+\cdots+(x_6-m_X)^2\}$

$S_Y^2=\frac{1}{6}\{(y_1-m_Y)^2+\cdots+(y_6-m_Y)^2\}$

$S_{XY}^2=\frac{1}{6}\{(x_1-m_X)(y_1-m_Y)+\cdots+(x_6-m_X)(y_6-m_Y)\}$

$S_X{}^2, S_Y{}^2, S_{XY}, r_{XY}$ を求めるための表

データ No	データ X	偏差 x_i-m_X	偏差平方 $(x_i-m_X)^2$	データ Y	偏差 y_i-m_Y	偏差平方 $(y_i-m_Y)^2$	$(x_i-m_X)(y_i-m_Y)$
1	5	-1	1	4	0	0	$0\ (=-1\times0)$
2	1	-5	25	7	3	9	$-15\ (=-5\times3)$
3	9	3	9	4	0	0	$0\ (=3\times0)$
4	7	1	1	3	-1	1	$-1\ (=1\times(-1))$
5	4	-2	4	4	0	0	$0\ (=-2\times0)$
6	10	4	16	2	-2	4	$-8\ (=4\times(-2))$
合計	36		56	24		14	-24
平均	6 (m_X)		$\frac{28}{3}$ ($S_X{}^2$)	4 (m_Y)		$\frac{7}{3}$ ($S_Y{}^2$)	-4 (S_{XY})

上記の表より，

・$m_X=\frac{1}{6}(5+1+\cdots+10)=\frac{36}{6}=6$

$S_X{}^2=\frac{1}{6}(1+25+\cdots+16)=\frac{56}{6}=\frac{28}{3}$

$S_X=\sqrt{S_X{}^2}=\sqrt{\frac{28}{3}}=\frac{2\sqrt{7}}{\sqrt{3}}$

・$m_Y=\frac{1}{6}(4+7+\cdots+2)=\frac{24}{6}=4$

$S_Y{}^2=\frac{1}{6}(0+9+\cdots+4)=\frac{14}{6}=\frac{7}{3}$

$S_Y=\sqrt{S_Y{}^2}=\sqrt{\frac{7}{3}}=\frac{\sqrt{7}}{\sqrt{3}}$

・共分散 $S_{XY}=\frac{1}{6}\{-1\times0+(-5)\times3+\cdots+4\times(-2)\}$

$=-\frac{24}{6}=-4$ ……………………………(答)

・相関係数 $r_{XY}=\frac{S_{XY}}{S_X\cdot S_Y}=\frac{-4}{\frac{2\sqrt{7}}{\sqrt{3}}\times\frac{\sqrt{7}}{\sqrt{3}}}=-\frac{4}{\frac{2\times7}{3}}$

$=-\frac{12}{14}=-\frac{6}{7}$ ……………………………(答)

⇐ $r_{XY}<0$ より，負の相関関係が確認できたんだね。

共分散と相関係数

元気力アップ問題 70	難易度 ★★	CHECK 1	CHECK 2	CHECK 3

次の 8 組の 2 変数データがある。

(4, 1), (8, 8), (4, 5), (5, 7), (7, 9), (2, 4), (1, 6), (9, 8)

ここで, 2 変数 X, Y を

$X = 4, 8, 4, 5, 7, 2, 1, 9$, $Y = 1, 8, 5, 7, 9, 4, 6, 8$ とおく。

(1) XY 平面上に, この 2 変数データの散布図を描け。

(2) X と Y の共分散 S_{XY} と相関係数 r_{XY} を求めよ。

ヒント！ (1) 散布図を描くと, 今回は正の相関があることが分かるはずだ。したがって, (2) の相関係数 r_{XY} は正の値を取ることになるんだね。

解答＆解説

(1) 8 組のデータ

$(X, Y) = (4, 1), (8, 8), (4, 5), (5, 7),$
$(7, 9), (2, 4), (1, 6), (9, 8)$

の散布図は右のようになる。………(答)

(この散布図から, X と Y の間に正の相関関係があることが読み取れる。)

ココがポイント

散布図

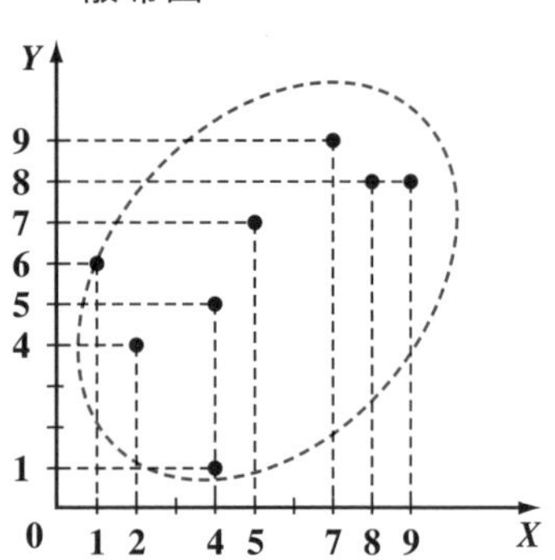

(2) $X = x_1, x_2, x_3, x_4, x_5, x_6, x_7, x_8$
$= 4, 8, 4, 5, 7, 2, 1, 9$

$Y = y_1, y_2, y_3, y_4, y_5, y_6, y_7, y_8$
$= 1, 8, 5, 7, 9, 4, 6, 8$ とおき,

X と Y の平均をそれぞれ m_X, m_Y, 分散をそれぞれ $S_X{}^2$, $S_Y{}^2$, また標準偏差を S_X, S_Y とおく。

これらを基に, X と Y の共分散 S_{XY} と相関係数 r_{XY} の値を, 次の表を利用して求める。

⇦ $S_X{}^2 = \frac{1}{8}\{(x_1 - m_X)^2 + \cdots + (x_8 - m_X)^2\}$

$S_Y{}^2 = \frac{1}{8}\{(y_1 - m_Y)^2 + \cdots + (y_8 - m_Y)^2\}$

$S_{XY}{}^2 = \frac{1}{8}\{(x_1 - m_X)(y_1 - m_Y) + \cdots + (x_8 - m_X)(y_8 - m_Y)\}$

$S_X{}^2, S_Y{}^2, S_{XY}, r_{XY}$ を求めるための表

データ No	データ X	偏差 x_i-m_X	偏差平方 $(x_i-m_X)^2$	データ Y	偏差 y_i-m_Y	偏差平方 $(y_i-m_Y)^2$	$(x_i-m_X)(y_i-m_Y)$
1	4	-1	1	1	-5	25	$5\ (=-1\times(-5))$
2	8	3	9	8	2	4	$6\ (=3\times2)$
3	4	-1	1	5	-1	1	$1\ (=-1\times(-1))$
4	5	0	0	7	1	1	$0\ (=0\times1)$
5	7	2	4	9	3	9	$6\ (=2\times3)$
6	2	-3	9	4	-2	4	$6\ (=-3\times(-2))$
7	1	-4	16	6	0	0	$0\ (=-4\times0)$
8	9	4	16	8	2	4	$8\ (=4\times2)$
合計	40		56	48		48	32
平均	5 (m_X)		7 ($S_X{}^2$)	6 (m_Y)		6 ($S_Y{}^2$)	4 (S_{XY})

上記の表より,

・$m_X=\dfrac{1}{8}(4+8+\cdots+9)=\dfrac{40}{8}=5$

$S_X{}^2=\dfrac{1}{8}(1+9+\cdots+16)=\dfrac{56}{8}=7$

$S_X=\sqrt{S_X{}^2}=\sqrt{7}$

・$m_Y=\dfrac{1}{8}(1+8+\cdots+8)=\dfrac{48}{8}=6$

$S_Y{}^2=\dfrac{1}{8}(25+4+\cdots+4)=\dfrac{48}{8}=6$

$S_Y=\sqrt{S_Y{}^2}=\sqrt{6}$

・共分散 $S_{XY}=\dfrac{1}{8}\left\{-1\times(-5)+3\times2+\cdots+4\times2\right\}$

$=\dfrac{32}{8}=4$ ……………………………(答)

・相関係数 $r_{XY}=\dfrac{S_{XY}}{S_X\cdot S_Y}=\dfrac{4}{\sqrt{7}\cdot\sqrt{6}}=\dfrac{4}{\sqrt{42}}$

$=\dfrac{4\sqrt{42}}{42}=\dfrac{2\sqrt{42}}{21}$ ……………………(答)

⇦ $r_{XY}>0$ より，正の相関関係があることが確認できたんだね。

相関係数の応用

元気力アップ問題 71　難易度 ★★　CHECK 1　CHECK 2　CHECK 3

3組の2変数データ $(2,6),(4,7),(x,5)$ がある。
ここで，変数 X, Y を $X=2,4,x,\quad Y=6,7,5$ とおくと，X と Y の相関係数 $r_{XY}=-\frac{1}{2}$ である。このとき，x の値を求めよ。

ヒント！ 未知数 x を含むんだけれど，$S_X{}^2$，$S_Y{}^2$，S_{XY} など，公式通りに計算しよう。そして，相関係数 $r_{XY}=-\frac{1}{2}$ から，x の2次方程式にもち込めばいいんだね。

解答＆解説

3組の2変数データ $(X,Y)=(2,6),(4,7),(x,5)$ について，$X=2,4,x,\quad Y=6,7,5$ とおく。
X と Y の平均をそれぞれ m_X，m_Y，分散をそれぞれ $S_X{}^2$，$S_Y{}^2$，また標準偏差を S_X，S_Y とおく。
また，X と Y の共分散を S_{XY}，相関係数を r_{XY} とおくと，$r_{XY}=-\frac{1}{2}$ ……① である。

$$\begin{cases} m_X=\frac{1}{3}(2+4+x)=\frac{x}{3}+2 & \cdots\cdots② \\ m_Y=\frac{1}{3}(6+7+5)=\frac{18}{3}=6 & \cdots\cdots③ \end{cases}$$

⇦まず，m_X と m_Y を求める。

・$S_X{}^2=\frac{1}{3}\left\{(2-m_X)^2+(4-m_X)^2+(x-m_X)^2\right\}$ より，これをまとめて，

$$S_X{}^2=\frac{2}{9}(x^2-6x+12)\ \cdots\cdots④\quad(②より)$$

⇦②より，
$$S_X{}^2=\frac{1}{3}\left\{\left(-\frac{x}{3}\right)^2+\left(2-\frac{x}{3}\right)^2+\left(\frac{2}{3}x-2\right)^2\right\}$$
$$=\frac{1}{27}\left\{x^2+(6-x)^2+(2x-6)^2\right\}$$
$$=\frac{1}{27}(x^2+x^2-12x+36+4x^2-24x+36)$$
$$=\frac{1}{27}(6x^2-36x+72)$$
$$=\frac{2}{9}(x^2-6x+12)$$

・$S_Y{}^2=\frac{1}{3}\left\{(6-m_Y)^2+(7-m_Y)^2+(5-m_Y)^2\right\}$

$$S_Y{}^2=\frac{1}{3}\left\{0^2+1^2+(-1)^2\right\}=\frac{2}{3}\ \cdots\cdots⑤\quad(③より)$$

よって，X と Y の標準偏差 S_X と S_Y は，

$$\begin{cases} S_X = \sqrt{S_X{}^2} = \frac{\sqrt{2}}{3}\sqrt{x^2-6x+12} & \cdots\cdots⑥ \\ S_Y = \sqrt{S_Y{}^2} = \sqrt{\frac{2}{3}} = \frac{\sqrt{2}}{\sqrt{3}} & \cdots\cdots⑦ \end{cases}$$

次に X と Y の共分散 S_{XY} は，

$$S_{XY} = \frac{1}{3}\{\underbrace{(2-m_X)}_{-\frac{x}{3}}\underbrace{(6-m_Y)}_{0} + \underbrace{(4-m_X)}_{2-\frac{x}{3}}\underbrace{(7-m_Y)}_{1} + \underbrace{(x-m_X)}_{\frac{2}{3}x-2}\underbrace{(5-m_Y)}_{-1}\}$$

$$= \frac{4-x}{3} \cdots\cdots⑧$$

⇦ $S_{XY} = \frac{1}{3}\{-\frac{x}{3}\times 0 + \left(2-\frac{x}{3}\right)\cdot 1 + \left(\frac{2}{3}x-2\right)\cdot(-1)\}$
$= \frac{1}{3}(-x+4)$

よって，⑥，⑦，⑧より相関係数 r_{XY} は，

$$r_{XY} = \frac{S_{XY}}{S_X \cdot S_Y} = \frac{\frac{1}{3}(4-x)}{\frac{\sqrt{2}}{3}\sqrt{x^2-6x+12}\cdot\frac{\sqrt{2}}{\sqrt{3}}} = \frac{\sqrt{3}(4-x)}{2\sqrt{x^2-6x+12}} \cdots⑨$$

①と⑨より，

$$\frac{\sqrt{3}(4-x)}{2\sqrt{x^2-6x+12}} = -\frac{1}{2}$$

両辺に -1 をかけた

$$\underbrace{\sqrt{3}(x-4)}_{\oplus} = \underbrace{\sqrt{x^2-6x+12}}_{\oplus}$$

⇦ $\sqrt{x^2-6x+12} = \sqrt{(x-3)^2+3} > 0$ より，
$x-4>0$
$\therefore x>4$ の条件が導ける。

この両辺を2乗して，

$$3(x-4)^2 = x^2-6x+12 \quad (x>4)$$

$$3(x^2-8x+16) = x^2-6x+12$$

⇦ $3(x^2-8x+16) = x^2-6x+12$ より，
$2x^2-18x+36=0$
$x^2-9x+18=0$
$(x-3)(x-6)=0$

これをまとめると，

$x^2-9x+18=0$ より，$(x-3)(x-6)=0$

$\therefore x=3$ または 6

ここで，条件 $x>4$ より，求める x の値は，

$x=6$ である。……………………………………(答)

第5章 ● データの分析の公式の復習

1. n 個のデータ x_1, x_2, x_3, …, x_n の平均値 $\overline{X}$ $(=m)$

$$\overline{X}=m=\frac{x_1+x_2+x_3+\cdots+x_n}{n}$$

2. メジアン（中央値：データを小さい順に並べたときの中央の値）

(i) $2n+1$ 個のデータのとき，メジアンは x_{n+1}

(ii) $2n$ 個のデータのとき，メジアンは $\dfrac{x_n+x_{n+1}}{2}$

3. モード（最頻値）

度数が最も大きい階級の階級値

4. 箱ひげ図作成の例（データ数 $n=10$）

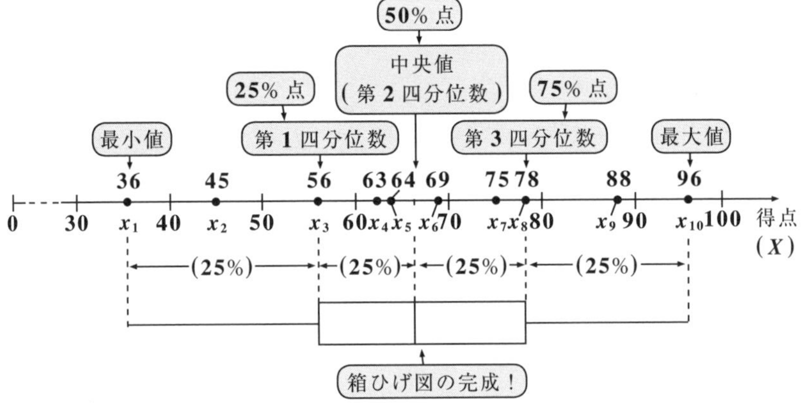

5. 分散 S^2 と標準偏差 S

(i) 分散 $S^2=\dfrac{(x_1-m)^2+(x_2-m)^2+\cdots+(x_n-m)^2}{n}$

(ii) 標準偏差 $S=\sqrt{S^2}$

6. 共分散 S_{XY} と相関係数 r_{XY}

(i) 共分散 $S_{XY}=\dfrac{1}{n}\{(x_1-m_X)(y_1-m_Y)+(x_2-m_X)(y_2-m_Y)+\cdots+(x_n-m_X)(y_n-m_Y)\}$

(ii) 相関係数 $r_{XY}=\dfrac{S_{XY}}{S_X\cdot S_Y}$ $\begin{pmatrix} m_X：X\text{ の平均}, & m_Y：Y\text{ の平均} \\ S_X：X\text{ の標準偏差}, & S_Y：Y\text{ の標準偏差} \end{pmatrix}$

$\begin{cases} \cdot\ X\text{ と }Y\text{ に正の相関がある} \iff r_{XY}>0 \\ \cdot\ X\text{ と }Y\text{ に負の相関がある} \iff r_{XY}<0 \end{cases}$

第6章
CHAPTER

6 場合の数と確率

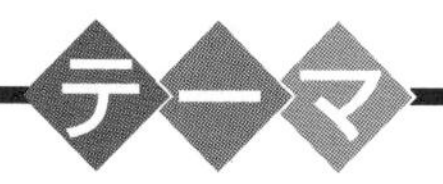

▶ 順列の数，組合せの数

$$\left({}_n\mathrm{P}_r=\frac{n!}{(n-r)!},\quad {}_n\mathrm{C}_r=\frac{n!}{r!(n-r)!}\right)$$

▶ 確率の加法定理，反復試行の確率

$$\left(\begin{array}{l}P(A\cup B)=P(A)+P(B)-P(A\cap B)\\ P_r={}_n\mathrm{C}_r p^r q^{n-r}\end{array}\right)$$

▶ 条件付き確率と確率の乗法定理

$$\left(\begin{array}{l}P_A(B)=\dfrac{P(A\cap B)}{P(A)}\\ P(A\cap B)=P(A)\cdot P_A(B)\end{array}\right)$$

第6章 場合の数と確率 ●公式＆解法パターン

1. 和の法則と積の法則

2 つの事象 A，B があって，事象 A の起こり方が m 通り，事象 B の起こり方が n 通りあるものとする。

(Ⅰ) 和の法則

2 つの事象 A，B は同時には起こらないものとするとき，
A または B の起こる場合の数は，$m+n$ 通りである。

(Ⅱ) 積の法則

事象 A，B が共に起こる場合の数は $m\times n$ 通りである。

"A が起こり，かつ B が起こる" ということ

2. $n(A\cup B)$ の計算

(1) A と B が互いに排反，すなわち $A\cap B=\phi$ のとき，

$$n(A\cup B)=n(A)+n(B)$$

(2) A と B が互いに排反でない，すなわち $A\cap B\neq\phi$ のとき，

$$n(A\cup B)=n(A)+n(B)-n(A\cap B)$$

3. 体系立てた数え上げの方法

(1) 辞書式　　**(2)** 樹形図

4. 様々な順列の数

(1) $n!=n\times(n-1)\times(n-2)\times\cdots\times3\times2\times1$ （n：自然数）

これを "n の階乗（かいじょう）" と読む。

(2) 順列の数 $_n\mathrm{P}_r$：n 個の異なるものの中から重複を許さずに r 個を選び出し，それを **1** 列に並べる並べ方の総数。

$$_n\mathrm{P}_r=\frac{n!}{(n-r)!}$$ と計算できる。

(3) 重複順列の数 n^r：n 個の異なるものから重複を許して r 個選び出し，それを **1** 列に並べる並べ方の総数。n^r で計算できる。

(4) 同じものを含む順列：n 個のもののうち，p 個，q 個，r 個，…が，それぞれ同じものであるとき，それらを 1 列に並べる並べ方の総数は，$\dfrac{n!}{p!q!r!\cdots}$ 通りである。

(5) 円順列：n 個の異なるものを円形に並べる並べ方の総数は，$(n-1)!$ 通りである。

> (ex) A，B，C，D，E，F，G の 7 つを円形に並べる並べ方の総数は，
> $(7-1)!=6!=6\cdot5\cdot4\cdot3\cdot2\cdot1=720$ 通りになる。

5. 組合せ

(1) 組合せの数 ${}_n\mathrm{C}_r=\dfrac{n!}{r!(n-r)!}$：$n$ 個の異なるものの中から重複を許さずに r 個を選び出す選び方の総数。

(2) 組合せの数 ${}_n\mathrm{C}_r$ の基本公式

(ⅰ) ${}_n\mathrm{C}_0={}_n\mathrm{C}_n=1$　　(ex) ${}_5\mathrm{C}_0={}_{10}\mathrm{C}_{10}=1$

(ⅱ) ${}_n\mathrm{C}_1=n$　　(ex) ${}_7\mathrm{C}_1=7$

(ⅲ) ${}_n\mathrm{C}_r={}_n\mathrm{C}_{n-r}$　　(ex) ${}_6\mathrm{C}_4={}_6\mathrm{C}_2$

(3) 組合せの数 ${}_n\mathrm{C}_r$ の応用公式

(ⅰ) ${}_n\mathrm{C}_r={}_{n-1}\mathrm{C}_{r-1}+{}_{n-1}\mathrm{C}_r$　　(ⅱ) $r\cdot{}_n\mathrm{C}_r=n\cdot{}_{n-1}\mathrm{C}_{r-1}$

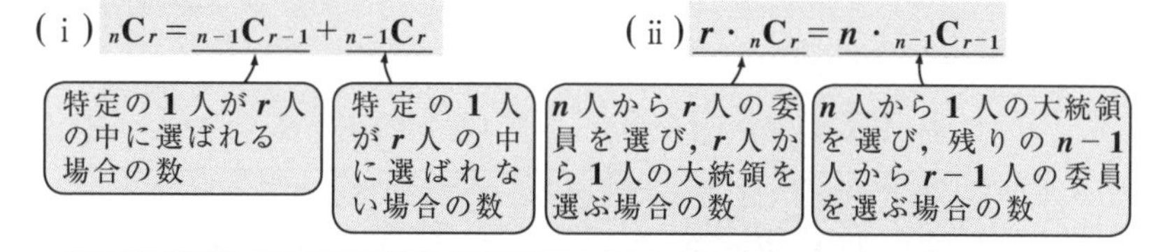

> 組合わせの数 ${}_n\mathrm{C}_r$ は，組み分け問題や最短経路の問題などで威力を発揮する。具体的な計算は，元気力アップ問題で練習しよう！

(4) 重複組合せの数 ${}_n\mathrm{H}_r={}_{n+r-1}\mathrm{C}_r$：$n$ 個の異なるものの中から重複を許して，r 個を選び出す選び方の総数。

> 重複組み合わせ ${}_n\mathrm{H}_r$ は，○と｜(仕切り板)を使うと公式の意味がよくわかる。
> (ex) ${}_3\mathrm{H}_6={}_{3+6-1}\mathrm{C}_6={}_8\mathrm{C}_6={}_8\mathrm{C}_2=\dfrac{8!}{2!\cdot6!}=\dfrac{8\cdot7}{2\cdot1}=28$

6. 確率の定義

すべての根元事象が同様に確からしいとき，

事象 A の起こる**確率** $P(A)$ は，

$$P(A)=\frac{n(A)}{n(U)}=\frac{\text{事象}A\text{の場合の数}}{\text{全事象}U\text{の場合の数}}$$

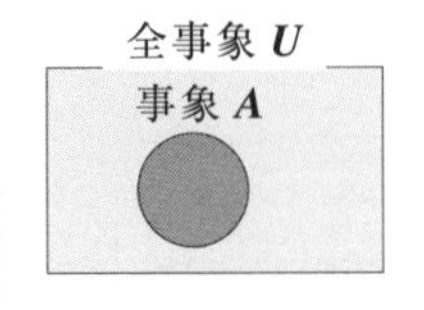

7. 確率の加法定理

(ⅰ) $A\cap B=\phi$ (A と B が互いに排反)のとき，← 柿の種がない

$$P(A\cup B)=P(A)+P(B)$$

ペタン　ペタン

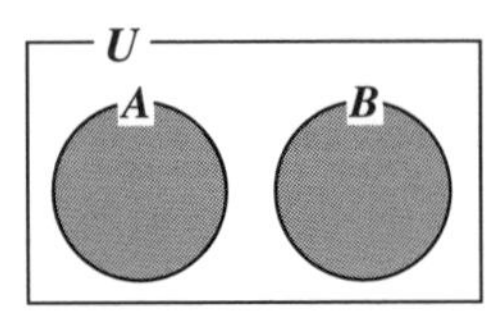

(ⅱ) $A\cap B\neq\phi$ (A と B が互いに排反でない)のとき，

$$P(A\cup B)=P(A)+P(B)-P(A\cap B)$$

ペタン　ペタン　ピロッ！

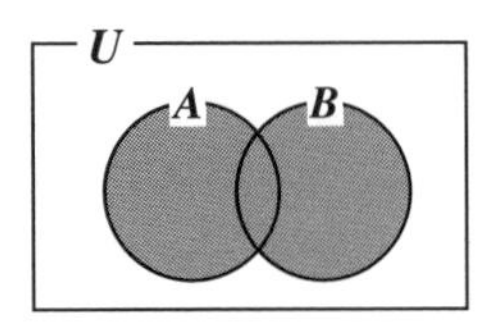

8. ド・モルガンの法則と確率

(ⅰ) $P(\overline{A\cup B})=P(\overline{A}\cap\overline{B})$　　(ⅱ) $P(\overline{A\cap B})=P(\overline{A}\cup\overline{B})$

以上の公式を使えば，例えば次のような変形もできるんだね。

$$P(\overline{A}\cap\overline{B})=P(\overline{A\cup B})=1-P(A\cup B)=1-\{P(A)+P(B)-P(A\cap B)\}$$

ド・モルガン　余事象の確率　確率の加法定理

9. $P(A)$ と余事象の確率 $P(\overline{A})$ の関係

(1) $P(A)+P(\overline{A})=1$　　(2) $P(A)=1-P(\overline{A})$

(ex) **4** 回サイコロを投げて少なくとも **1** 回は **5** 以上の目の出ることを事象 A とおくと，この確率 $P(A)$ は次のように $P(\overline{A})$ を用いて求まる。

1，2，3，4 の目

$$P(A)=1-P(\overline{A})=1-\left(\frac{4}{6}\right)^4=1-\left(\frac{2}{3}\right)^4=\frac{81-16}{81}=\frac{65}{81}$$

4 回とも 5 以上の目の出ない確率

10. 独立な試行の確率

互いに独立な試行 T_1, T_2 について，試行 T_1 で事象 A が起こり，かつ試行 T_2 で事象 B が起こる確率は，$P(A) \times P(B)$ である。

11. 反復試行の確率

ある試行を 1 回行って，事象 A の起こる確率を p とおくと，事象 A の起こらない確率 q は，$q = 1 - p$ となる。

この独立な試行を n 回行って，その内 r 回だけ事象 A の起こる確率は，${}_n\mathrm{C}_r p^r q^{n-r}$ $(r = 0, 1, 2, \cdots, n)$ である。

この確率を“**反復試行の確率**”という。

> (ex) 正しいサイコロを 6 回投げて，その内 2 回だけ 2 以下の目が出る確率 P_2 を求めよう。このサイコロを 1 回投げて 2 以下の目が出る確率
>
> (1，2 の目)
>
> $p = \frac{2}{6} = \frac{1}{3}$，3 以上の目が出る確率 $q = 1 - p = \frac{2}{3}$，$n = 6$，$r = 2$ より，
>
> $P_2 = {}_6\mathrm{C}_2 \cdot \left(\frac{1}{3}\right)^2 \cdot \left(\frac{2}{3}\right)^4 = \frac{6!}{2!\ 4!} \cdot \frac{2^4}{3^6} = 15 \cdot \frac{16}{3 \times 3^5} = \frac{80}{243}$ となる。

12. 条件付き確率 $P_A(B)$

2 つの事象 A，B に対して，事象 A が起こったという条件の下で，事象 B が起こる**条件付き確率** $P_A(B)$ は，次のように定義される。

$$P_A(B) = \frac{P(A \cap B)}{P(A)}$$

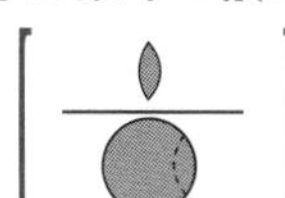

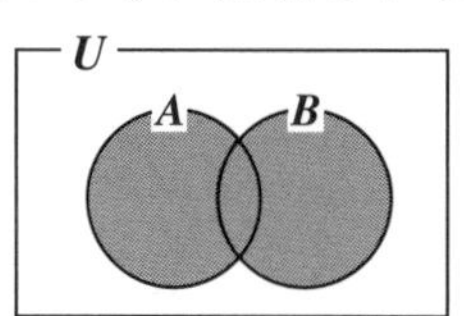

13. 確率の乗法定理

条件付き確率 $P_A(B) = \frac{P(A \cap B)}{P(A)}$ の両辺に $P(A)$ をかけることにより，次の**確率の乗法定理**が導ける。

$$P(A \cap B) = P(A) \cdot P_A(B)$$

- $P(A \cap B)$：A と B が共に起こる確率
- $P(A)$：A が起こる確率
- $P_A(B)$：A が起こったという条件の下で，B が起こる確率

3桁の整数の作成

元気力アップ問題 72　難易度 ★★　CHECK 1　CHECK 2　CHECK 3

0，1，2，3，4，5 の **6** 個の数字から，異なる **3** 個の数字を用いて **3** 桁の整数を作る。このとき，**(1) 3** 桁の整数は全部で何個あるか。
(2) その内，偶数は何個あるか。**(3) 312** より大きい整数は何個あるか。

ヒント！ **(1)** 百の位に **0** がこないことがポイントだ。**(2)** 一の位が **0** のときと，**2，4** のときに場合分けしよう。**(3)** も，場合分けが必要になるね。

解答＆解説

(1) **0，1，2，3，4，5** から異なる **3** つを選んで作る **3** 桁の数は，百の位に **0** がこないことに注意して，全部で，$5\times{}_5P_2 = 5\times5\times4 = 100$ 個ある。 ……(答)

$\left(\dfrac{5!}{3!} = 5\cdot4\right)$

(2) **3** 桁の整数が偶数となるのは，

(ⅰ) 一の位が **0** のとき，$_5P_2 = 5\times4 = 20$ 個

(ⅱ) 一の位が **2** または **4** のとき，$4\times4\times2 = 32$ 個

以上(ⅰ)(ⅱ)より，$20+32 = 52$ 個 ……(答)

(3) **312** より大きい数について，

(ⅰ) 百の位が **3** で，十の位が **1** のとき，
一の位は，**4** または **5** の **2** 個

(ⅱ) 百の位が **3** のとき，
十の位は，**2，4，5** の **3** 通り
一の位は，百と十の位の数以外の **4** 通り
$\therefore 3\times4 = 12$ 個

(ⅲ) 百の位が **4** または **5** のとき，
十の位は，百の位の数以外の **5** 通り
一の位は，百と十の位の数以外の **4** 通り
$\therefore 2\times5\times4 = 40$ 個

以上(ⅰ)(ⅱ)(ⅲ)より，$2+12+40 = 54$ 個 …(答)

ココがポイント

⇦ 百の位：**0** 以外の **5** 通り ／ 十の位・一の位：残り **5** 個の内から **2** 個を選んで並べ替え $_5P_2$ 通り

⇦ (ⅰ) 百・十：$_5P_2$ 通り ／ 一：**0** のとき

(ⅱ) 百：**0** を除く **4** 通り ／ 十：残り **4** 通り ／ 一：**2** または **4** の **2** 通り

⇦ (ⅰ) 百：**3** ／ 十：**1** ／ 一：**4** または **5** の **2** 通り

⇦ (ⅱ) 百：**3** ／ 十：**2** または **4** または **5** の **3** 通り ／ 一：残り **4** 通り

⇦ (ⅲ) 百：**4** または **5** の **2** 通り ／ 十：残り **5** 通り ／ 一：残り **4** 通り

同じものを含む順列の数

元気力アップ問題 73	難易度 ★	CHECK 1	CHECK 2	CHECK 3

(1) K，A，M，E，Y，A，M，A の文字を 1 列に並べる方法は何通りあるか。

(2) 同形の 3 個の赤球と 4 個の青球と 6 個の白球を 1 列に並べる方法，および，これらが左右対称となる場合の数は何通りあるか。

ヒント！ (1) KAMEYAMA には，A が 3 つ，M が 2 つ含まれているね。(2) 左右対称となるのは，赤球が中央に来るときだね。

解答＆解説

(1) K，A，M，E，Y，A，M，A の 8 文字中，3 つの A と 2 つの M が同じもので存在する。よって，この並べ方の総数は，

$$\frac{8!}{3!\cdot 2!}=\frac{8\cdot 7\cdot 6\cdot 5\cdot 4}{2\cdot 1}=3360 \text{ 通り} \quad \cdots\cdots(\text{答})$$

(2) 13 個中，赤球 3 個と青球 4 個と白球 6 個が同じものなので，これらを 1 列に並べる並べ方の総数は，

$$\frac{13!}{3!\cdot 4!\cdot 6!}=\frac{13\cdot 12\cdot 11\cdot 10\cdot 9\cdot 8\cdot 7}{3\cdot 2\cdot 1\times 4\cdot 3\cdot 2\cdot 1}$$

$$=60060 \text{ 通り} \quad \cdots\cdots(\text{答})$$

次に，赤球 3 個と青球 4 個と白球 6 個が左右対称に並ぶとき，中央に赤球が来て，左右それぞれ赤球 1 個，青球 2 個，白球 3 個が並ぶことになる。

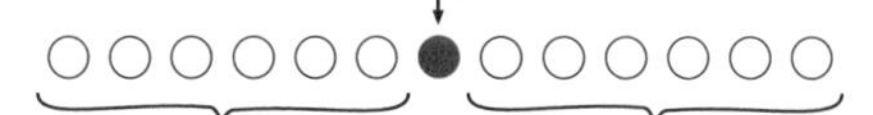

よって，この並べ方の総数は，片側だけの 6 個（赤球 1 個，青球 2 個，白球 3 個）の球の並べ方にのみ着目すればいいので，

$$\frac{6!}{2!\cdot 3!}=\frac{6\cdot 5\cdot 4}{2\cdot 1}=60 \text{ 通り} \quad \cdots\cdots(\text{答})$$

ココがポイント

⇦ 3 個の同じものと 2 個の同じものを含む 8 個のものを 1 列に並べる方法は，$\frac{8!}{3!\cdot 2!}$ だね。

⇦ 赤球のみ奇数個なので左右対称に並ぶとき，中央にくるのは赤球になる。

順列の数 ${}_n\mathrm{P}_r$ の応用

元気力アップ問題 74 | 難易度 ★★ | CHECK 1 | CHECK 2 | CHECK 3

a, b, c, d, e, f の 6 文字がある。

(1) これら 6 文字を横 1 列に並べる並べ方は何通りあるか。

(2) (1) の並べ方の内で，a と b と c が隣り合っているものは何通りあるか。

(3) (1) の並べ方の内で，a, b, c がこの順になっているものは何通りあるか。

ヒント！ (1) は簡単だね。(2) は，a と b と c を 1 まとめにして考えよう。(3) は，a, b, c がこの順になるということは，a, b, c を同じ 3 つのものと考えるといいよ。

解答＆解説

(1) 6 文字を横 1 列に並べる並べ方の総数は，

$6! = 6 \cdot 5 \cdot 4 \cdot 3 \cdot 2 \cdot 1 = 720$ 通り ………(答)

(2) 隣り合う a と b と c を 1 まとめにして考えると，その並べ方は $4!$ 通り。さらに，a, b, c の並べ替えが $3!$ 通りあるので，

a と b と c が隣り合う並べ方の総数は，

$4! \times 3! = 4 \cdot 3 \cdot 2 \cdot 1 \times 3 \cdot 2 \cdot 1 = 144$ 通り …(答)

(3) a, b, c, d, e, f を横 1 列に並べたとき，a, b, c がこの順になっている場合の数は，a, b, c を同じ 3 つの "○" と考えて，

○, ○, ○, d, e, f の並べ替えとすると，たとえば，d, ○, e, ○, f, ○の場合，この 3 つの "○" の位置に左から順に a, b, c を代入すればいい。よって，a, b, c がこの順になる並べ方の総数は，6 個の文字の内，3 個が同じものの並べ方の総数に等しい。

$\therefore \dfrac{6!}{3!} = 6 \cdot 5 \cdot 4 = 120$ 通り …………………(答)

ココがポイント

この並べ替え $3!$ 通り

⇦ $(abc)\,def$ 　$4!$ 通り

⇦ たとえば d, ○, e, ○, f, ○ のとき，d, ⓐ, e, ⓑ, f, ⓒ とすれば，a, b, c の順になる。

円順列

元気力アップ問題 75　難易度 ★　CHECK 1　CHECK 2　CHECK 3

両親と子供 6 人の計 8 人が円形に並ぶとき，次の各問いに答えよ。

(1) この円形の並び方は何通りあるか。

(2) 両親が向かい合う並び方は何通りあるか。

(3) 両親の間に子供が 1 人入って並ぶ並び方は何通りあるか。

ヒント！ **(1)** は問題ないね。**(2)**，**(3)** は特定の 1 人 (父) やグループ (両親と間の子供) を固定して考えると話が見えてくるんだね。頑張ろう！

解答＆解説

(1) 両親と子供 6 人，計 8 人の円順列の数になるので，

$(8-1)! = 7! = 7\cdot6\cdot5\cdot4\cdot3\cdot2\cdot1$

$= 5040$ 通り ……………………………(答)

⇦ n 人の円順列の数は，$(n-1)!$ 通りだね。

(2) 両親が向かい合う場合，右図のように，父の位置を固定して考えると，母の位置は自動的に決まる。よって，この場合の並び方の総数は，6 人の子供の並び方の総数に等しい。

$\therefore\ 6! = 6\cdot5\cdot4\cdot3\cdot2\cdot1 = 720$ 通り ……(答)

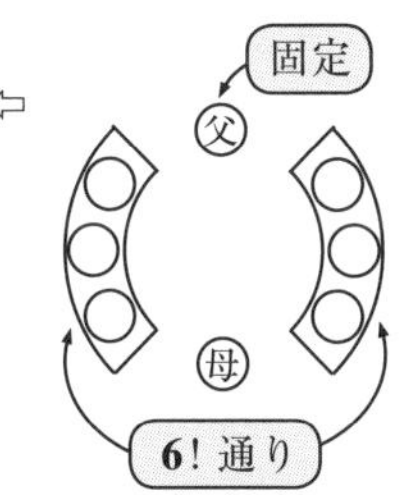

(3) 右図に示すように，両親とその間に入る子供の 3 人を 1 まとめにして，固定して考えると，

(i) まず，両親の間に入る子供を 6 人から 1 人選ぶので，$_6C_1 = 6$ 通り

(ii) 両側の父と母の並び方が，$2! = 2$ 通り

(iii) さらに，残りの子供 5 人の並び方の総数が $5! = 5\cdot4\cdot3\cdot2\cdot1 = 120$ 通り

以上 (i)(ii)(iii) より，両親の間に子供が 1 人入る場合の円形の並び方の総数は，

$6\times2\times120 = 1440$ 通り ……………………(答)

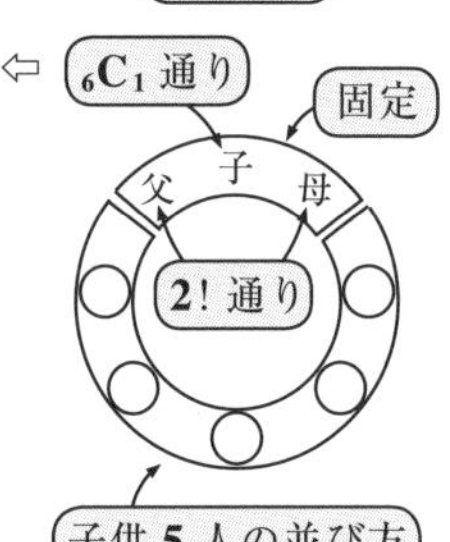

色分け問題

元気力アップ問題 76　難易度 ★★　CHECK 1　CHECK 2　CHECK 3

右図の **A**，**B**，**C**，**D**，**E** の **5** つの各領域を色分けしたい。隣り合った領域には異なる色を用い，指定された数だけの色は，全部用いなければならない。塗り分け方はそれぞれ何通りか。

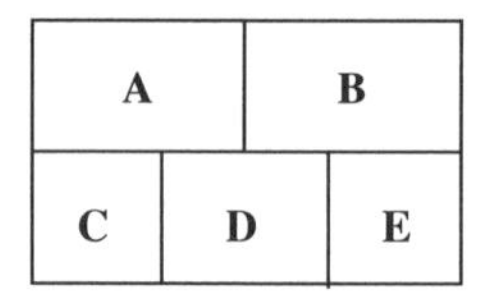

(1) **3** 色を用いる場合　　**(2)** **4** 色を用いる場合

(3) **5** 色を用いる場合　　(広島修道大)

ヒント！ **A**，**B**，**C**，**D**，**E** の各領域に塗り得る色の数を調べていくと，計算しやすくなると思う。注意点は，**(2)** の **4** 色を用いる場合の数から **3** 色のみで塗り分けられる場合の数を引くことだね。**(3)** も同様だ。注意しよう。

解答＆解説

ココがポイント

(1) **3** 色を用いる場合，右図に示すように，

(ⅰ) **A** には，**3** 色のいずれかより，**3** 通り

(ⅱ) **C** には，**A** 以外の **2** 色のいずれかより，**2** 通り

(ⅲ) **D** には，**A**，**C** 以外の **1** 色より，**1** 通り

(ⅳ) **B** には，**A**，**D** 以外の **1** 色より，**1** 通り

(ⅴ) **E** には，**D**，**B** 以外の **1** 色より，**1** 通り

以上 (ⅰ)～(ⅴ) より，**3** 色を用いて色分けする方法は，

$3 \times 2 \times 1 \times 1 \times 1 = 6$ 通り ……………………(答)

⇦ 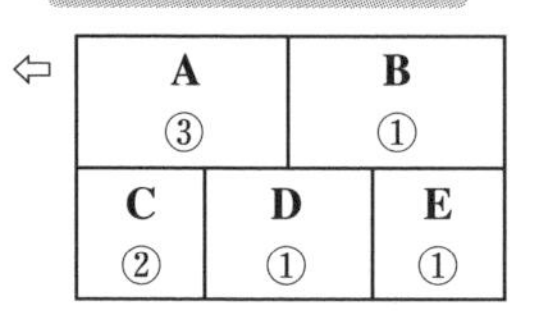

(2) **4** 色を用いる場合，右図に示すように，

(ⅰ) **A** には，**4** 色のいずれかより，**4** 通り

(ⅱ) **C** には，**A** 以外の **3** 色のいずれかより，**3** 通り

(ⅲ) **D** には，**A**，**C** 以外の **2** 色のいずれかより，**2** 通り

(ⅳ) **B** には，**A**，**D** 以外の **2** 色のいずれかより，**2** 通り

(ⅴ) **E** には，**D**，**B** 以外の **2** 色のいずれかより，**2** 通り

以上 (ⅰ)～(ⅴ) より，**4** 色を用いて色分けする方法は，

$4 \times 3 \times 2 \times 2 \times 2 = 96$ 通り ……① である。

⇦ 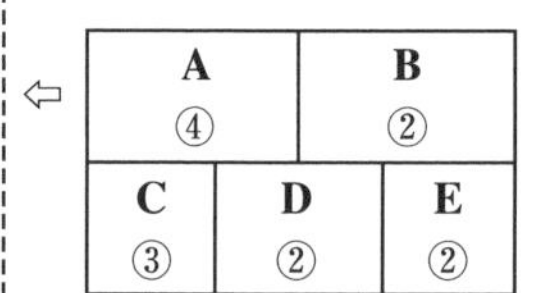

ただし，①の中には，**3** 色のみで塗り分ける場合の数，すなわち $_4C_3 \times 6 = 4 \times 6 = 24$ 通り…②が含まれる。（$_4C_3$ は **4**）

⇦ $_4C_3 \times 6$
4 色中いずれの 3 色を使うか
3 色で色分けする方法（(1) より）

よって，**4** 色すべてを使って色分けする方法は①－②より，

$96 - 24 = 72$ 通り ……………………………(答)

(3) **5** 色を用いる場合，右図に示すように，

⇦ 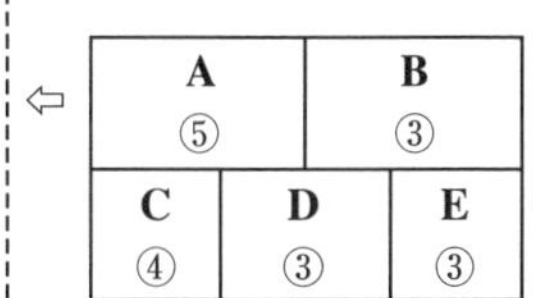

(i) **A** には，**5** 色のいずれかより，**5** 通り

(ii) **C** には，**A** 以外の **4** 色のいずれかより，**4** 通り

(iii) **D** には，**A**，**C** 以外の **3** 色のいずれかより，**3** 通り

(iv) **B** には，**A**，**D** 以外の **3** 色のいずれかより，**3** 通り

(v) **E** には，**D**，**B** 以外の **3** 色のいずれかより，**3** 通り

以上 (i) ～ (v) より，**5** 色を用いて色分けする方法は，

$5 \times 4 \times 3 \times 3 \times 3 = 540$ 通り ……③ である。

ただし③の中には，**4** 色で塗り分ける場合の数

$_5C_4 \times 72 = 5 \times 72 = 360$ 通り ……④，および

3 色で塗り分ける場合の数

$_5C_3 \times 6 = 10 \times 6 = 60$ 通り ………⑤ が含まれる。

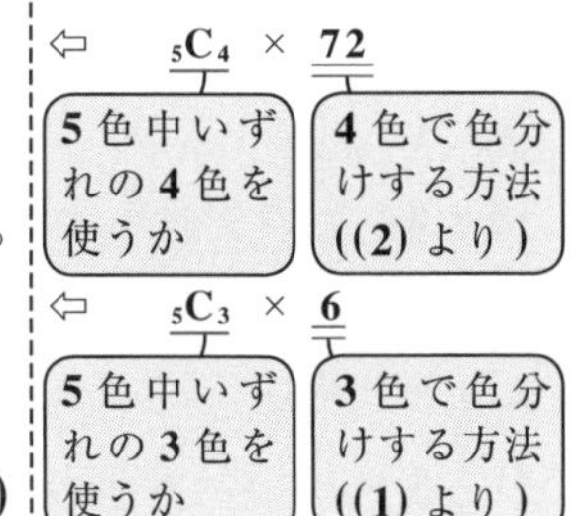

よって，**5** 色すべてを使って色分けする方法は，

③－(④＋⑤) より，

$540 - (360 + 60) = 120$ 通り …………………(答)

選出と分配の場合の数

元気力アップ問題 77 難易度 ★ CHECK 1 CHECK 2 CHECK 3

女子 **7** 人と男子 **4** 人がいる。その中から **3** 人を選び，**3** 個の異なるお菓子を **1** 人に **1** 個ずつ与える。ただし，**2** 人以上の女子を選ばなければならないとすると，与える方法は何通りあるか。 (慶応大)

ヒント！ 女子は **2** 人以上選ばないといけないので，選ばれる **3** 人は，(i) 女子 **3** 人か，または (ii) 女子 **2** 人，男子 **1** 人の **2** 通りの場合があるんだね。

解答＆解説

女子 **7** 人，男子 **4** 人から，少なくとも女子 **2** 人を含んで **3** 人を選出する場合，次の **2** 通りがある。

(i) 女子 **3** 人を選ぶ場合の数は，

$${}_7C_3 = \frac{7!}{3!\cdot 4!} = \frac{7\cdot 6\cdot 5}{3\cdot 2\cdot 1} = 35 \text{ 通り}$$

(ii) 女子 **2** 人と男子 **1** 人を選ぶ場合の数は，

$${}_7C_2 \times {}_4C_1 = \frac{7!}{2!\cdot 5!}\times 4 = \frac{7\cdot 6}{2\cdot 1}\times 4$$

$$= 21\times 4 = 84 \text{ 通り}$$

以上 (i)(ii) より，**3** 人の選び方の総数は，

$35 + 84 = 119$ 通り …………①

次に，選ばれた **3** 人に異なる **3** つのお菓子を与える方法は，

$3! = 3\cdot 2\cdot 1 = 6$ 通り ……②

以上より，少なくとも女子 **2** 人を含む **3** 人を選び出し，異なる **3** つのお菓子を **1** 人に **1** 個ずつ与える方法は，① × ②より，

$119\times 6 = 714$ 通りである。 ……………………(答)

ココがポイント

⇦ ${}_7C_3$：7 人の女子から 3 人選ぶ

⇦ ${}_7C_2 \times {}_4C_1$：7 人の女子から 2 人選ぶ，4 人の男子から 1 人選

⇦ 異なる **3** つの菓子 a，b，c を選ばれた **3** 人 A，B，C に与える方法

A,	B,	C
(a,	b,	c)
(a,	c,	b)
(b,	a,	c)
(b,	c,	a)
(c,	a,	b)
(c,	b,	a)

} $3! = 6$ 通り

組分け問題

元気力アップ問題 78　難易度 ★★　CHECK 1　CHECK 2　CHECK 3

次の各問いに答えよ。

(1) 各グループの構成員が少なくとも **2** 人以上とするとき，**6** 人を **2** つのグループに分ける方法は何通りあるか。

(2) 各グループの構成員が少なくとも **1** 人以上とするとき，**6** 人を **3** つのグループに分ける方法は何通りあるか。

ヒント！ **(1)** 例えば，**3** 人と **3** 人の **2** つのグループに分ける場合，グループに区別はないので，区別があるとした場合の数を **2!** で割らないといけないことに注意しよう。**(2)** も同様だね。

解答＆解説

(1) 各グループは **2** 人以上なので，**6** 人を **2** つのグループに分ける場合，(**2** 人，**4** 人)，(**3** 人，**3** 人) の **2** 通りである。よって，このグループ分けの方法は，

$$ {}_6C_2\times{}_4C_4+\frac{{}_6C_3\times{}_3C_3}{2!}=\frac{6!}{2!4!}+\frac{6!}{3!3!2!} $$

$$ =\frac{6\cdot 5}{2\cdot 1}+\frac{6\cdot 5\cdot 4}{3\cdot 2\cdot 1\times 2\cdot 1} $$

$$ =15+10=25 \text{通り} $$ ……………………(答)

⇦ (**2** 人，**4** 人) のグループには自動的に区別はあるけれど，(**3** 人，**3** 人) の **2** つのグループに区別はないので，**2!** で割った。

(2) 各グループは **1** 人以上なので，**6** 人を **3** つのグループに分ける場合，(**1** 人，**1** 人，**4** 人)，(**1** 人，**2** 人，**3** 人)，(**2** 人，**2** 人，**2** 人) の **3** 通りである。よって，このグループ分けの方法は，

$$ \frac{{}_6C_1\times{}_5C_1\times{}_4C_4}{2!}+{}_6C_1\times{}_5C_2\times{}_3C_3+\frac{{}_6C_2\times{}_4C_2\times{}_2C_2}{3!} $$

$$ =\frac{6\cdot 5}{2\cdot 1}+6\cdot\frac{5\cdot 4}{2\cdot 1}+\frac{6\cdot 5}{2\cdot 1}\times\frac{4\cdot 3}{2\cdot 1}\times\frac{1}{3\cdot 2\cdot 1} $$

$$ =15+60+15=90 \text{通り} $$ ……………………(答)

⇦ (**1** 人，**1** 人，**4** 人) の (**1** 人，**1** 人) の **2** つの組に区別はないので，**2!** で割った。
(**2** 人，**2** 人，**2** 人) の **3** つの組に区別はないので，**3!** で割った。

最短経路

元気力アップ問題 79　難易度 ★★　CHECK 1　CHECK 2　CHECK 3

右の街路図で，**A** から **B** まで行く最短経路について考える。

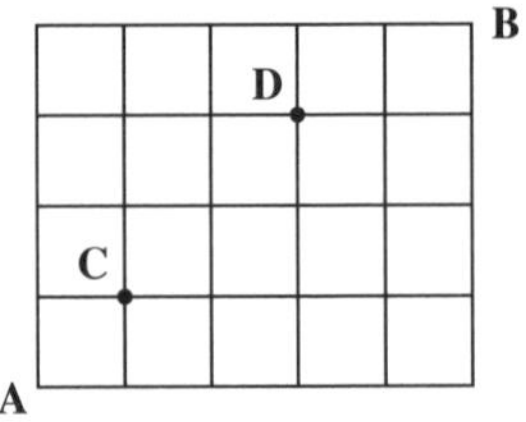

(1) **A** から **B** まで行く最短経路は何通りか。

(2) **C** を通る最短経路は何通りか。また，**D** を通る最短経路は何通りか。

(3) **C** も **D** も通る最短経路は何通りか。**C** も **D** も通らない最短経路は何通りか。

(4) **C** を通りかつ **D** を通らない最短経路は何通りか。**C** を通るか，または **D** を通らない最短経路は何通りか。　(摂南大 ＊)

ヒント！ 全事象を U，**C** を通る事象を C，**D** を通る事象を D とおくと，(1) は $n(U)$，(2) は $n(C)$，$n(D)$，(3) は，$n(C\cap D)$，$n(\overline{C}\cap\overline{D})$，(4) は，$n(C\cap\overline{D})$，$n(C\cup\overline{D})$ を求めればいいんだね。ベン図も利用するといいよ。

解答＆解説

ココがポイント

(1) **A** から **B** まで行く全事象を U とおくと，その最短経路の数 $n(U)$ は，縦横 **9** 区間の内，横に行く **5** 区間を選ぶ場合の数に等しいので，

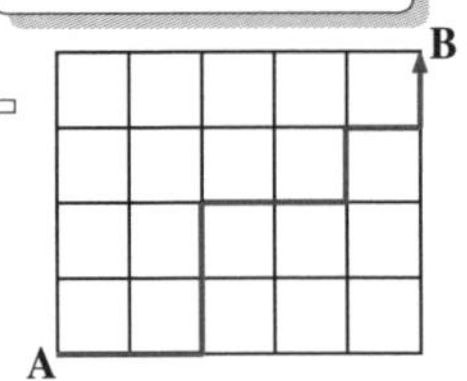

$$n(U)={}_9C_5=\frac{9!}{5!\cdot4!}=\frac{9\cdot8\cdot7\cdot6}{4\cdot3\cdot2\cdot1}=126 \text{ 通り}$$

………(答)

(2) 2 つの事象 C，D を，次のようにおく。

事象 C：**C** を通る。　事象 D：**D** を通る。

このとき，各最短経路の数 $n(C)$，$n(D)$ について，

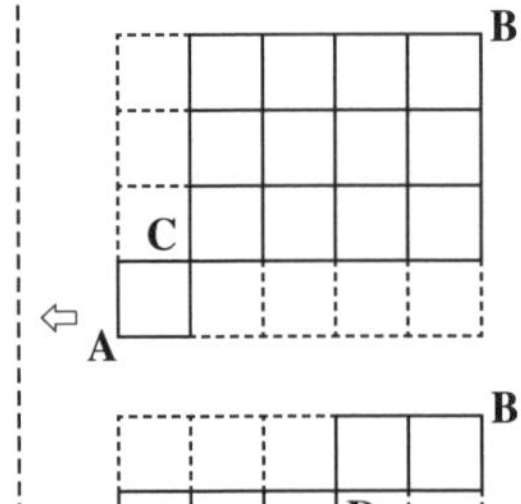

(ⅰ) $n(C)$ は，**A** → **C** → **B** より，（${}_2C_1$，${}_7C_4$）

$$n(C)={}_2C_1\times{}_7C_4=2\times\frac{7\cdot6\cdot5}{3\cdot2\cdot1}=70 \text{ 通り}$$

………(答)

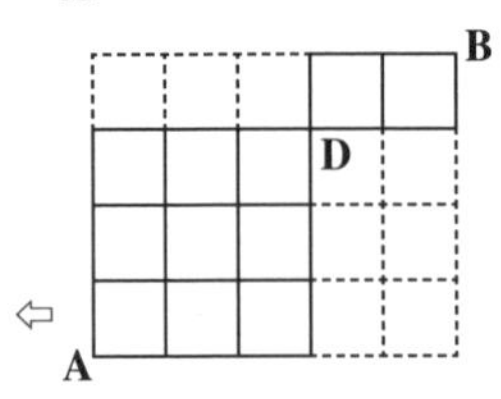

(ⅱ) $n(D)$ は，**A** → **D** → **B** より，（${}_6C_3$，${}_3C_2$）

$$n(D) = {}_6C_3 \times {}_3C_2 = \frac{6!}{3!3!} \times 3 = \frac{\cancel{6} \cdot 5 \cdot 4}{\cancel{3 \cdot 2 \cdot 1}} \times 3$$

$= 20 \times 3 = 60$ 通り ……………………(答)

(3) (ⅰ) **C** も **D** も通る最短経路の数 $n(C \cap D)$ は，

A → **C** → **D** → **B** より，

${}_2C_1$　${}_4C_2$　${}_3C_2$

$$n(C \cap D) = {}_2C_1 \times {}_4C_2 \times {}_3C_2 = 2 \times \frac{4!}{2!2!} \times 3$$

$= 2 \times 6 \times 3 = 36$ 通り ………(答)

(ⅱ) **C** も **D** も通らない最短経路の数 $n(\overline{C} \cap \overline{D})$ は

⇦ ド・モルガンの法則 $\overline{C} \cap \overline{D} = \overline{C \cup D}$

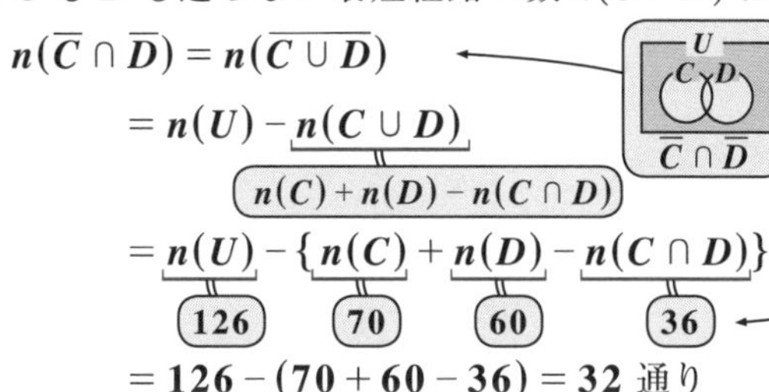

$n(\overline{C} \cap \overline{D}) = n(\overline{C \cup D})$

$= n(U) - n(C \cup D)$

$n(C \cup D) = n(C) + n(D) - n(C \cap D)$

⇦ $n(\overline{A}) = n(U) - n(A)$

⇦ $n(C \cup D) = n(C) + n(D) - n(C \cap D)$

$= n(U) - \{n(C) + n(D) - n(C \cap D)\}$

126　70　60　36 ← これまでの結果より

$= 126 - (70 + 60 - 36) = 32$ 通り

……(答)

(4) (ⅰ) **C** を通り，かつ **D** を通らない最短経路の数 $n(C \cap \overline{D})$ は，

$n(C \cap \overline{D}) = n(C) - n(C \cap D)$ [$= C - C \cap D$]

$= 70 - 36$

$= 34$ 通り ……………………(答)

⇦
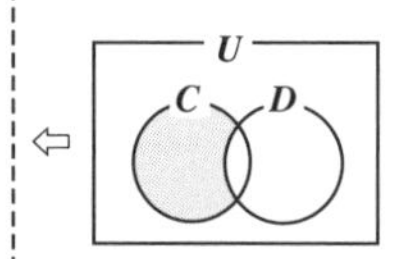

(ⅱ) **C** を通るか，または **D** を通らない最短経路の数 $n(C \cup \overline{D})$ は，

⇦
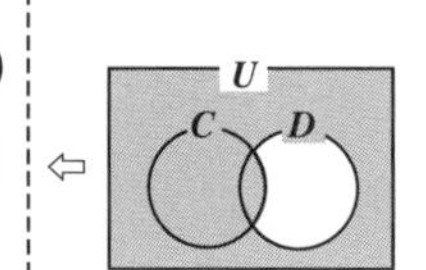

$n(C \cup \overline{D}) = n(U) - \{n(D) - n(C \cap D)\}$

[U － $\overline{C} \cap D$]

$= 126 - (60 - 36)$

$= 126 - 24 = 102$ 通り ………(答)

組合せと重複組合せ

元気力アップ問題 80　難易度 ★★　CHECK 1　CHECK 2　CHECK 3

x, y, z を整数とする。

(1) $1 \leqq x \leqq 5$, $1 \leqq y \leqq 5$, $1 \leqq z \leqq 5$ を満たす整数の組 (x, y, z) は全部で何組あるか。

(2) $1 \leqq x < y < z \leqq 5$ を満たす整数の組 (x, y, z) は全部で何組あるか。

(3) $x+y+z=5$, $x \geqq 0$, $y \geqq 0$, $z \geqq 0$ を満たす整数の組 (x, y, z) は全部で何組あるか。

(4) $x+y+z=5$, $x \geqq 1$, $y \geqq 1$, $z \geqq 1$ を満たす整数の組 (x, y, z) は全部で何組あるか。

(大阪経大 *)

ヒント！ (1) は，重複順列 n^r，(2) は組合せ ${}_n\mathrm{C}_r$ の問題で，(3)，(4) は重複組合せ ${}_n\mathrm{H}_r(={}_{n+r-1}\mathrm{C}_r)$ の問題なんだね。この問題で，それぞれの解法パターンがマスターできるはずだ。シッカリ練習しよう！

解答＆解説

(1) 整数 x, y, z が，$1 \leqq x \leqq 5$, $1 \leqq y \leqq 5$, $1 \leqq z \leqq 5$ を満たすので，x, y, z は，いずれも 1，2，3，4，5 の 5 通りの値を取り得る。よって，このときの (x, y, z) の組は，全部で $5^3 = 125$ 組ある。 ……………………(答)

(2) $1 \leqq x < y < z \leqq 5$ を満たす整数の組 (x, y, z) の総数は，1，2，3，4，5 の 5 つの整数から 3 つを選び出す組み合せの数 ${}_5\mathrm{C}_3$ に等しい。よって，このときの (x, y, z) の組は全部で

${}_5\mathrm{C}_3 = \dfrac{5!}{3! \cdot 2!} = \dfrac{5 \cdot 4}{2 \cdot 1} = 10$ 組ある。 ………(答)

(3) $x+y+z=5$, $x \geqq 0$, $y \geqq 0$, $z \geqq 0$ を満たす整数の組 (x, y, z) について，たとえば，

$x=2$, $y=1$, $z=2$ のとき，これを，

$\underbrace{xx}_{2個}\ \underbrace{y}_{1個}\ \underbrace{zz}_{2個}$ と見ると，これは，

ココがポイント

⇦ (x, y, z) より，5 通り 5 通り 5 通り

$5 \times 5 \times 5 = 5^3$ 通り（重複順列）

⇦ たとえば，1，2，3，4，5 から，4，1，3 を選んだとき，これを小さい順に (1，3，4) とすれば 1 組が決まるわけだからね。

○○｜○｜○○と記号化できる。したがって，このときの整数の組 (x, y, z) の総数は，3つの異なるもの x, y, z から重複を許して，5個を選び出す場合の数，すなわち ${}_3H_5$ に等しい。よって，このときの (x, y, z) の組は全部で，

$${}_3H_5 = {}_{3+5-1}C_5 = {}_7C_5 = \frac{7!}{5! \cdot 2!}$$

公式
${}_nH_r = {}_{n+r-1}C_r$

これは，"○" と "｜" の記号で考えると，7つの場所の内，"○" が入る5つを選び出す場合の数と考えてもいいんだね。

$$= \frac{7 \cdot 6}{2 \cdot 1} = 21$$ 組ある。 ……………………(答)

⇦たとえば
・$x=3$, $y=1$, $z=1$ のとき，
○○○｜○｜○
・$x=0$, $y=2$, $z=3$ のとき，
｜○○｜○○○
・$x=0$, $y=0$, $z=5$ のとき，
｜｜○○○○○
…などだね。

(4) $x+y+z=5$, $x \geqq 1$, $y \geqq 1$, $z \geqq 1$ をみたす整数の組 (x, y, z) の総数は，

$a=x-1$, $b=y-1$, $c=z-1$ とおいたとき，

$a+b+c=2$, $a \geqq 0$, $b \geqq 0$, $c \geqq 0$ をみたす整数の組 (a, b, c) の総数と等しくなる。

⇦$x=a+1$, $y=b+1$, $z=c+1$ を $x+y+z=5$ に代入すると，$a+1+b+1+c+1=5$ より，$a+b+c=2$ となるからね。

この場合も，たとえば
・$a=1$, $b=1$, $c=0$ を○｜○｜
・$a=0$, $b=2$, $c=0$ を｜○○｜
・$a=1$, $b=0$, $c=1$ を○｜｜○ … など
と考えると，${}_4C_2$ 通りあることがスグに分かるね。

よって，このときの，整数の組 (a, b, c) の総数は3つの異なるもの a, b, c から重複を許して2個選び出す場合の数 ${}_3H_2$ に等しい。よって，求める整数の組 (x, y, z) は全部で

$${}_3H_2 = {}_{3+2-1}C_2 = {}_4C_2 = \frac{4!}{2! \cdot 2!} = \frac{4 \cdot 3}{2 \cdot 1} = 6$$ 組

ある。 ……………………………………………(答)

サイコロの確率

元気力アップ問題 81	難易度 ★	CHECK 1	CHECK 2	CHECK 3

2 個のサイコロを同時に投げて，出た目の数の和を X とおく。

(1) X が 3 の倍数となる確率を求めよ。

(2) X が素数となる確率を求めよ。　(福島大 ＊)

ヒント！ 2 つのサイコロの出た目を a，b とおくと，この目 $(a,\ b)$ の出方は $6^2=36$ 通りなので，これを表にして，(1)，(2) の確率を求めるといいね。

解答＆解説

ココがポイント

2 個のサイコロを同時に投げて出た目を a，b とおいて，$X=a+b$ の表にして考える。

(1) $(a,\ b)$ の目の出方は全部で $6^2=36$ 通りであり，その内，$X(=a+b)$ が 3 の倍数となる場合の数は，右の表より 12 通りである。よって，X が 3 の倍数となる確率は，

$\frac{12}{36}=\frac{1}{3}$ ……………(答)

X の表 (X が 3 の倍数)

a＼b	1	2	3	4	5	6
1	2	(3)	4	5	(6)	7
2	(3)	4	5	(6)	7	8
3	4	5	(6)	7	8	(9)
4	5	(6)	7	8	(9)	10
5	(6)	7	8	(9)	10	11
6	7	8	(9)	10	11	(12)

(2) 同様に，X が素数となる場合の数は，右の表より 15 通りである。よって，X が素数となる確率は，

素数：1 と自分自身以外に約数をもたない自然数のこと。(ただし，1 は除く) 具体的には，2，3，5，7，11，13，…

$\frac{15}{36}=\frac{5}{12}$ ……………(答)

X の表 (X が素数)

a＼b	1	2	3	4	5	6
1	(2)	(3)	4	(5)	6	(7)
2	(3)	4	(5)	6	(7)	8
3	4	(5)	6	(7)	8	9
4	(5)	6	(7)	8	9	10
5	6	(7)	8	9	10	(11)
6	(7)	8	9	10	(11)	12

くじの問題

元気力アップ問題 82　難易度 ★　CHECK 1　CHECK 2　CHECK 3

10 本のくじがある。その内，当たりくじは **1** 等が **1** 本，**2** 等が **3** 本であり，残りははずれである。このくじを同時に **3** 本引くとき，次の各確率を求めよ。

(1) 当たりくじを少なくとも **1** 本引く確率

(2) **1** 等，**2** 等，はずれをそれぞれ **1** 本ずつ引く確率

(3) 引いた **3** 本の内，**2** 等が **2** 本以上ある確率　（関西学院大）

ヒント！ (1) は“少なくとも”が入っているので，余事象の確率を利用しよう。(2)，(3) は，確率の基本公式 $P(A)=\dfrac{n(A)}{n(U)}$ に従って解けばいいんだね。

解答＆解説

10 本のくじ（1 等 1 本，2 等 3 本，はずれ 6 本）から 3 本を引く全事象を U とおくと，

$n(U)={}_{10}C_3=120$ 通りとなる。

⇦ ${}_{10}C_3=\dfrac{10!}{3!\cdot7!}=\dfrac{10\cdot9\cdot8}{3\cdot2\cdot1}=120$

(1) 当たりくじを少なくとも 1 本引く確率を P とおくと，これは全確率 1 から余事象の確率を引けば求まる。

（余事象：1 本も当たりくじを引かない。3 本ともはずれのこと。）

⇦ $P(A)=1-P(\overline{A})$

$$\therefore P=1-\frac{{}_6C_3}{120}=1-\frac{20}{120}=\frac{5}{6} \quad \cdots\cdots(\text{答})$$

⇦ 6 本のはずれから 3 本を引く場合の数 ${}_6C_3$ は，
${}_6C_3=\dfrac{6!}{3!3!}=\dfrac{6\cdot5\cdot4}{3\cdot2\cdot1}=20$

(2) 1 等，2 等，はずれをそれぞれ 1 本ずつ引く確率を Q とおくと，

（${}_1C_1$：1 本の 1 等，${}_3C_1$：1 本の 2 等，${}_6C_1$：1 本のはずれを引く）

$$Q=\frac{{}_1C_1\times{}_3C_1\times{}_6C_1}{120}=\frac{1\times3\times6}{120}=\frac{3}{20} \quad \cdots(\text{答})$$

(3) 2 等を 2 本または 3 本引く確率を R とおくと，

（${}_3C_2$：2 本の 2 等を引く，${}_3C_3$：3 本の 2 等を引く）

$$R=\frac{{}_3C_2\times{}_7C_1}{120}+\frac{{}_3C_3}{120}=\frac{11}{60} \quad \cdots\cdots(\text{答})$$

⇦ $\dfrac{3\times7}{120}+\dfrac{1}{120}=\dfrac{22}{120}=\dfrac{11}{60}$

確率と2次方程式

元気力アップ問題 83　難易度 ★　CHECK 1　CHECK 2　CHECK 3

袋の中に，赤球 x 個と白球 $10-x$ 個が入っている。(ただし，$0 \leqq x \leqq 10$ とする。) この袋から同時に 2 個の球を取り出したとき，2 個とも赤球である確率が $\frac{1}{15}$ となるような x の値を求めよ。

(東京都市大＊)

ヒント！ 赤球 x 個，白球 $10-x$ 個，計 10 個の球の入った袋から 2 個の球を取り出したとき，これらが 2 個とも赤球となる確率は $\frac{{}_x\mathrm{C}_2}{{}_{10}\mathrm{C}_2}$ となる。これが $\frac{1}{15}$ であることから，x の 2 次方程式が導けるんだね。

解答&解説

10 個の球 (赤球 x 個，白球 $10-x$ 個) の入った袋から 2 個の球を取り出したとき，それらが 2 個とも赤球である確率が $\frac{1}{15}$ より，

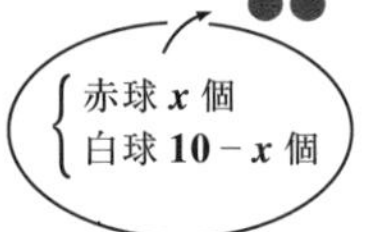

(x 個の赤球から 2 個取り出す)

$$\frac{{}_x\mathrm{C}_2}{{}_{10}\mathrm{C}_2} = \frac{1}{15}$$ となる。これから，

⇦ ${}_x\mathrm{C}_2 = \frac{x!}{2!(x-2)!} = \frac{1}{2}x(x-1)$

${}_{10}\mathrm{C}_2 = \frac{10!}{2!\cdot 8!} = \frac{10\cdot 9}{2} = 45$

$$\frac{\frac{1}{2}x(x-1)}{45} = \frac{1}{15} \qquad \frac{1}{90}x(x-1) = \frac{1}{15}$$

$$x^2 - x = \frac{90}{15} \ (=6) \qquad x^2 - x - 6 = 0$$

$$(x-3)(x+2) = 0 \qquad \therefore x = 3,\ -2$$

ここで，$0 \leqq x \leqq 10$ より，求める x の値は，

$x = 3$ ……………………………………………………(答)

最大値の確率

元気力アップ問題 84　難易度 ★★　CHECK 1　CHECK 2　CHECK 3

サイコロを 4 回投げて，出た目の最大値を X とおく。このとき，次の確率を求めよ。

(1) $X=1$ となる確率　　(2) $X \leqq 2$ となる確率と $X=2$ となる確率

(3) $X=4$ となる確率

ヒント！ (1) $X=1$ となるのは，4 回とも 1 の目が出ることだね。(2) $X \leqq 2$ となるのは，4 回とも 1 または 2 の目が出ることであり，$X \leqq 2$ となる確率から $X=1$ となる確率を引けば，$X=2$ となる確率が求まる。(3) も同様に考えよう。

解答＆解説

$X=k$ となる確率を $P(X=k)$，$X \leqq k$ となる確率を $P(X \leqq k)$ とおく。$(k=1,\ 2,\ \cdots,\ 6)$

(1) $X=1$ となるのは，4 回とも 1 の目が出ることなので，

$$P(X=1)=\left(\frac{1}{6}\right)^4=\frac{1}{6^4}=\frac{1}{1296}$$ ………………(答)

(2) $X \leqq 2$ となるのは，4 回とも，1 または 2 の目が出ることなので，

$$P(X \leqq 2)=\left(\frac{2}{6}\right)^4=\left(\frac{1}{3}\right)^4=\frac{1}{3^4}=\frac{1}{81}$$ ………(答)

（2 は 1 または 2 の目）

$X=2$ となる確率 $P(X=2)$ は，$P(X \leqq 2)$ から $P(X=1)$ を引いたものより，

$$P(X=2)=P(X \leqq 2)-P(X=1)$$
$$=\frac{16-1}{1296}=\frac{15}{1296}=\frac{5}{432}$$ …………(答)

(3) 同様に，確率 $P(X=4)$ は，$P(X \leqq 4)$ から $P(X \leqq 3)$ を引いたものである。よって，

$$P(X=4)=P(X \leqq 4)-P(X \leqq 3)$$
$$=\left(\frac{4}{6}\right)^4-\left(\frac{3}{6}\right)^4=\frac{175}{1296}$$ ……………(答)

ココがポイント

⇦ $\left(\frac{1}{6}\right)^4=\frac{1}{6^4}$（$1$ は 1 の目のみ，6^4 は 1296）

⇦ $P(X \leqq 2)-P(X=1)$
$=\frac{1}{81}-\frac{1}{1296}=\frac{2^4-1}{1296}$
$=\frac{15}{1296}=\frac{5}{432}$

⇦ $\left(\frac{4}{6}\right)^4-\left(\frac{3}{6}\right)^4=\frac{4^4-3^4}{1296}$（$4$ は 1, 2, 3, 4 の目，3 は 1, 2, 3 の目）
$=\frac{256-81}{1296}=\frac{175}{1296}$

じゃんけんの確率

元気力アップ問題 85　難易度 ★★　CHECK 1　CHECK 2　CHECK 3

次の各じゃんけんの確率を求めよ。ただし，じゃんけんをする人はすべてグー，チョキ，パーをみんな同じ確率で出すものとする。

(1) **2** 人が **1** 回じゃんけんして，**1** 人が勝つ確率と，あいこになる確率

(2) **3** 人が **1** 回じゃんけんして，**1** 人が勝つ確率，**2** 人が勝つ確率，そして，あいこになる確率

(3) **3** 人が **3** 回じゃんけんして，**3** 回目に **1** 人の勝者が決まる確率

ヒント！ 一般に，n 人が **1** 回じゃんけんして，k 人 $(k=1,\ 2,\ \cdots,\ n-1)$ が勝ち残る確率を P_k とおくと，n 人がそれぞれグー，チョキ，パーのいずれかを出すので，出る手の全場合の数は 3^n であり，また，n 人中 k 人の勝者を選ぶ場合の数が ${}_nC_k$ であり，かつ勝者が勝つ手は，グー，チョキ，パーのいずれか **3** 通りなので，

$P_k=\frac{{}_nC_k\times 3}{3^n}=\frac{{}_nC_k}{3^{n-1}}$ となる。これは，公式として覚えておこう。なお，

あいことなる確率 P_n は $P_n=1-(\underbrace{P_1+P_1+\cdots+P_{n-1}}_{})$ から求めればいい。

（あいこの余事象：**1** 人，または **2** 人，…，または $n-1$ 人が勝ち残る確率）

解答＆解説

(1) ・**2** 人が **1** 回じゃんけんして，**1** 人が勝ち残る確率 P_1 は，

$$P_1=\frac{{}_2C_1\times 3}{3^2}=\frac{{}_2C_1}{3}=\frac{2}{3}$$ ………………(答)

・また，あいこになる確率 P_2 は，

$$P_2=1-P_1=1-\frac{2}{3}=\frac{1}{3}$$ ………………(答)

（**2** 人が **1** 回じゃんけんして，**2** 人が勝ち残るので，これはあいこになる確率だね。）

(2) ・**3** 人が **1** 回じゃんけんして，k 人 $(k=1,\ 2)$ が勝ち残る確率を Q_k とおくと，

$$Q_k=\frac{{}_3C_k\times 3}{3^3}=\frac{{}_3C_k}{3^2}\quad (k=1,\ 2)$$

ココがポイント

⇦ n 人が **1** 回じゃんけんして k 人 $(k=1,\ 2,\ \cdots,\ n-1)$ が勝ち残る確率 P_k は

$P_k=\frac{{}_nC_k\cdot 3}{3^n}=\frac{{}_nC_k}{3^{n-1}}$

よって，**1** 人が勝ち残る確率 Q_1 と **2** 人が勝ち残る確率 Q_2 は，

$$Q_1 = \frac{{}_3C_1}{3^2} = \frac{3}{3^2} = \frac{1}{3} \quad \cdots\cdots\cdots\cdots\cdots\cdots\text{(答)}$$

⇦ ${}_3C_2 = {}_3C_1 = 3$

$$Q_2 = \frac{{}_3C_2}{3^2} = \frac{3}{3^2} = \frac{1}{3} \quad \cdots\cdots\cdots\cdots\cdots\cdots\text{(答)}$$

・また，このとき，あいこになる確率 Q_3 は，

$$Q_3 = 1 - (Q_1 + Q_2) = 1 - \left(\frac{1}{3} + \frac{1}{3}\right) = \frac{1}{3} \quad \cdots\text{(答)}$$

(3) **3** 人が **3** 回じゃんけんして，**3** 回目に **1** 人の勝者が決まるのは，次の **3** つの場合である。

1回目　2回目　3回目

(ⅰ) **3** 人 → **3** 人 → **3** 人 → **1** 人 (勝者) の場合，

$Q_3 = \frac{1}{3}$　$Q_3 = \frac{1}{3}$　$Q_1 = \frac{1}{3}$

$$Q_3{}^2 \times Q_1 = \left(\frac{1}{3}\right)^2 \times \frac{1}{3} = \frac{1}{27} \quad \cdots\cdots\cdots\cdots①$$

(ⅱ) **3** 人 → **3** 人 → **2** 人 → **1** 人 (勝者) の場合，

$Q_3 = \frac{1}{3}$　$Q_2 = \frac{1}{3}$　$P_1 = \frac{2}{3}$

$$Q_3 \times Q_2 \times P_1 = \frac{1}{3} \times \frac{1}{3} \times \frac{2}{3} = \frac{2}{27} \quad \cdots\cdots②$$

(ⅲ) **3** 人 → **2** 人 → **2** 人 → **1** 人 (勝者) の場合，

$Q_2 = \frac{1}{3}$　$P_2 = \frac{1}{3}$　$P_1 = \frac{2}{3}$

$$Q_2 \times P_2 \times P_1 = \frac{1}{3} \times \frac{1}{3} \times \frac{2}{3} = \frac{2}{27} \quad \cdots\cdots③$$

以上 (ⅰ)(ⅱ)(ⅲ) の①，②，③より，求める確率は，

$$\frac{1}{27} + \frac{2}{27} + \frac{2}{27} = \frac{5}{27} \quad \cdots\cdots\cdots\cdots\cdots\cdots\text{(答)}$$

独立試行の確率

元気力アップ問題 86	難易度 ★	CHECK 1	CHECK 2	CHECK 3

弓で的を射るとき，**A** が命中させる確率は $\frac{2}{3}$，**B** が命中させる確率は $\frac{3}{5}$，**C** が命中させる確率は $\frac{4}{7}$ である。このとき，次の各確率を求めよ。

(1) **3** 人中 **2** 人だけが命中させる確率

(2) **3** 人中少なくとも **1** 人が命中させる確率　　（城西大＊）

ヒント！ **(1)** は，**3** 通りに場合分けして，確率計算する。**(2)** には，“少なくとも **1** 人”が来ているので，余事象の確率を利用して解けばいいんだね。

解答＆解説

(1) 命中を“○”，はずれを“×”で記号化して表すと，**3** 人中 **2** 人だけが命中する，すなわち

(A，B，C)＝(○，○，×)，または(○，×，○)，
または(×，○，○)

となる確率を求めればよい。

A，B，C が命中(○)する確率は，順に，

$\frac{2}{3}$，$\frac{3}{5}$，$\frac{4}{7}$ より，求める確率は

$$\frac{2}{3}\times\frac{3}{5}\times\underline{\underline{\frac{3}{7}}}+\frac{2}{3}\times\underline{\underline{\frac{2}{5}}}\times\frac{4}{7}+\underline{\underline{\frac{1}{3}}}\times\frac{3}{5}\times\frac{4}{7}$$

[(○，○，×)，(○，×，○)，(×，○，○)]

$$=\frac{18+16+12}{105}=\frac{46}{105}$$ ……………………(答)

⇦ ・**A** が × となる確率 $1-\frac{2}{3}=\underline{\underline{\frac{1}{3}}}$

・**B** が × となる確率 $1-\frac{3}{5}=\underline{\underline{\frac{2}{5}}}$

・**C** が × となる確率 $1-\frac{4}{7}=\underline{\underline{\frac{3}{7}}}$

(2) **3** 人中少なくとも **1** 人が命中させる確率は，全確率 **1** から，**3** 人ともはずす確率（余事象の確率）を引いたものに等しい。よって，求める確率は，

$$1-\underline{\underline{\frac{1}{3}}}\times\underline{\underline{\frac{2}{5}}}\times\underline{\underline{\frac{3}{7}}}=1-\frac{2}{35}=\frac{33}{35}$$ ……………(答)

[(×，×，×)]

⇦ 公式 $P(A)=1-P(\overline{A})$ を利用した。

確率の乗法定理

元気力アップ問題 87　難易度 ★★　CHECK 1　CHECK 2　CHECK 3

袋の中に **10** 個の白球と **5** 個の赤球が入っている。袋から順に **1** 個ずつ **4** 個の球を取り出して並べるとき，次の各確率を求めよ。

(1) **2** 番目の球が赤球である確率

(2) **2** 番目と **4** 番目の球が赤球である確率　　（東北学院大＊）

ヒント！ **(1)** では，球が順に（赤，赤）か（白，赤）の **2** 通りの確率の和を求める。**(2)** では，（赤，赤，赤，赤），（赤，赤，白，赤），（白，赤，赤，赤），（白，赤，白，赤）となる **4** 通りの確率の和を求めればいいんだね。

解答＆解説

(1) **2** 番目の球が赤球であるとき，球は順に（赤，赤），（白，赤）の **2** 通りがあるので，求める確率は，

$$\frac{5}{15}\times\frac{4}{14}+\frac{10}{15}\times\frac{5}{14}=\frac{\overset{5}{\cancel{70}}}{15\times\cancel{14}}=\frac{1}{3}\quad\cdots\cdots\cdots(\text{答})$$

（赤，赤）（白，赤）

(2) **2** 番目と **4** 番目の球が赤球であるとき，球は順に（赤，赤，赤，赤），（赤，赤，白，赤），（白，赤，赤，赤），（白，赤，白，赤）の **4** 通りがあるので，求める確率は，

$$\frac{5}{15}\times\frac{4}{14}\times\frac{3}{13}\times\frac{2}{12}+\frac{5}{15}\times\frac{4}{14}\times\frac{10}{13}\times\frac{3}{12}$$

（赤，赤，赤，赤）（赤，赤，白，赤）

$$+\frac{10}{15}\times\frac{5}{14}\times\frac{4}{13}\times\frac{3}{12}+\frac{10}{15}\times\frac{5}{14}\times\frac{9}{13}\times\frac{4}{12}$$

（白，赤，赤，赤）（白，赤，白，赤）

$$=\frac{3120}{15\cdot14\cdot13\cdot12}=\frac{2}{21}\quad\cdots\cdots\cdots\cdots\cdots\cdots\cdots\cdots(\text{答})$$

ココがポイント

⇦・**1** 番目に赤，**2** 番目も赤を取り出すとき，

5 個中 1 個の赤球を取る　残り 4 個中 1 個の赤球を取る

$$\frac{5}{15}\times\frac{4}{14}$$

・**1** 番目に白，**2** 番目に赤を取り出すときも同様に考える。

⇦取り出した球は元に戻さないので，前に取り出した球が赤か白かによって，後の確率に影響が出るんだね。よって，これは独立な試行ではないね。

⇦ $\frac{312\cancel{0}}{\underset{3}{\cancel{15}}\cdot\underset{7}{\cancel{14}}\cdot13\cdot12}=\frac{\overset{104}{\cancel{312}}}{\cancel{3}\cdot7\cdot13\cdot12}$

$=\frac{\overset{26}{\cancel{104}}}{7\cdot13\cdot\underset{3}{\cancel{12}}}=\frac{\overset{2}{\cancel{26}}}{7\cdot\cancel{13}\cdot3}=\frac{2}{21}$

反復試行の確率

元気力アップ問題 88　難易度 ★　CHECK 1　CHECK 2　CHECK 3

A が，あるゲームを **1** 回やって，勝つ確率は $\frac{1}{3}$，負ける確率は $\frac{2}{3}$ である。

A がこのゲームを **4** 回やったとき，k 回だけ勝つ確率を $P_k\ (k=0,\ 1,\ 2,\ 3,\ 4)$ とおく。P_k の最大値と，そのときの k の値を求めよ。

ヒント！ この P_k は，反復試行の確率より，$P_k = {}_4C_k p^k q^{4-k}\left(k=0,\ 1,\ \cdots,\ 4,\ p=\frac{1}{3},\ q=1-p\right)$ となるんだね。ここで，$k=0,\ 1,\ \cdots,\ 4$ のときの P_k を調べて最大値を求めよう。

解答＆解説

A が，**1** 回ゲームをやって，勝つ確率 $p=\frac{1}{3}$ であり，負ける確率 $q=1-p=\frac{2}{3}$ である。ここで，**A** がゲームを **4** 回やって，その内 k 回 $(k=0,\ 1,\ 2,\ 3,\ 4)$ だけ勝つ確率 P_k は，反復試行の確率より，

$$P_k = {}_4C_k p^k q^{4-k} = {}_4C_k\left(\frac{1}{3}\right)^k\left(\frac{2}{3}\right)^{4-k}$$

$$\therefore\ P_k = \frac{{}_4C_k\cdot 2^{4-k}}{81}\ \cdots\cdots①\quad (k=0,\ 1,\ 2,\ 3,\ 4)$$

よって，①より，

(ｉ) $k=0$ のとき，$P_0=\frac{{}_4C_0\cdot 2^4}{81}=\frac{16}{81}$

(ⅱ) $k=1$ のとき，$P_1=\frac{{}_4C_1\cdot 2^3}{81}=\frac{4\times 8}{81}=\frac{32}{81}$

(ⅲ) $k=2$ のとき，$P_2=\frac{{}_4C_2\cdot 2^2}{81}=\frac{6\times 4}{81}=\frac{24}{81}$

(ⅳ) $k=3$ のとき，$P_3=\frac{{}_4C_3\cdot 2^1}{81}=\frac{4\times 2}{81}=\frac{8}{81}$

(ｖ) $k=4$ のとき，$P_4=\frac{{}_4C_4\cdot 2^0}{81}=\frac{1}{81}$

以上(ｉ)～(ｖ)より，$k=1$ のとき P_k は最大となる。

最大値 $P_1=\frac{32}{81}$ ……………………………(答)

ココがポイント

⇦ ${}_4C_k\left(\frac{1}{3}\right)^k\cdot\left(\frac{2}{3}\right)^{4-k}$
$= {}_4C_k\cdot\frac{1}{3^k}\cdot\frac{2^{4-k}}{3^{4-k}}$
$3^k\cdot 3^{4-k} = 3^{k+4-k}=3^4=81$
$=\frac{{}_4C_k\cdot 2^{4-k}}{81}$

⇦ $P_0+P_1+P_2+P_3+P_4=1$（全確率）となることも確認できるね。

反復試行の確率の応用

元気力アップ問題 89 　難易度 ★★ 　CHECK 1 　CHECK 2 　CHECK 3

xy 平面上を動く動点 $\mathbf{P}(x,\ y)$ について，正しいコインを 1 回投げて，

(ⅰ) 表が出ると，$\mathbf{P}(x,\ y)$ を $\mathbf{P}(x+1,\ y)$ に移動させ，
(ⅱ) 裏が出ると，$\mathbf{P}(x,\ y)$ を $\mathbf{P}(x,\ y+1)$ に移動させる。

このとき，次の確率を求めよ。

(1) 動点 **P** が，原点 **O(0, 0)** から点 **A(3, 4)** に到着する確率

(2) 動点 **P** が，点 **B(2, 2)** を通らないで，原点 **O(0, 0)** から点 **A(3, 4)** に到着する確率 　（慶応大＊）

ヒント！ (1) は，7 回中表 3 回，裏 4 回出る反復試行の確率になるね。(2) は，(1) の結果から，O → B → A と P が移動する確率を引けばいいんだね。

解答＆解説

(1) 動点 **P** が原点 **O** から点 **A(3, 4)** に到着する確率は，コインを 7 回投げて，その内 3 回だけ表の出る確率（反復試行の確率）になる。よって，

$${}_7C_3\cdot\left(\frac{1}{2}\right)^3\cdot\left(\frac{1}{2}\right)^4=\frac{7\cdot\cancel{6}\cdot5}{\cancel{3\cdot2}\cdot1\cdot2^7}=\frac{35}{128}\ \cdots①\ (答)$$

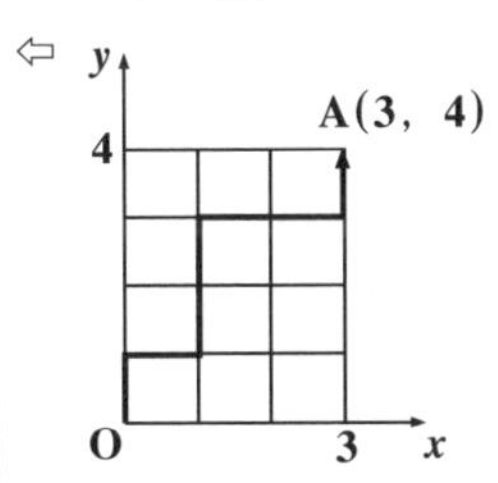

(2) 動点 **P** が，**O** → **B(2, 2)** → **A(3, 4)** のように，

$${}_4C_2\cdot\left(\frac{1}{2}\right)^2\cdot\left(\frac{1}{2}\right)^2 \qquad {}_3C_1\cdot\frac{1}{2}\cdot\left(\frac{1}{2}\right)^2$$

（表 2 回）（裏 2 回）　（表 1 回）（裏 2 回）

点 **B** を通って，**O** から **A** に至る確率は，

$${}_4C_2\cdot\left(\frac{1}{2}\right)^2\cdot\left(\frac{1}{2}\right)^2\times{}_3C_1\cdot\frac{1}{2}\cdot\left(\frac{1}{2}\right)^2=\frac{6}{2^4}\times\frac{3}{2^3}$$

$$=\frac{18}{2^7}=\frac{18}{128}\ \cdots\cdots②$$

← 後の計算のために，これは既約分数にはしていない。

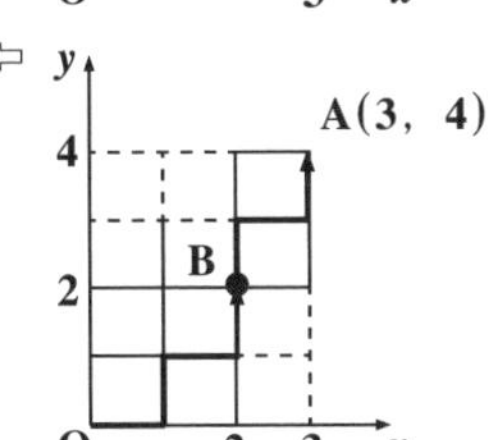

となる。よって，動点 **P** が **B** を通らずに，**O** から **A** に至る確率は，①－②より，

$$\frac{35}{128}-\frac{18}{128}=\frac{17}{128}$$ である。……………………(答)

条件付き確率

元気力アップ問題 90　難易度 ★★　CHECK 1　CHECK 2　CHECK 3

赤球 **6** 個と白球 **4** 個の入った袋 **P** と，赤球 **3** 個と白球 **7** 個の入った袋 **Q** がある。確率 $\frac{3}{5}$ で袋 **P** を，また確率 $\frac{2}{5}$ で袋 **Q** を選び，その袋から **1** つだけ球を取り出した結果，その球は赤球であった。このとき，選択した袋が **P** である確率を求めよ。

ヒント！ 事象 A：赤球を取り出す，および事象 B：袋 **P** を選ぶ，とおいて条件付き確率 $P_A(B)=\frac{P(A\cap B)}{P(A)}$ を求めればいいんだね。

解答＆解説

$\begin{cases} \text{事象 } A\text{：赤球を取り出す} \\ \text{事象 } B\text{：袋 P を選ぶ} \end{cases}$ とおく。

事象 A の起こる確率を $P(A)$ とおくと，

$$P(A)=\underbrace{\frac{3}{5}}_{\text{袋Pを選ぶ}}\times\underbrace{\frac{6}{10}}_{\text{赤球を取り出す}}+\underbrace{\frac{2}{5}}_{\text{袋Qを選ぶ}}\times\underbrace{\frac{3}{10}}_{\text{赤球を取り出す}}=\frac{18+6}{50}$$

$$=\frac{24}{50}=\frac{12}{25}\quad\cdots\cdots①$$

ここで，A かつ B が起こる確率 $P(A\cap B)$ は（袋 **P** を選んで，かつ赤球を取り出す）

$$P(A\cap B)=\underbrace{\frac{3}{5}}_{\text{袋Pを選んで}}\times\underbrace{\frac{6}{10}}_{\text{赤球を取り出す}}=\frac{18}{50}=\frac{9}{25}\quad\cdots\cdots②$$

①，②より，求める条件付き確率 $P_A(B)$ は，

$$P_A(B)=\frac{P(A\cap B)}{P(A)}=\frac{\frac{9}{25}}{\frac{12}{25}}=\frac{9}{12}=\frac{3}{4}\quad\cdots\cdots\cdots\cdots\text{(答)}$$

ココがポイント

⇦ ・袋 **P** $\left(\frac{3}{5}\right)$　赤 **6** 個　白 **4** 個　→ ●赤

・袋 **Q** $\left(\frac{2}{5}\right)$　赤 **3** 個　白 **7** 個　→ ●赤

⇦ ベン図のイメージ

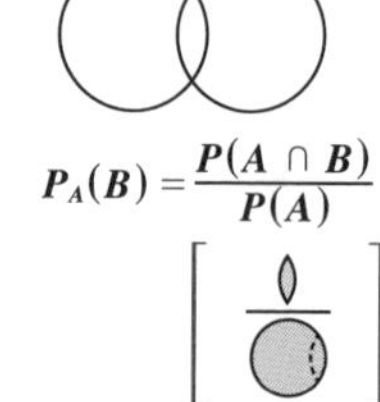

条件付き確率

元気力アップ問題 91　難易度 ★★　CHECK 1　CHECK 2　CHECK 3

S さんは，訪れた家に $\frac{1}{5}$ の確率で本を忘れるものとする。ある日，**S** さんが本を持って出て，**a** と **b** の家を順に訪れて，自宅に帰ったら本を忘れていた。このとき，**S** さんが **b** の家に本を忘れた確率を求めよ。

ヒント！ 事象 X：**a** または **b** の家に本を忘れる，事象 B：**b** の家に本を忘れる，とおいて，条件付き確率 $P_X(B)=\frac{P(X\cap B)}{P(X)}$ を求めればいいね。頑張ろう！

解答＆解説

事象 X：**S** さんが **a** または **b** の家に本を忘れる
事象 B：**S** さんが **b** の家に本を忘れる

とおく。

事象 X の起こる確率を $P(X)$ とおくと，

$$P(X)=\frac{1}{5}+\frac{4}{5}\times\frac{1}{5}=\frac{5+4}{25}=\frac{9}{25}\quad\cdots\cdots①$$

（a に本を忘れる）（a に本を忘れない）（b に本を忘れる）

ここで，X かつ B，すなわち B が起こる確率

（S が b の家に本を忘れる。つまり B と同じ。）

$P(X\cap B)=P(B)$ は，

$$P(X\cap B)=P(B)=\frac{4}{5}\times\frac{1}{5}=\frac{4}{25}\quad\cdots\cdots②$$

（a に本を忘れないで，）（b に本を忘れる）

①，②より，求める条件付き確率 $P_X(B)$ は，

$$P_X(B)=\frac{P(X\cap B)}{P(X)}=\frac{\frac{4}{25}}{\frac{9}{25}}=\frac{4}{9}\quad\cdots\cdots（答）$$

ココがポイント

⇦ ベン図

X
B

よって，
$P(X\cap B)=P(B)$

⇦ イメージ

$P_X(B)=\frac{P(X\cap B)}{P(X)}$

$\left[\frac{Ⓑ}{Ⓧ}\right]$

4 図形と計量　5 データの分析　6 場合の数と確率

第6章 ● 場合の数と確率の公式の復習

1. 順列の数 ${}_n\mathrm{P}_r = \dfrac{n!}{(n-r)!}$ $(= r! \cdot {}_n\mathrm{C}_r)$

2. 同じものを含む順列の数 $\dfrac{n!}{p!q!r!\cdots}$

3. 円順列の数 $(n-1)!$

4. 組合せの数 ${}_n\mathrm{C}_r = \dfrac{n!}{r!(n-r)!}$，重複組合せの数 ${}_n\mathrm{H}_r = {}_{n+r-1}\mathrm{C}_r$

5. 組合せの数の公式

(i) ${}_n\mathrm{C}_0 = {}_n\mathrm{C}_n = 1$　(ii) ${}_n\mathrm{C}_1 = n$　(iii) ${}_n\mathrm{C}_r = {}_n\mathrm{C}_{n-r}$　など

6. 確率の加法定理

(i) $A \cap B = \phi$ (A と B が互いに排反) のとき，

$$P(A \cup B) = P(A) + P(B)$$

(ii) $A \cap B \neq \phi$ (A と B が互いに排反でない) のとき，

$$P(A \cup B) = P(A) + P(B) - P(A \cap B)$$

7. 余事象の確率

(1) $P(A) + P(\overline{A}) = 1$　(2) $P(A) = 1 - P(\overline{A})$

8. 独立な試行の確率

互いに独立な試行 T_1, T_2 について，試行 T_1 で事象 A が起こり，かつ試行 T_2 で事象 B が起こる確率は，$P(A) \times P(B)$

9. 反復試行の確率

ある試行を1回行って事象 A の起こる確率を p とおくと，この独立な試行を n 回行って，その内 r 回だけ事象 A の起こる確率は，

${}_n\mathrm{C}_r p^r q^{n-r}$ $(r = 0, 1, 2, \cdots, n)$　(ただし，$q = 1 - p$)

10. 条件付き確率

事象 A が起こったという条件の下で，事象 B が起こる条件付き確率 $P_A(B)$ は，$P_A(B) = \dfrac{P(A \cap B)}{P(A)}$

11. 確率の乗法定理

$P(A \cap B) = P(A) \cdot P_A(B)$

第 7 章
CHAPTER

7 整数の性質

▶ **整数問題**
($A \cdot B = n$ 型，範囲を押さえる型)

▶ **ユークリッドの互除法，不定方程式**
($ax + by = n$)

▶ **n 進法と合同式**

$$\left(\begin{array}{l} 1011_{(2)} = 102_{(3)} = 21_{(5)} = 11_{(10)} \\ a \equiv b \pmod{n} \end{array}\right)$$

第7章 整数の性質 ●公式＆解法パターン

1. 整数の約数(やくすう)と倍数(ばいすう)

整数 b が整数 a で割り切れるとき，つまり

$b = m \cdot a$ ……(＊)（ただし，$a \neq 0$ とする。）

となる整数 m が存在するとき，

・「a は，b の**約数**である。」と言えるし，また

・「b は，a の**倍数**である。」と言えるんだね。

2. 2, 3, 4, 5, 6, 8, 9 の倍数のチェック法

(i) **2** の倍数：一の位の数が **0, 2, 4, 6, 8** のいずれかである。

(ii) **3** の倍数：各位の数の和が **3** の倍数である。

(iii) **4** の倍数：下 **2** 桁が **4** の倍数である。

(iv) **5** の倍数：一の位の数が **0, 5** のいずれかである。

(v) **6** の倍数： **2** の倍数であり，かつ **3** の倍数である。

(vi) **8** の倍数：下 **3** 桁が **8** の倍数である。

(vii) **9** の倍数：各位の数の和が **9** の倍数である。

(*ex*) **4212** は，下 **2** 桁が **12** で **4 の倍数**。また，**4**+**2**+**1**+**2**=**9** なので，**9 の倍数**。よって，**4212** は **4**×**9**=**36** の倍数であることが分かる。

3. 素数(そすう)と合成数(ごうせいすう)

1 を除く正の整数(自然数)は，次のように素数と合成数に分類できる。

(i) **素数**：**1** と自分自身以外に約数をもたないもの。

(ii) **合成数**：**1** と自分自身以外にも約数をもつもの。

1 だけは，素数でも合成数でもないことに注意しよう。

具体的に素数を小さい順に並べると，

2, 3, 5, 7, 11, 13, 17, 19, 23, 29, 31, 37, 41, 43, 47, …となる。

2 を除くと，素数はすべて奇数であることに注意しよう。

4. 素因数分解と正の約数の個数

合成数は，素数の積の形に**素因数分解**できる。そして，合成数を素因数分解することにより，その合成数の正の約数の個数が分かる。

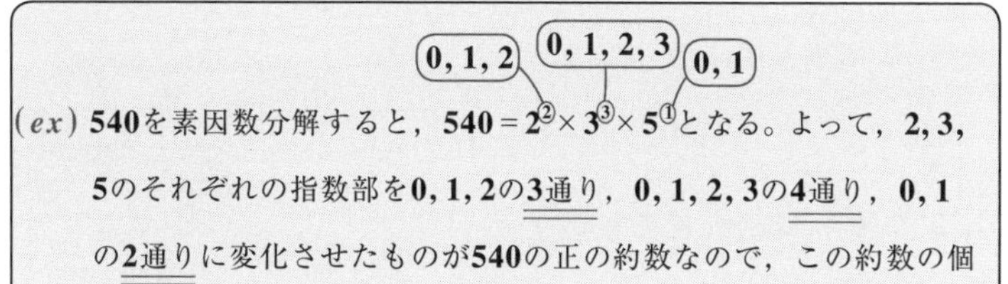

(*ex*) **540**を素因数分解すると，**540** $= 2^{②} \times 3^{③} \times 5^{①}$ となる。よって，**2, 3, 5**のそれぞれの指数部を**0, 1, 2**の**3通り**，**0, 1, 2, 3**の**4通り**，**0, 1**の**2通り**に変化させたものが**540**の正の約数なので，この約数の個数は**3×4×2＝24個**である。

5. $A \cdot B = n$ 型の整数の方程式

$A \cdot B = n$ ……① (A, B：整数の式，n：整数)

の解は，n の約数を A, B に割り当てる，右の表を用いて求めることができる。

A	1	n	…	-1	$-n$
B	n	1	…	$-n$	-1

(*ex*) 整数 x, y が，$(x+y)(x-y) = -3$ をみたすとき，$x+y$ も $x-y$ も整数より，右の表から，

$x+y$	1	-1	3	-3
$x-y$	-3	3	-1	1

$(x+y, x-y) = (1, -3), (-1, 3),$
$(3, -1), (-3, 1)$

よって，$(x, y) = (-1, 2), (1, -2), (1, 2), (-1, -2)$ の **4** 組が解となる。

6. 最大公約数(さいだいこうやくすう) g と最小公倍数(さいしょうこうばいすう) L

2 つの正の整数 a, b について，

(i) a と b の共通の約数(**公約数**)の中で最大のものを**最大公約数** g という。
($g = 1$ のとき，a と b は**互い**(たが)**に素**(そ)であるという。)

(ii) a と b の共通の倍数(**公倍数**)の中で最小のものを**最小公倍数** L という。

(*ex*) **84** と **105** の最大公約数 $g = 3 \times 7 = 21$ であり，
最小公倍数 $L = 3 \times 7 \times 4 \times 5 = 420$ である。

$$
\begin{array}{r|rr}
3 & 84 & 105 \\
\hline
7 & 28 & 35 \\
\hline
 & 4 & 5
\end{array}
$$

(g：3, 7　L：3, 7, 4, 5)

7. 最大公約数 g と最小公倍数 L の公式

2 つの正の整数 a, b の最大公約数を g,
最小公倍数を L とおくと，次の公式が成り立つ。

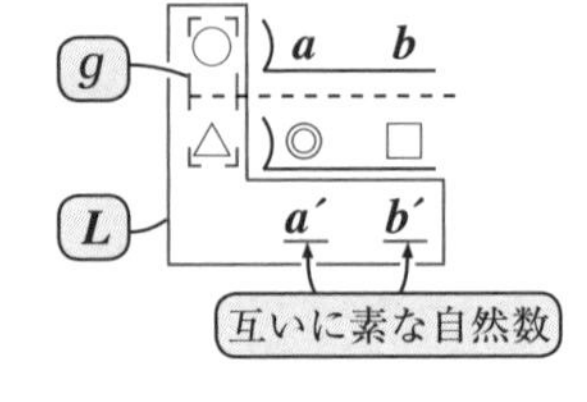

(i) $\begin{cases} a = g \cdot a' \\ b = g \cdot b' \end{cases}$ ………$(*1)$

(a', b'：互いに素な正の整数)

(ii) $L = g \cdot a' \cdot b'$ ……$(*2)$

(iii) $a \cdot b = g \cdot L$ ……$(*3)$

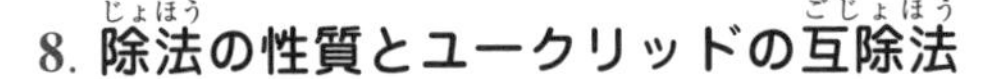

8. 除法(じょほう)の性質とユークリッドの互除法(ごじょほう)

(1) 除法の性質

整数 a を正の整数 b で割ったときの**商**を q，**余り**を r とおくと，次式が成り立つ。

$a = b \times q + r$ ……$(*)$ $(0 \leqq r < b)$

割られる数　割る数　商　余り

これから，整数問題を解くのに必要な次の基本事項も導ける。

- 連続する **2** 整数の積 $n(n+1)$ は，**2** の倍数である。
- 連続する **3** 整数の積 $n(n+1)(n+2)$ は，**6** の倍数である。
- 整数 n の平方数 n^2 を **3** で割ると，余りは **0** または **1** のみである。
  (ただし，n：整数)

(2) ユークリッドの互除法

a と b の最大公約数が g であるとき，a を b で割って，
$a = b \times q + r$ とおくと，b と r の最大公約数も g である。

商　余り

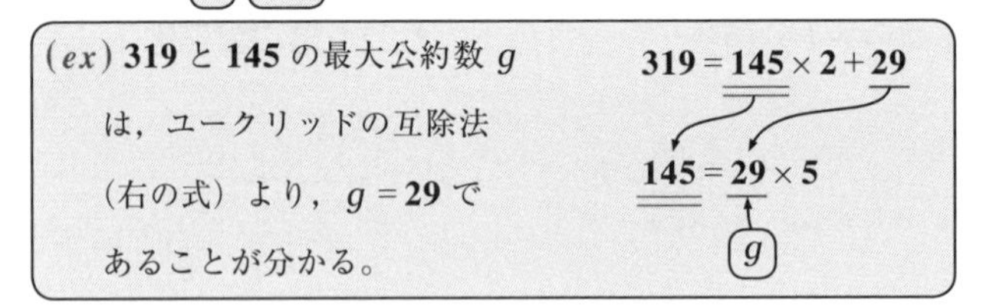
(ex) **319** と **145** の最大公約数 g は，ユークリッドの互除法（右の式）より，$g = 29$ であることが分かる。

$319 = 145 \times 2 + 29$

$145 = 29 \times 5$

g

9. n 進法(記数法)

10 進法表示で，**1** から **10** までの数を，**2** 進法，**3** 進法，**5** 進法，**8** 進法，で表すと，次の表のようになる。

10 進数	1	2	3	4	5	6	7	8	9	10
2 進数	1	10	11	100	101	110	111	1000	1001	1010
3 進数	1	2	10	11	12	20	21	22	100	101
5 進数	1	2	3	4	10	11	12	13	14	20
8 進数	1	2	3	4	5	6	7	10	11	12

10. 既約分数が有限小数となる条件

既約分数の分母の素因数が **2** と **5** のみであるとき，

この既約分数は有限小数となる。

11. 合同式(ごうどうしき)

(1) 合同式の定義

2 つの整数 a と b を，ある正の整数 n で割ったときの余りが等しいとき，

$a \equiv b \pmod{n}$ ……(∗)と書き，

「**a と b は，n を法として合同である。**」という。

(2) 合同式の公式

$a \equiv b \pmod{n}$，かつ $c \equiv d \pmod{n}$ のとき，

(i) $a + c \equiv b + d \pmod{n}$　(ii) $a - c \equiv b - d \pmod{n}$

(iii) $a \times c \equiv b \times d \pmod{n}$　(iv) $a^m \equiv b^m \pmod{n}$

(ただし，m：正の整数)

(ex) $297 \equiv 3 \pmod{7}$，$382 \equiv 4 \pmod{7}$ より，

(i) $297 \times 382 \equiv 3 \times 4 \equiv 5 \pmod{7}$

$\therefore$ 297×382 を **7** で割った余りは **5** である。

(ii) $297^4 \equiv 3^4 \equiv 9^2 \equiv 2^2 \equiv 4 \pmod{7}$

$\therefore$ 297^4 を **7** で割った余りは **4** である。

素因数分解と約数

元気力アップ問題 92	難易度 ★	CHECK 1	CHECK 2	CHECK 3

次の各問いに答えよ。

(1) 72 の正の約数の個数とその約数の総和を求めよ。

(2) 12^n の正の約数の個数が 28 個となるような自然数 n の値を求めよ。

(摂南大，慶応大)

ヒント！ 一般に，正の整数を素因数分解して，$p^a \cdot q^b \cdots$ であるとき，この正の約数の個数は $(a+1)(b+1)\cdots$ 個であり，その約数の総和は，$(1+p+\cdots+p^a)(1+q+\cdots+q^b)\cdots$ となるんだね。

解答＆解説

(1) 72 を素因数分解すると，$72 = 2^{3} \cdot 3^{2}$ より，（0, 1, 2, 3）（0, 1, 2）

72 の正の約数の個数は，

$(3+1)\times(2+1) = 4\times3 = 12$ 個である。 …(答)

また，72 の正の約数の総和は，

$(1+2+2^2+2^3)\cdot(1+3+3^2) = 195$ である。

（$1+2+4+8=15$）（$1+3+9=13$）

……(答)

(2) $12^n = (2^2\cdot3)^n = 2^{2n}\cdot3^n$ より，この正の約数の個数は，$(2n+1)\cdot(n+1)$ であり，これは題意より 28 となる。

よって，$(2n+1)(n+1) = 28$

$2n^2+3n+1 = 28$

$2n^2+3n-27 = 0$

$$\begin{array}{ccc} 2 & \times & 9 \\ 1 & & -3 \end{array}$$

← たすきがけ

$(2n+9)(n-3) = 0$

ここで，n は正の整数より，

$n = 3$ ……………………………………(答)

ココがポイント

⇐
$$\begin{array}{r|l} 2 & 72 \\ 2 & 36 \\ 2 & 18 \\ 3 & 9 \\ & 3 \end{array}$$

⇐ $12^n = 2^{2n}\cdot3^n$ より，12^n の正の約数の個数は，$(2n+1)(n+1)$ になる。

A・B = n 型の整数問題

元気力アップ問題 93　難易度 ★　CHECK 1　CHECK 2　CHECK 3

正の整数 x, y が, $x^2 + xy = x + y + 10$ ……①をみたす。
このとき，正の整数の組 (x, y) をすべて求めよ。

ヒント！ ①を変形して，$A \cdot B = n$ (A, B：整数の式，n：整数) の形に持ち込み，表を利用して解いていく，典型的な整数問題だね。

解答＆解説

$x^2 + xy = x + y + 10$ ……① (x, y：正の整数)
を変形して，

$x(x+y) - (x+y) = 10$

$\underbrace{(x+y)}_{\oplus}(x-1) = \underbrace{10}_{\oplus}$ …②となる。 ← $A \cdot B = n$ の形になった！

($ただし, 0 < x - 1 < x + y$)

⇦ $x > 0$, $y > 0$ より $x+y > 0$, ②の右辺 $10 > 0$ より，$x - 1 > 0$ となる。
また，$\underset{\oplus}{x+y} > \underset{\ominus}{x-1}$ も成り立つ。

ここで，$x + y$ も $x - 1$ も正の整数で，$x + y > x - 1$ より，$x + y$ と $x - 1$ の値の組は右の表の 2 組のみである。

$x+y$	10	5
$x-1$	1	2

(i) $\begin{cases} x + y = 10 \\ x - 1 = 1 \end{cases}$ のとき，$(x, y) = (2, 8)$

(ii) $\begin{cases} x + y = 5 \\ x - 1 = 2 \end{cases}$ のとき，$(x, y) = (3, 2)$

以上 (i)(ii) より，①をみたす正の整数の組 (x, y) は全部で 2 組あり，
$(x, y) = (2, 8)$, $(3, 2)$ である。…………………(答)

ココがポイント

A・B＝n 型の整数問題

元気力アップ問題 94　難易度 ★★　CHECK 1　CHECK 2　CHECK 3

整数 x，y が，$\frac{3}{x^2}+\frac{1}{y}=1$ ……① をみたす。
このとき，整数の組 (x, y) をすべて求めよ。　（京都女子大）

ヒント！ これも，①を変形して，$A \cdot B = n$（A，B：整数の式，n：整数）の形に持ち込んで解いていこう。

解答＆解説

$\frac{3}{x^2}+\frac{1}{y}=1$ ……① (x，y：整数，$x \neq 0$，$y \neq 0$)

①の両辺に x^2y をかけて変形すると，

$3y+x^2=x^2y$

$x^2y-x^2-3y=0$

$x^2(y-1)-3(y-1)=0+3$

$(x^2-3)(y-1)=3$ となる。ここで，x^2-3 と $y-1$ は共に整数なので，これらの取り得る値の組は，右の表に示すように，4 通りある。

x^2-3	1	3	-1	-3
$y-1$	3	1	-3	-1

(i) $\begin{cases} x^2-3=1 \\ y-1=3 \end{cases}$ のとき，

$x^2=4$ より，$x=\pm 2$，かつ $y=4$

$\therefore (x, y)=(2, 4)$，$(-2, 4)$

(ii) $\begin{cases} x^2-3=3 \\ y-1=1 \end{cases}$ のとき，

$x^2=6$ より，$x=\pm\sqrt{6}$ となって，

x が整数である条件に反する。

よって，不適。

ココがポイント

⇦ x^2 と y が①式の分母にあるので，$x \neq 0$，$y \neq 0$ でないといけないね。

⇦ $A \cdot B = n$ の形になった！

⇦ x^2-3 と $y-1$ は，負(⊖)の整数にもなり得る。

(iii) $\begin{cases} x^2 - 3 = -1 \\ y - 1 = -3 \end{cases}$ のとき，

$x^2 = 2$ より，$x = \pm\sqrt{2}$ となって，

x が整数である条件に反する。

よって，不適。

(iv) $\begin{cases} x^2 - 3 = -3 \\ y - 1 = -1 \end{cases}$ のとき，

$x^2 = 0$ より，$x = 0$，かつ $y = 0$ となって，

$x \neq 0$，かつ $y \neq 0$ の条件に反する。

よって，不適。

⇦①より $x \neq 0$，$y \neq 0$ の条件があるからね。

以上(i)～(iv)より，①をみたす整数の組

(x, y) は全部で 2 組存在し，

$(x, y) = (2, 4)$，$(-2, 4)$ である。……………(答)

A・B＝n型の応用

元気力アップ問題 95　難易度 ★★　CHECK 1　CHECK 2　CHECK 3

x の 2 次方程式 $px^2+(1-p)x+2=0$ …① $(p \neq 0)$ が相異なる 2 つの整数解 α，β $(\alpha<\beta)$ をもつとき，α と β と p の値の組をすべて求めよ。

Babaのレクチャー 一般に，2 次方程式 $ax^2+bx+c=0$ …㋐ $(a \neq 0)$ が 2 つの解 α，β をもつとき，㋐，すなわち $x^2+\frac{b}{a}x+\frac{c}{a}=0$ …㋐′ は，
$(x-\alpha)(x-\beta)=0$，すなわち $x^2-(\alpha+\beta)x+\alpha\beta=0$ …㋑ と一致するので，
㋐′と㋑の各係数を比較すると，次の関係式が得られる。

$$\begin{cases} \alpha+\beta=-\dfrac{b}{a} \cdots(*1) \\ \alpha\beta=\dfrac{c}{a} \cdots\cdots\cdots(*2) \end{cases}$$

$-(\alpha+\beta)=\frac{b}{a}$ より

これを“**解と係数の関係**”というんだね。

解答＆解説

2 次方程式 $px^2+(1-p)x+2=0$ …① $(p \neq 0)$ が相異なる 2 つの整数解 α，β をもつので，
解と係数の関係より，

$$\begin{cases} \alpha+\beta=-\dfrac{1}{p}+1 \cdots② \\ \alpha\beta=\dfrac{2}{p} \cdots\cdots\cdots\cdots\cdots③ \end{cases}$$

②×2＋③により，p を消去すると，

$2(\alpha+\beta)+\alpha\beta=2$

$\alpha\beta+2\alpha+2\beta=2$

$\alpha(\beta+2)+2(\beta+2)=2+4$

$(\alpha+2)(\beta+2)=6$

ここで，$\alpha+2$ と $\beta+2$ は共に整数で，また，
$\alpha<\beta$ より，$\alpha+2<\beta+2$

ココがポイント

⇦ $ax^2+bx+c=0$ が 2 つの解 α，β をもつとき，解と係数の関係：
$\begin{cases} \alpha+\beta=-\dfrac{b}{a} \\ \alpha\beta=\dfrac{c}{a} \end{cases}$ より，
今回は，
$\begin{cases} \alpha+\beta=-\dfrac{1-p}{p} \\ \quad=-\dfrac{1}{p}(1-p) \\ \alpha\beta=\dfrac{2}{p} \end{cases}$ となる。

⇦これから，$A \cdot B=n$ の形にもち込もう！

⇦$A \cdot B=n$ 型が完成した！

よって，$\alpha+2$ と $\beta+2$ の取り得る値の組の表は右のようになる。

$\alpha+2$	1	2	-6	-3
$\beta+2$	6	3	-1	-2

(ⅰ) $\alpha+2=1$，$\beta+2=6$ のとき，

$\alpha=-1$，$\beta=4$

③より，$p=\dfrac{2}{\alpha\beta}=\dfrac{2}{(-1)\cdot 4}=-\dfrac{1}{2}$

(ⅱ) $\alpha+2=2$，$\beta+2=3$ のとき，

$\alpha=0$，$\beta=1$

③より，$0\cdot 1=\dfrac{2}{p}$　　$0=2$ となって不適。

⇦ $0\cdot 1=\dfrac{2}{p}$ より $0=\dfrac{2}{p}$
両辺に p をかけて
$0=2$ となって，矛盾が生じる。

(ⅲ) $\alpha+2=-6$，$\beta+2=-1$ のとき，

$\alpha=-8$，$\beta=-3$

③より，$p=\dfrac{2}{\alpha\beta}=\dfrac{2}{(-8)\cdot(-3)}=\dfrac{2}{24}=\dfrac{1}{12}$

(ⅳ) $\alpha+2=-3$，$\beta+2=-2$ のとき，

$\alpha=-5$，$\beta=-4$

③より，$p=\dfrac{2}{\alpha\beta}=\dfrac{2}{(-5)\cdot(-4)}=\dfrac{2}{20}=\dfrac{1}{10}$

以上(ⅰ)～(ⅳ)より，α と β と p の値の組 $(\alpha,\ \beta,\ p)$ は，全部で3通りあり，

$(\alpha,\ \beta,\ p)=\left(-1,\ 4,\ -\dfrac{1}{2}\right)$，$\left(-8,\ -3,\ \dfrac{1}{12}\right)$，

$\left(-5,\ -4,\ \dfrac{1}{10}\right)$ である。…………(答)

範囲を押さえる型の整数問題

元気力アップ問題 96　難易度 ★★　CHECK 1　CHECK 2　CHECK 3

自然数 a, b, c が次の条件をみたす。

$\frac{1}{a}+\frac{1}{b}+\frac{2}{c}=2$ ……①　$(0<a\leqq b\leqq c)$

この条件をみたす自然数の組 $(a,\ b,\ c)$ をすべて求めよ。

(名古屋市大＊)

ヒント！ $0<a\leqq b\leqq c$ より，①の b や c に a を代入すると，$2=\frac{1}{a}+\frac{1}{b}+\frac{2}{c}\leqq\frac{1}{a}+\frac{1}{a}+\frac{2}{a}=\frac{4}{a}$ となって，a の取り得る値の範囲を押さえることができる。これが，解法の糸口となるんだね。

解答＆解説

$\frac{1}{a}+\frac{1}{b}+\frac{2}{c}=2$ ……① (a, b, c：自然数)

ここで，$0<a\leqq b\leqq c$ の条件より，①は，

$$2=\frac{1}{a}+\frac{1}{b}+\frac{2}{c}\leqq\frac{1}{a}+\frac{1}{a}+\frac{2}{a}=\frac{4}{a}$$

よって，$2\leqq\frac{4}{a}$ より，$a\leqq 2$

a は自然数より，

$a=1$ または 2 である。

（これで，a の取り得る値の範囲を押さえることができた！）

(Ⅰ) $a=1$ のとき，これを①に代入して，

$\frac{1}{1}+\frac{1}{b}+\frac{2}{c}=2$ より，$\frac{1}{b}+\frac{2}{c}=1$ ……②

ここで，$1\leqq b\leqq c$ より，②は，（1 は a）

$$1=\frac{1}{b}+\frac{2}{c}\leqq\frac{1}{b}+\frac{2}{b}=\frac{3}{b}$$

（$1\leqq b\leqq c$ より $\frac{2}{c}\leqq\frac{2}{b}$ だからね。）

よって，$1\leqq\frac{3}{b}$ より，$b\leqq 3$

$\therefore b=1,\ 2,\ 3$

$(\because 1\leqq b\leqq 3)$

（b の範囲を押さえた）

ココがポイント

⇦ $a\leqq b$ より，$\frac{1}{b}\leqq\frac{1}{a}$
$a\leqq c$ より，$\frac{2}{c}\leqq\frac{2}{a}$
となるからね。

⇦ ②の両辺に bc をかけて，
$c+2b=bc$
$bc-2b-c=0$
$b(c-2)-(c-2)=2$
$(b-1)(c-2)=2$
$[\ A\ \cdot\ B\ =n]$
として，解いていってももちろんいいよ。

(ⅰ) $b=1$ のとき，②より $\underbrace{\frac{2}{c}}_{\oplus}=0$ となって，不適。

⇦ $\frac{1}{1}+\frac{2}{c}=1$ より，$\frac{2}{c}=0$

(ⅱ) $b=2$ のとき，②より $\frac{2}{c}=\frac{1}{2}$ $\therefore c=4$

よって，$(a,\ b,\ c)=\underline{\underline{(1,\ 2,\ 4)}}$

⇦ $\frac{1}{2}+\frac{2}{c}=1$ より，$\frac{2}{c}=\frac{1}{2}$

(ⅲ) $b=3$ のとき，②より $\frac{2}{c}=\frac{2}{3}$ $\therefore c=3$

よって，$(a,\ b,\ c)=\underline{\underline{(1,\ 3,\ 3)}}$

⇦ $\frac{1}{3}+\frac{2}{c}=1$ より，$\frac{2}{c}=\frac{2}{3}$

(Ⅱ) $a=2$ のとき，これを①に代入して，

$\frac{1}{2}+\frac{1}{b}+\frac{2}{c}=2$ より，$\frac{1}{b}+\frac{2}{c}=\frac{3}{2}$ ……③

ここで，$\underbrace{2}_{a}\leqq b\leqq c$ より，③は，

$$\frac{3}{2}=\frac{1}{b}+\frac{2}{c}\leqq\frac{1}{b}+\frac{2}{b}=\frac{3}{b}$$

$2\leqq b\leqq c$ より $\frac{2}{c}\leqq\frac{2}{b}$ となるからね。

よって，$\frac{3}{2}\leqq\frac{3}{b}$ より，$b\leqq 2$

$\therefore b=2$ $(\because 2\leqq b\leqq 2)$

b は1通りに決まった！

これを③に代入して，$\frac{2}{c}=1$ $\therefore c=2$

よって，$(a,\ b,\ c)=\underline{\underline{(2,\ 2,\ 2)}}$

⇦ $\frac{1}{2}+\frac{2}{c}=\frac{3}{2}$ より，$\frac{2}{c}=1$ $\therefore c=2$

以上(Ⅰ)，(Ⅱ)より，①と $0<a\leqq b\leqq c$ をみたす

自然数の組 $(a,\ b,\ c)$ は，全部で3組存在し，

$(a,\ b,\ c)=(1,\ 2,\ 4)，(1,\ 3,\ 3)，(2,\ 2,\ 2)$ である。

………(答)

最小公倍数 L

元気力アップ問題 97	難易度 ★	CHECK 1	CHECK 2	CHECK 3

3 つの整数 **54**，**84**，**72** の最小公倍数 L を求めよ。
また，$\sqrt{aL}$ が整数となるような最小の正の整数 a を求めよ。

ヒント！ **54**，**84**，**72** の最小公倍数 L は，これらを素因数分解した素因数のすべての積で，かつ最大の指数を選べば，求まるんだね。$\sqrt{aL}$ が整数となるための条件は aL を素因数分解したとき，すべての素因数の指数が偶数となることなんだね。頑張って解いてみよう！

解答＆解説

54，**84**，**72** をそれぞれ素因数分解すると，

・$54 = 2 \cdot 3^3$

・$84 = 2^2 \cdot 3 \cdot 7^1$

・$72 = 2^3 \cdot 3^2$　　となる。よって，

これら **3** つの整数の最小公倍数 L は，これら素因数のすべての積で，かつ最大の指数を選べばよいので，

$L = 2^3 \cdot 3^3\ 7^1 = 8 \times 27 \times 7$

$= 1512$ ………………………………(答)

次に，$\sqrt{aL}$ が正の整数となるための条件は，
aL を素因素分解したとき，すべての素因数の指数が偶数 (**2** の倍数) となることである。よって，

$aL = a \cdot 1512 = 2^3 \cdot 3^3 \cdot 7^1 \cdot a$　より，

（$a = 2^1 \cdot 3^1 \cdot 7^1$ ← a の最小値）

この条件をみたす正の整数 a の最小値は，

$a = 2^1 \cdot 3^1 \cdot 7^1 = 2 \cdot 3 \cdot 7 = 42$ である。………(答)

ココがポイント

⇦
$$\begin{array}{r|l} 2 & 54 \\ 3 & 27 \\ 3 & 9 \\ & 3 \end{array} \quad \begin{array}{r|l} 2 & 84 \\ 2 & 42 \\ 3 & 21 \\ & 7 \end{array} \quad \begin{array}{r|l} 2 & 72 \\ 2 & 36 \\ 2 & 18 \\ 3 & 9 \\ & 3 \end{array}$$

⇦ $a = 42$ のとき，
$\sqrt{aL} = \sqrt{2^4 \cdot 3^4 \cdot 7^2}$
$= 2^2 \cdot 3^2 \cdot 7 = 252$
となって，整数になる。

元気力アップ問題 98　難易度 ★★　CHECK 1　CHECK 2　CHECK 3

$S = n^6 - 1$ ……①（n：整数）について，n が 7 の倍数でなければ，S は 7 で割り切れることを示せ。

ヒント！ n が 7 の倍数でないとき，すなわち $n \equiv 1 \pmod{7}$，$n \equiv 2 \pmod{7}$，……，$n \equiv 6 \pmod{7}$ の 6 通りすべてについて，$S \equiv 0 \pmod{7}$ となることを示せばいいんだね。頑張ろう！

解答＆解説

ココがポイント

$S = n^6 - 1$ ……①（n：整数）について，

(i) $n \equiv 1 \pmod{7}$ のとき，

$$S \equiv 1^6 - 1 \equiv 0 \pmod{7}$$

⇦ n が，7 で割って 1 余る数のとき

(ii) $n \equiv 2 \pmod{7}$ のとき，

$$S \equiv 2^6 - 1 \equiv 0 \pmod{7}$$

$$(2^3)^2 \equiv 8^2 \equiv 1^2 \equiv 1$$

⇦ n が，7 で割って 2 余る数のとき

(iii) $n \equiv 3 \pmod{7}$ のとき，

$$S \equiv 3^6 - 1 \equiv 0 \pmod{7}$$

$$(3^2)^3 \equiv 9^3 \equiv 2^3 \equiv 8 \equiv 1$$

⇦ n が，7 で割って 3 余る数のとき

(iv) $n \equiv 4 \pmod{7}$ のとき，

$$S \equiv 4^6 - 1 \equiv 0 \pmod{7}$$

$$(4^2)^3 \equiv 16^3 \equiv 2^3 \equiv 8 \equiv 1$$

⇦ n が，7 で割って 4 余る数のとき

(v) $n \equiv 5 \pmod{7}$ のとき，

$$S \equiv 5^6 - 1 \equiv 0 \pmod{7}$$

$$(5^2)^3 \equiv 25^3 \equiv 4^3 \equiv 2^6 \equiv (2^3)^2 \equiv 8^2 \equiv 1^2 \equiv 1$$

⇦ n が，7 で割って 5 余る数のとき

(vi) $n \equiv 6 \pmod{7}$ のとき，

$$S \equiv 6^6 - 1 \equiv 0 \pmod{7}$$

$$(6^2)^3 \equiv 36^3 \equiv 1^3 \equiv 1$$

⇦ n が，7 で割って 6 余る数のとき

以上 (i) ～ (vi) より，n が 7 の倍数でないとき，

$S = n^6 - 1$ …①は 7 で割り切れる。……………………(終)

元気力アップ問題 99 難易度 ★★ CHECK 1 CHECK 2 CHECK 3

a の整数とし，b と c を $b=(2a+1)^2$，$c=(2b+1)^2$ で定義する。

(1) b を 8 で割ると 1 余ることを示せ。

(2) b と c の内，少なくとも 1 つは 9 で割り切れることを示せ。（愛媛大＊）

ヒント！ (1) $b=4a(a+1)+1$ と変形すれば，話が見えてくるはずだ。(2) は，a を 3 で割った余りで分類，すなわち (i) $a\equiv 0\pmod 3$，(ii) $a\equiv 1\pmod 3$，(iii) $a\equiv 2\pmod 3$ で分類して解いていけば，うまくいくんだね。頑張ろう！

解答＆解説

(1) $b=(2a+1)^2\cdots$①，　$c=(2b+1)^2\cdots$②　（a：整数）

とおく。

①を変形して，

$b=4a^2+4a+1=4\underbrace{a(a+1)}_{2\text{の倍数}}+1$ ……①′

ここで，連続する2つの整数の積 $a(a+1)$ は2の倍数なので，$4a(a+1)$ は8の倍数である。よって，①′より，b を8で割った余りは1である。……(終)

(2) a を3で割った余りで分類して，b，c の内，少なくとも1つは9の倍数であることを示す。

(i) $a\equiv 0\pmod 3$ のとき，①より

$b\equiv(2\cdot 0+1)^2\equiv 1\pmod 3$ となる。よって，

$2b+1\equiv 2\cdot 1+1\equiv 0\pmod 3$

よって，$2b+1$ は3の倍数なので，

$2b+1=3k\cdots$③　（k：整数）とおける。

③を②に代入して，

$c=(3k)^2=9\cdot\underbrace{k^2}_{\text{整数}}$ より，c は9で割り切れる。

ココがポイント

⇦ 連続する 2 整数の積 $n(n+1)$ は 2 の倍数になる。（∵ n，$n+1$ のいずれかが必ず偶数になる。）

⇦ a は 3 で割ると，余りは 0，1，2 のいずれかなので，これで分類することにより，すべての整数 a について調べることができるんだね。

(ⅱ) $a \equiv 1 \pmod{3}$ のとき,

$2a+1 \equiv 2\cdot 1+1 \equiv 0 \pmod{3}$ より

$2a+1$ は3で割り切れる。

よって, $2a+1=3l$ …④ (l：整数) とおける。

④を①に代入して,

$b=(3l)^2=9\underbrace{l^2}_{\text{整数}}$ より, b は9で割り切れる。

(ⅲ) $a \equiv 2 \pmod{3}$ のとき, ①より

$b \equiv (2\cdot 2+1)^2 \equiv 5^2 \equiv 2^2 \equiv 4 \equiv 1 \pmod{3}$

となる。よって,

$2b+1 \equiv 2\cdot 1+1 \equiv 0 \pmod{3}$

よって, $2b+1$ は3の倍数なので,

$2b+1=3m$ …⑤ (m：整数) とおける。

⑤を②に代入して,

$c=(3m)^2=9\underbrace{m^2}_{\text{整数}}$ より, c は9で割り切れる。

以上(ⅰ)(ⅱ)(ⅲ)より, すべての整数 a に対して b, c の内, 少なくとも1つは9で割り切れる。………(終)

互除法と1次不定方程式

元気力アップ問題 100　難易度 ★★　CHECK 1　CHECK 2　CHECK 3

次の 1 次不定方程式の整数解 $(x,\ y)$ を求めよ。

(1) $491x+212y=1$ …①　　**(2)** $491x+212y=-3$ …②

ヒント！ (1) ①をみたす 1 組の整数解 $(x_1,\ y_1)$ を求めるために，491 と 212 の最大公約数 g が 1 であることを，ユークリッドの互除法を利用して示そう。(2) は，(1) の結果から簡単に求められるね。頑張ろう！

解答＆解説

(1) $491x+212y=1$ …① $(x,\ y$：整数$)$の

2つの係数491と212の最大公約数gを，右のようにユークリッドの互除法で求めると，$g=1$となる。よって，491と212は互いに素である。

ここで，右の③，④，⑤を使って，①の1組の解 $(x_1,\ y_1)$を求める。⑤，④，③より，

$$\begin{cases} 67-11\times6=1 & \cdots\cdots⑤' \\ 11=212-3\times67 & \cdots\cdots④' \\ 67=491-2\times212 & \cdots\cdots③' \end{cases}$$ となる。

⑤′に④′を代入すると，

$$67-(212-3\times67)\times6=1$$

$$19\times67-6\times212=1 \quad \cdots\cdots⑥$$

⑥に③′を代入すると，

$$19(491-2\times212)-6\times212=1$$

$$491\times\underbrace{19}_{x_1}+212\times(\underbrace{-44}_{y_1})=1 \quad \cdots\cdots⑦$$

⑦より，①の1組の解 $(x_1,\ y_1)$が，$(19,\ -44)$であることが分かった。よって，

①−⑦より，

$$491(x-19)+212(y+44)=0$$

ココがポイント

互除法

$491=212\times2+67$ …③

$212=67\times3+11$ …④

$67=11\times6+1$ …⑤

$11=1\times11$

最大公約数 g

⇦ $67-6\cdot212+18\cdot67=1$
$19\cdot67-6\cdot212=1$

⇦ $19\cdot491-38\cdot212-6\cdot212=1$
$19\cdot491-44\cdot212=1$

$491 \cdot (\underbrace{x-19}_{212k}) = 212 \cdot (\underbrace{-y-44}_{491k\ (k:\text{整数})})$ ………⑧

ここで，491と212は互いに素であるので，

$x-19$は212の倍数であり，$-y-44$は491の倍数である。よって，整数kを用いると，

$x-19=212k$，$-y-44=491k$　となる。

これから，①の1次不定方程式の整数解の組$(x,\ y)$は，

$(x,\ y)=(212k+19,\ -491k-44)$ (k：整数)

………(答)

⇦ 491と212が互いに素ということは，491と212が1以外の公約数をもたないということだ。

・⑧の右辺は212の倍数だけれど，左辺の491は212と互いに素なので，$x-19$が212の倍数になる。

(2) $491x+212y=-3$ …② ($x,\ y$：整数)

の1組の解 $(x_1',\ y_1')$は，

$491\times19+212\times(-44)=1$ …⑦の両辺に

-3をかけて，

$491\times(\underbrace{-57}_{x_1'})+212\times\underbrace{132}_{y_1'}=-3$ …⑦′より，

$(x_1',\ y_1')=(-57,\ 132)$である。よって，

②－⑦′より，

$491\cdot(x+57)+212\cdot(y-132)=0$

$491 \cdot (\underbrace{x+57}_{212l}) = 212 \cdot (\underbrace{-y+132}_{491l\ (l:\text{整数})})$

ここで，491と212は互いに素であるので，

$x+57$は212の倍数であり，$-y+132$は491の倍数である。よって，整数lを用いると，

$x+57=212l$，$-y+132=491l$となる。

これから，②の1次不定方程式の整数解の組$(x,\ y)$は，

$(x,\ y)=(212l-57,\ -491l+132)$ (l：整数)

………(答)

1次不定方程式の応用

元気力アップ問題 101　難易度 ★★　CHECK 1　CHECK 2　CHECK 3

17 で割ると **6** 余り，**12** で割ると **8** 余るような正の **3** 桁の整数の内，最小のものと最大のものを求めよ。

ヒント！ 求める **3** 桁の整数を n とおくと，題意より $n = 17x + 6 = 12y + 8$（x, y：整数）となるので，これから，**1** 次不定方程式 $17x - 12y = 2$ が導けるんだね。計算はメンドウだけれど，解法のパターンに従って解いていこう。

解答＆解説

17で割ると6余り，12で割ると8余る3桁の正の整数をnとおくと，これは，整数x，yを用いて次のように表される。

$$\begin{cases} n = 17x + 6 & \cdots\cdots① \\ n = 12y + 8 & \cdots\cdots② \end{cases} \quad (x,\ y：整数)$$

①，②よりnを消去してまとめると，

$17x - 12y = 2$ …③ （x, y：整数）となる。

17と12は互いに素より，③の代わりにまず，

$17x - 12y = 1$ …④ の1組の整数解$(x_1,\ y_1)$を，

2つの係数17，12についての右のユークリッドの互除法を用いて求める。

⑦，⑥，⑤より，

$$\begin{cases} 5 - 2 \cdot 2 = 1 & \cdots\cdots⑦' \\ 2 = 12 - 5 \cdot 2 & \cdots\cdots⑥' \\ 5 = 17 - 12 & \cdots\cdots⑤' \end{cases}$$

⑦′に⑥′を代入して，

$5 - (12 - 5 \cdot 2) \cdot 2 = 1$

$5 \cdot 5 - 2 \cdot 12 = 1$ ……⑧

⑧に⑤′を代入して，

$5(17 - 12) - 2 \cdot 12 = 1$ より，

$17 \times 5 - 12 \times 7 = 1$ ……⑨ となる。

（$5 = x_1$，$7 = y_1$）

ココがポイント

⇦ $17x + 6 = 12y + 8$
$17x - 12y = 2$

互除法

$17 = 12 \times 1 + 5$ …⑤

$12 = 5 \times 2 + 2$ …⑥

$5 = 2 \times 2 + 1$ …⑦

$2 = 1 \times 2$

最大公約数 $g = 1$ より，17 と 12 が互いに素であることが分かる。

⑨より，④の1組の整数解$(x_1,\ y_1)$が，

$(x_1,\ y_1)=(5,\ 7)$であることが分かる。

ここで，⑨の両辺に2をかけると，

$17\times10-12\times14=2$ …⑨′ となって，

③の1組の解が$(10,\ 14)$であることが分かる。

よって，③－⑨′ より，

$17(x-10)-12(y-14)=0$

$17(x-10)=12(y-14)$

（$x-10$ は $12k$，$y-14$ は $17k$（k：整数））

⇦ $17x-12y=2$
$-)\ 17\cdot10-12\cdot14=2$
$17(x-10)-12(y-14)=0$

ここで，17と12は互いに素なので，$x-10$は12の倍数，$y-14$は17の倍数であることが分かる。

よって，整数kを用いると，

$x-10=12k$より，　$x=12k+10$ …⑩（k：整数）

⇦ 今回 $y=17k+14$ は示さなくてもいい。

⑩を①に代入すると，正の整数nは，

$n=17(12k+10)+6$

$\therefore n=204k+176$ …⑪（k：整数）となる。

よって，nが3桁の整数となるのは，

$k=0,\ 1,\ 2,\ 3,\ 4$ のときである。よって，⑪より，

（$k=0$：このとき，nは最小）（$k=4$：このとき，nは最大になる。）

(i) $k=0$のとき，3桁の整数nは最小値

$n=204\times0+176=176$ をとり，

(ii) $k=4$のとき，3桁の整数nは最大値

$n=204\times4+176=992$ をとる。………(答)

n 進法

元気力アップ問題 102　難易度 ★　CHECK 1　CHECK 2　CHECK 3

次の 10 進法表示の数を [ ] 内の表し方で示せ。

(1) 54.625 [2 進法]　　(2) 45.59375 [4 進法]

(3) 326.528 [5 進法]　　(4) 359.40625 [8 進法]

ヒント！ 各 10 進数を整数部分と小数部分に分けて，*n* 進数の算出パターンに従って，結果を出していけばいいんだね。

解答＆解説

(1) $54.625_{(10)}$ を整数部 54 と小数部 0.625 に分けて，

（10 進法表示という意味）

それぞれ右に示す算出法に従って，2 進法で表示すると，

$$\begin{cases} 54_{(10)} = 110110_{(2)} \\ 0.625_{(10)} = 0.101_{(2)} \end{cases}$$ となる。

よって，$54.625_{(10)}$ を 2 進法で表すと，

$110110.101_{(2)}$ になる。 ……………………(答)

(2) $45.59375_{(10)}$ を整数部 45 と小数部 0.59375 に分けて，それぞれ右に示す算出法に従って，4 進法で表示すると，

$$\begin{cases} 45_{(10)} = 231_{(4)} \\ 0.59375_{(10)} = 0.212_{(4)} \end{cases}$$

よって，$45.59375_{(10)}$ を 4 進法で表すと，

$231.212_{(4)}$ になる。 ……………………(答)

ココがポイント

⇦
```
2 ) 54     余り
2 ) 27  …0  ↑
2 ) 13  …1
2 )  6  …1
2 )  3  …0
     1  …1
```

```
 0 . 625
 ×     2
 1 . 25
 ×    2
 0 . 5
 ×   2
 1 .
```

⇦
```
4 ) 45     余り
4 ) 11  …1  ↑
     2  …3
```

```
 0 . 59375
 ×       4
 2 . 375
 ×     4
 1 . 5
 ×   4
 2 .
```

(3) $326.528_{(10)}$ を整数部326と小数部0.528に分けて，それぞれ右に示す算出法に従って，5進法で表示すると，

$$\begin{cases} 326_{(10)} = 2301_{(5)} \\ 0.528_{(10)} = 0.231_{(5)} \end{cases}$$

よって，$326.528_{(10)}$ を5進法で表すと，

$2301.231_{(5)}$ になる。……………………………(答)

$$\begin{array}{r|ll} 5 & 326 & \text{余り} \\ 5 & 65 & \cdots 1 \\ 5 & 13 & \cdots 0 \\ & 2 & \cdots 3 \end{array}$$

$$\begin{array}{l} 0.528 \\ \times\ 5 \\ \hline 2.64 \\ \times\ 5 \\ \hline 3.2 \\ \times\ 5 \\ \hline 1. \end{array}$$

(4) $359.40625_{(10)}$ を整数部359と小数部0.40625に分けて，それぞれ右に示す算出法に従って，8進法で表示すると，

$$\begin{cases} 359_{(10)} = 547_{(8)} \\ 0.40625_{(10)} = 0.32_{(8)} \end{cases}$$

よって，$359.40625_{(10)}$ を8進法で表すと，

$547.32_{(8)}$ になる。……………………………(答)

$$\begin{array}{r|ll} 8 & 359 & \text{余り} \\ 8 & 44 & \cdots 7 \\ & 5 & \cdots 4 \end{array}$$

$$\begin{array}{l} 0.40625 \\ \times\ 8 \\ \hline 3.25 \\ \times\ 8 \\ \hline 2. \end{array}$$

循環小数

元気力アップ問題 103 難易度 ★★ CHECK 1 CHECK 2 CHECK 3

次の各問いに答えよ。

(1) 3 進法表示の循環小数 $0.\dot{1}22\dot{1}_{(3)}$ を 3 進法表示の既約分数で表せ。

(2) 7 進法表示の循環小数 $0.\dot{4}5\dot{6}_{(7)}$ を 7 進法表示の既約分数で表せ。

ヒント！ (1) $x = 0.\dot{1}22\dot{1}_{(3)}$ ($0.122112211221\cdots_{(3)}$ のこと) とおいて，両辺に $10000_{(3)}$ をかけて，x を分数の形で表す。3 進法の数では，既約分数にするのは難しいので，いったん 10 進法に戻して既約分数にして，3 進法表示の分数にするといいよ。(2) も同様に解ける。頑張ろう！

解答＆解説

(1) $x = 0.\dot{1}22\dot{1}_{(3)}$ とおいて，この両辺に

$10000_{(3)}$ をかけて，3進法で表示して解くと

$$10000x = 1221.\dot{1}22\dot{1}$$

$$= 1221 + \underbrace{0.\dot{1}22\dot{1}}_{x} \text{より，}$$

$$10000x = 1221 + x$$

$$\underbrace{(10000 - 1)}_{2222_{(3)}\text{となる。}}x = 1221$$

よって，x を3進法表示の分数で表すと，

$$x = \frac{1221}{2222}{}_{(3)} \quad \cdots ① \text{となる。}$$

ここで，①の分子・分母を10進法で表すと，

$$(\text{分子}) = 1221_{(3)} = 1 \times 3^3 + 2 \times 3^2 + 2 \times 3 + 1_{(10)}$$

$$= 27 + 18 + 6 + 1_{(10)} = 52_{(10)}$$

$$(\text{分母}) = 2222_{(3)} = 2 \times 3^3 + 2 \times 3^2 + 2 \times 3 + 2_{(10)}$$

$$= 54 + 18 + 6 + 2_{(10)} = 80_{(10)}$$

$$\therefore x = \frac{52}{80}{}_{(10)} = \frac{13}{20}{}_{(10)} \leftarrow \text{既約分数}$$

ココがポイント

⇦ $x = 0.12211221\cdots_{(3)}$ のこと

⇦
$$\begin{array}{r} 10000_{(3)} \\ -)\quad 1_{(3)} \\ \hline 2222_{(3)} \end{array}$$

⇦ ①は，既約分数かどうか分からないので，これを 10 進法表示に切り替える。

ここで，(分子) $= 13_{(10)} = 111_{(3)}$

(分母) $= 20_{(10)} = 202_{(3)}$

$$
\begin{array}{r|l}
3 & 13 \\
3 & 4 \cdots 1 \\
 & 1 \cdots 1
\end{array}
\qquad
\begin{array}{r|l}
3 & 20 \\
3 & 6 \cdots 2 \\
 & 2 \cdots 0
\end{array}
$$

よって，3進法表示の循環小数 $x = 0.\dot{1}22\dot{1}_{(3)}$ を3進法表示の既約分数で表すと，$x = \dfrac{111}{202}{}_{(3)}$ となる。…(答)

(2) $x = 0.\dot{4}5\dot{6}_{(7)}$ とおいて，この両辺に $1000_{(7)}$ をかけて，7進法で表示して解くと

$1000x = 456.\dot{4}5\dot{6} = 456 + \underbrace{0.\dot{4}5\dot{6}}_{x}$ より，

$1000x = 456 + x \qquad (\underbrace{1000 - 1}_{666_{(7)}\text{となる。}})x = 456$

⇦ $1000_{(7)} - 1_{(7)} = 666_{(7)}$

よって，x を7進法表示の分数で表すと，

$x = \dfrac{456}{666}{}_{(7)}$ …②となる。

⇦ これはまだ既約分数かどうか分からない。

ここで，②の分子・分母を10進法で表すと，

(分子) $= 456_{(7)} = 4 \times 7^2 + 5 \times 7 + 6_{(10)} = 237_{(10)}$

(分母) $= 666_{(7)} = 6 \times 7^2 + 6 \times 7 + 6_{(10)} = 342_{(10)}$

$\therefore x = \dfrac{237}{342}{}_{(10)} = \dfrac{79}{114}{}_{(10)}$ ← 分子・分母を3で割って，既約分数にした！

ここで，(分子) $= 79_{(10)} = 142_{(7)}$

(分母) $= 114_{(10)} = 222_{(7)}$

$$
\begin{array}{r|l}
7 & 79 \\
7 & 11 \cdots 2 \\
 & 1 \cdots 4
\end{array}
\qquad
\begin{array}{r|l}
7 & 114 \\
7 & 16 \cdots 2 \\
 & 2 \cdots 2
\end{array}
$$

よって，7進法表示の循環小数 $x = 0.\dot{4}5\dot{6}_{(7)}$ を7進法表示の既約分数で表すと，

$x = \dfrac{142}{222}{}_{(7)}$ となる。……………………………(答)

第7章 ● 整数の性質の公式の復習

1. $A \cdot B = n$ 型　(A，B：整数の式，n：整数) の解法

n の約数を A と B に割り当てる右の表を作って，解く。

A	1	n	…	-1	$-n$
B	n	1	…	$-n$	-1

2. 2つの自然数 a，b の最大公約数 g と最小公倍数 L

(ⅰ) $\begin{cases} a = g \cdot a' \\ b = g \cdot b' \end{cases}$ (a'，b'：互いに素な正の整数)

(ⅱ) $L = g \cdot a' \cdot b'$　　(ⅲ) $a \cdot b = g \cdot L$

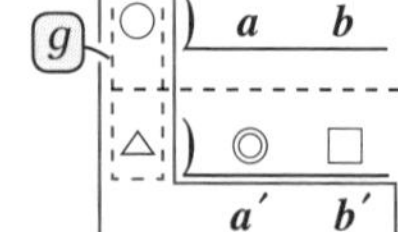

3. 除法の性質

整数 a を正の整数 b で割ったときの商を q，余りを r とおくと，

$a = b \times q + r$　$(0 \leqq r < b)$　が成り立つ。

4. ユークリッドの互除法

正の整数 a，b $(a > b)$ について，右の各式が成り立つとき，a と b の最大公約数 g は，

$g = b''$　となる。

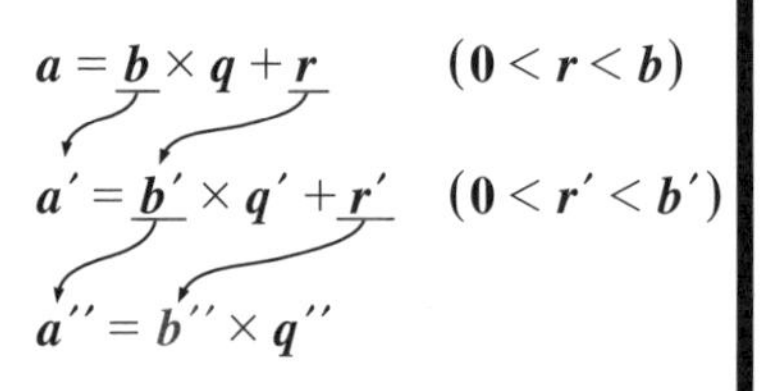

5. 不定方程式 $ax + by = n$ …① (a，b：互いに素，n：0でない整数) の解法

①の1組の整数解 $(x_1,\ y_1)$ を，ユークリッドの互除法より求め，

$ax_1 + by_1 = n$ …②を作る。① − ②より，$\alpha x = \beta y$ (α，β：互いに素)

の形に帰着させる。

6. p 進法による記数法 (5進法表示の例)

・右の計算式より，$384_{(10)} = 3014_{(5)}$

(10進法表示)　(5進法表示)

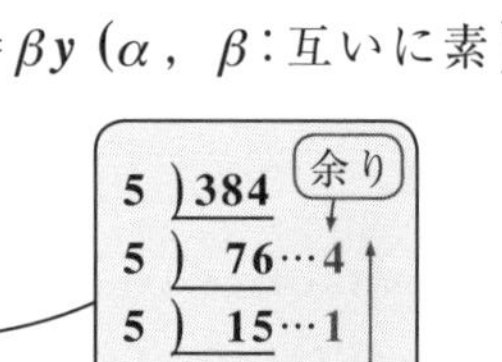

・和と差の基本 (ⅰ) $4 + 1 = 10$　(ⅱ) $10 - 1 = 4$

7. 合同式

$a \equiv b \pmod{n}$ かつ $c \equiv d \pmod{n}$ のとき，

(ⅰ) $a \pm c \equiv b \pm d \pmod{n}$　(複号同順)

(ⅱ) $a \times c \equiv b \times d \pmod{n}$　(ⅲ) $a^m \equiv b^m \pmod{n}$ (m：自然数)

第 8 章
CHAPTER

8 図形の性質

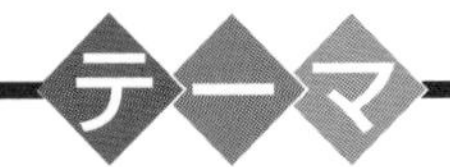

▶ 三角形の五心

（重心，外心，内心，垂心，傍心）

▶ チェバの定理，メネラウスの定理

$$\left(\frac{②}{①}\times\frac{④}{③}\times\frac{⑥}{⑤}=1\right)$$

▶ 方べきの定理，トレミーの定理

$(x\cdot y=z\cdot w,\ \ x\cdot z+y\cdot w=l\cdot m)$

▶ オイラーの多面体定理

$(f+v-e=2)$

第8章 図形の性質 ●公式&解法パターン

1. 中点連結の定理

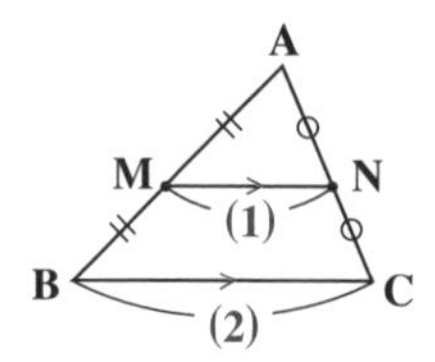

△**ABC** の **2** 辺 **AB**，**AC** の中点 **M**，**N** について，

$$\mathbf{MN} \,/\!/\, \mathbf{BC} \quad \text{かつ} \quad \mathbf{MN} = \frac{1}{2}\mathbf{BC}$$

2. △ABC の五心

(i) 重心 **G**

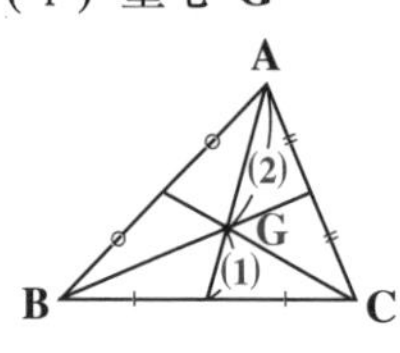

・**3** 頂点から出る **3** 本の中線の交点
・中線は **G** により **2**：**1** に内分される

(ii) 外心 **O**

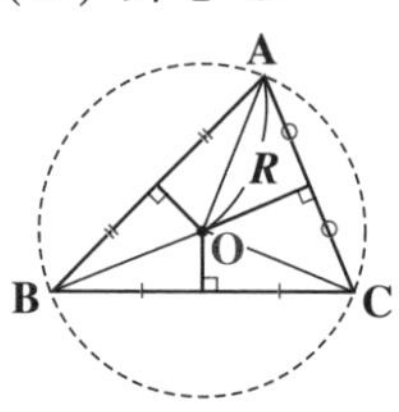

・外接円の中心
・**3** 辺の垂直二等分線の交点

(iii) 内心 **I**

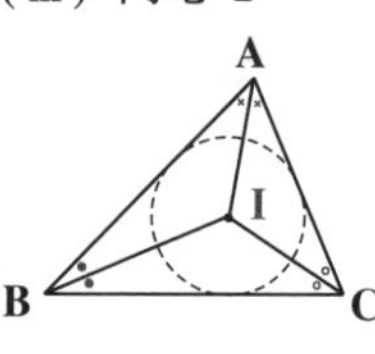

・内接円の中心
・**3** つの頂角の二等分線の交点

(iv) 垂心 **H**

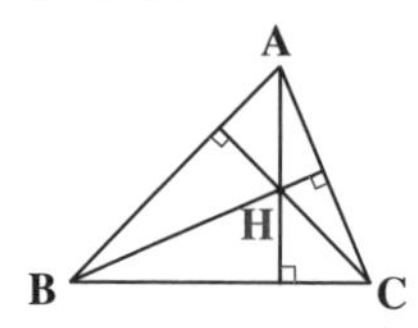

・**3** つの頂点からそれぞれの対辺に引いた垂線の交点

これに，(v) 傍心を加えて，三角形の五心という。

3. 中線定理と頂角(内角)・外角の二等分線の定理

(1) 中線定理

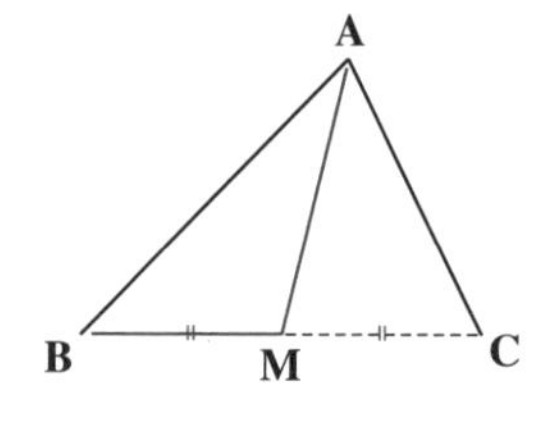

△**ABC** の辺 **BC** の中点を **M** とおくと，次の式が成り立つ。

$$\mathbf{AB}^2 + \mathbf{AC}^2 = 2(\mathbf{AM}^2 + \underline{\mathbf{BM}^2})$$

（これは $\mathbf{CM}^2$ でもいい。）

(2) 頂角(内角)の二等分線の定理

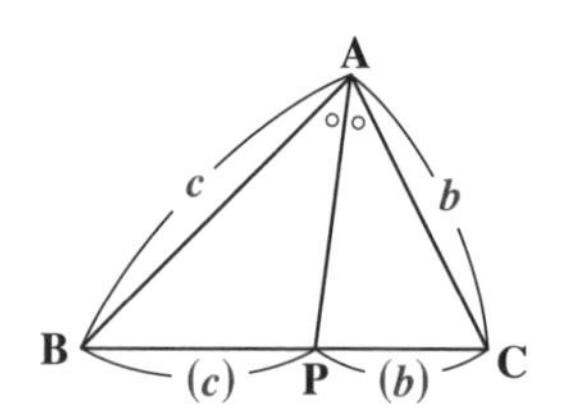

△**ABC** の頂角∠**A** の二等分線と辺 **BC** との交点を **P** とおく。また，**AB** ＝ c，**AC** ＝ b とおくと，**BP**：**PC** ＝ c：b が成り立つ。

(3) 外角の二等分線の定理

△**ABC** の頂角∠ **A** の外角の二等分線と辺 **BC** の延長線との交点を **Q** とおく。また，**AB** = c，**AC** = b とおくと，**BQ** : **QC** = c : b となる。

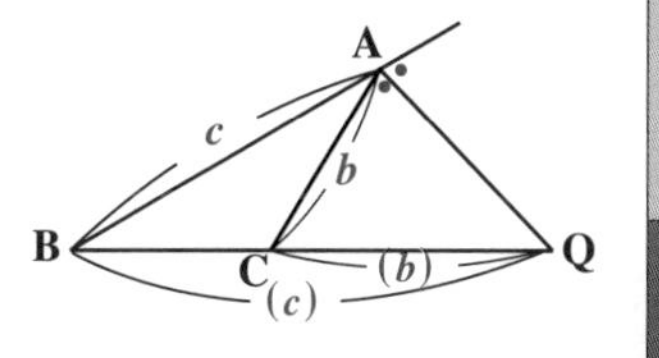

4. チェバの定理とメネラウスの定理

(i) チェバの定理

$$\frac{②}{①}\times\frac{④}{③}\times\frac{⑥}{⑤}=\mathbf{1}$$

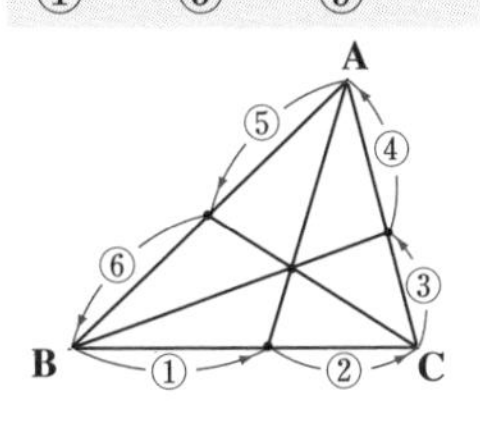

(ii) メネラウスの定理

$$\frac{②}{①}\times\frac{④}{③}\times\frac{⑥}{⑤}=\mathbf{1}$$

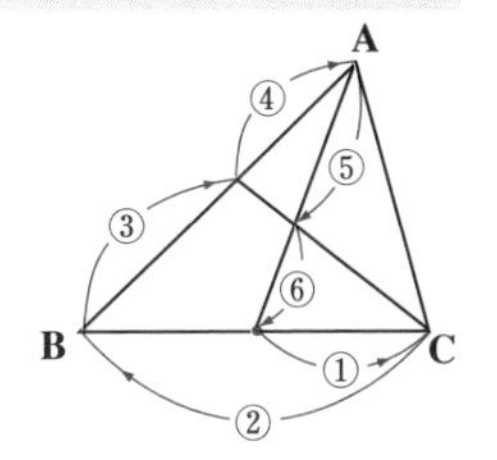

5. 接弦定理

右図のように，点 **P** で円に接する接線 **PX** と，弦 **PQ** のなす角 θ は，孤 $\overset{\frown}{\mathbf{PQ}}$ に対する円周角∠ **PRQ** に等しい。

∠ **PRQ** = ∠ **QPX**

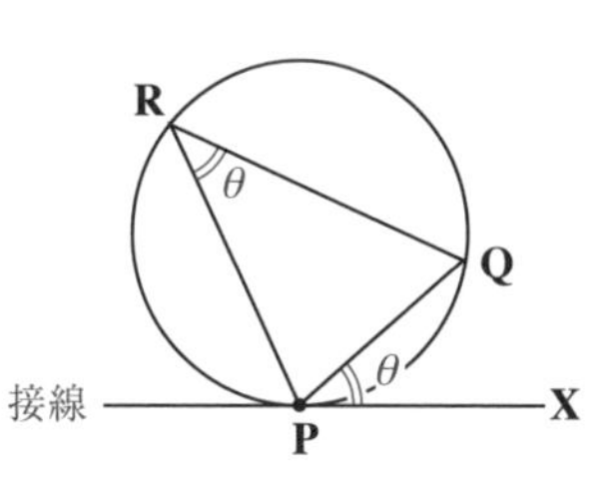

6. 方べきの定理

(i) $x\cdot y=z\cdot w$

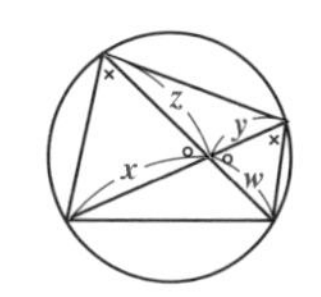

(ii) $x\cdot y=z\cdot w$

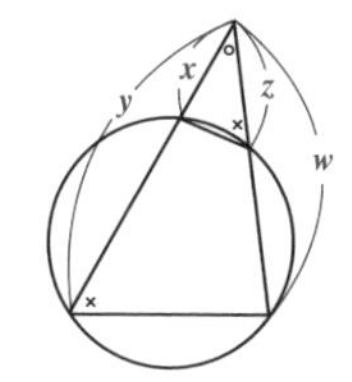

(iii) $x\cdot y=z^2$

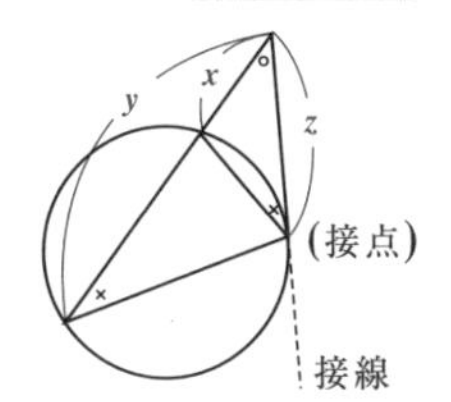

7. トレミーの定理

円に内接する四角形 **ABCD** の **4** 辺の長さ x，y，z，w と，**2** つの対角線の長さ l，m との間に次式が成り立つ。

$$x \cdot z + y \cdot w = l \cdot m$$

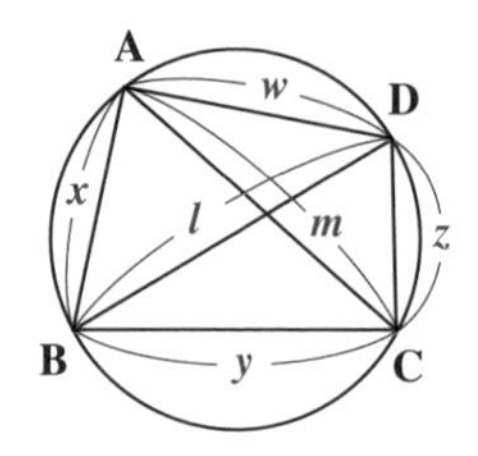

8. 2 つの円の位置関係（2 つの球の位置関係）

2 つの円 C_1, C_2 の半径をそれぞれ r_1, r_2 ($r_1 \geqq r_2$) とおき，また，中心間の距離 O_1O_2 を d とおくと，

(i) $d > r_1 + r_2$ のとき
外離
(共有点なし)

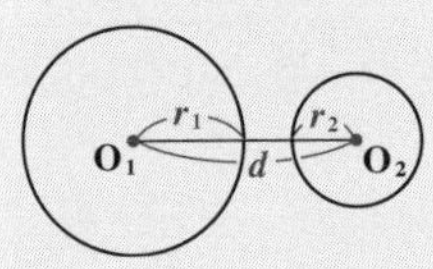

(ii) $d = r_1 + r_2$ のとき
外接
(**1** 接点)

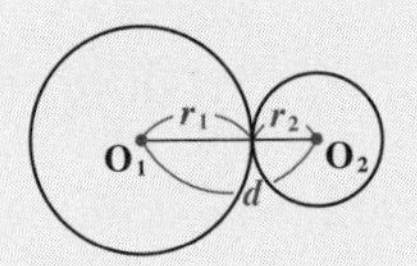

(iii) $r_1 - r_2 < d < r_1 + r_2$ のとき
交わる
(**2** 交点)

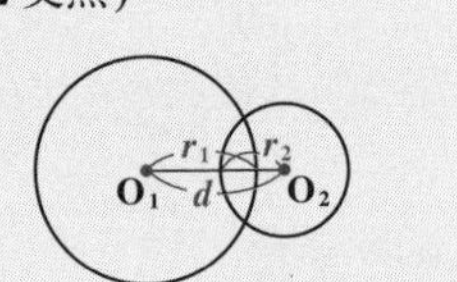

(iv) $d = r_1 - r_2$ のとき
内接
(**1** 接点)

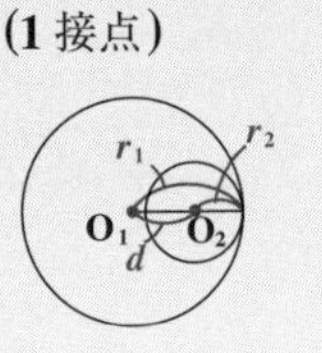

(v) $d < r_1 - r_2$ のとき
内離
(共有点なし)

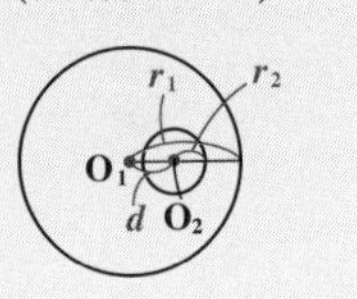

空間図形において **2** つの球の位置関係についても，同様に考えればいいんだね。

9. 空間図形における 2 直線（2 平面）のなす角

(1) 2 直線のなす角

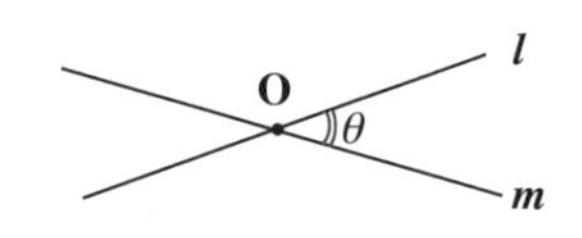

2 直線 l，m がねじれの位置にあっても，上図のように点 **O** で交わるように平行移動して，なす角 θ を定める。

(2) 2 平面のなす角

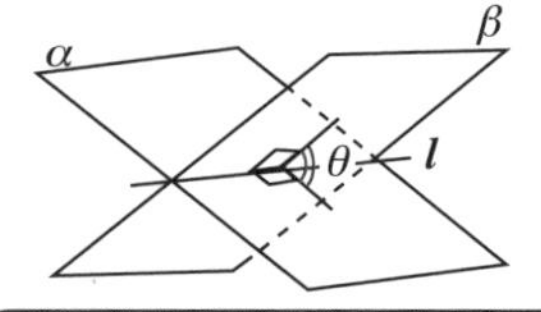

2 平面 α，β が交線 l をもつとき，l 上の点から α，β 上に引いた l と直交する **2** 直線のなす角を α と β のなす角 θ とする。

10. 直線と平面の直交条件

直線 l と平面 α が 1 点で交わるとき，

(i) $l \perp \alpha \Longrightarrow l$ は α 上のすべての直線と直交

(ii) $l \perp$ (α 上の平行でない 2 直線) $\Longrightarrow l \perp \alpha$

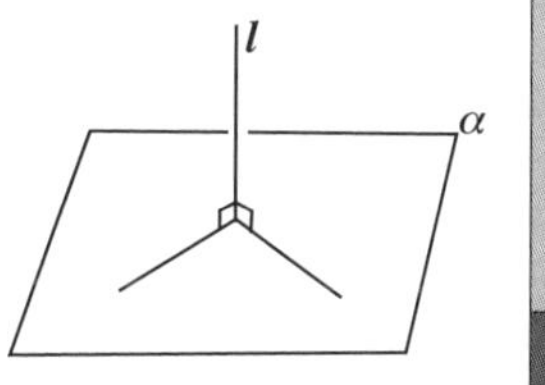

11. 三垂線の定理

線分 **PO**，**OQ**，**PQ**，および平面 α と α 上の直線 l について，次の 3 つの三垂線の定理が成り立つ。

(1) PO $\perp \alpha$，かつ OQ $\perp l \Rightarrow$ PQ $\perp l$

(2) PO $\perp \alpha$，かつ PQ $\perp l \Rightarrow$ OQ $\perp l$

(3) PQ $\perp l$，かつ OQ $\perp l$，かつ PO $\perp$ OQ $\Rightarrow$ PO $\perp \alpha$

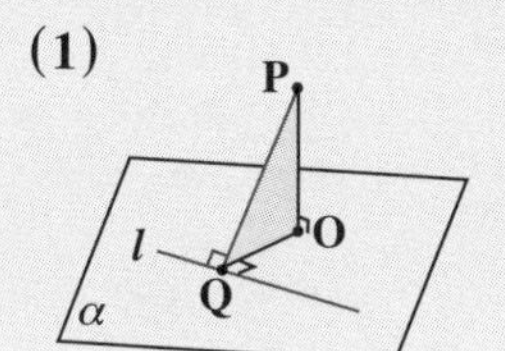

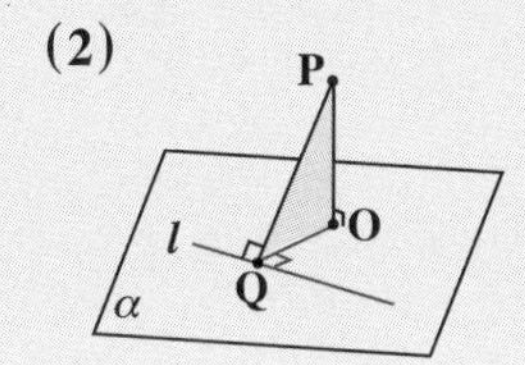

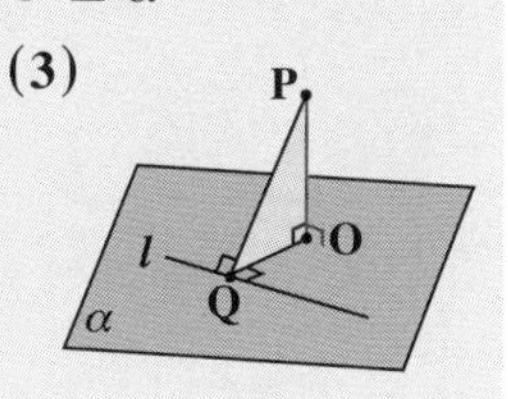

12. 5 種類の正多面体

(i) 正四面体

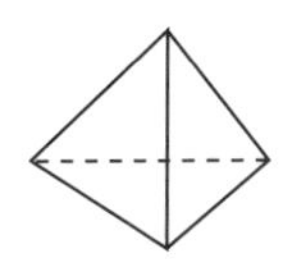

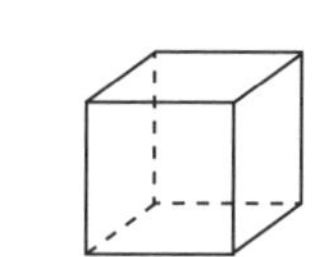

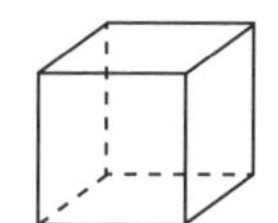

(iii) 正八面体

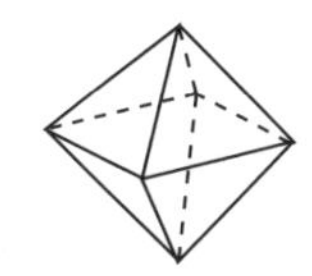

(iv) 正十二面体

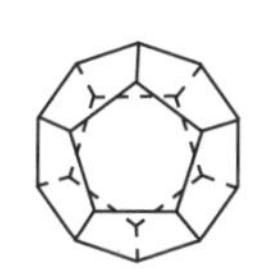

(v) 正二十面体

正多面体とは，
・どの面も同じ正多角形で，
・どの頂点にも同数の面が集まっているような多面体のことだ。

13. オイラーの多面体定理

へこみのない凸多面体の頂点の数を v，辺の数を e，面の数を f とおくと，次の公式が成り立つ。

$$f + v - e = 2$$

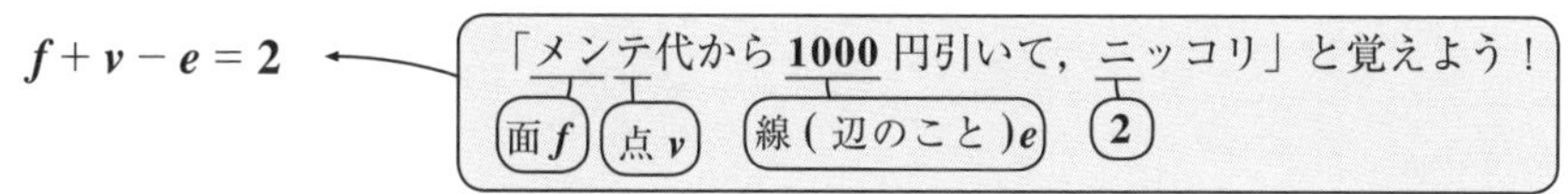

重心・中線定理

元気力アップ問題 104　難易度 ★　CHECK 1　CHECK 2　CHECK 3

右図に示すように，$AB = 5$，$BC = 6$，$CA = 2$ の三角形 ABC がある。辺 BC の中点を M，また中線 AM 上に重心 G がある。このとき，線分 AM と AG の長さを求めよ。

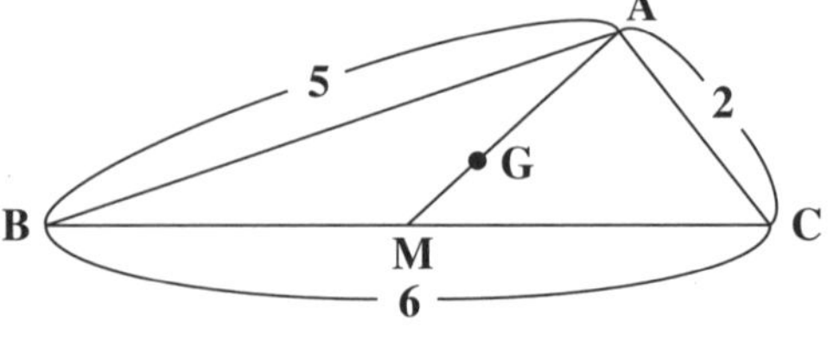

ヒント！ 中線定理 $AB^2 + AC^2 = 2(AM^2 + MC^2)$ を用いて，AM を求め，次に重心 G は線分（中線）AM を $2:1$ に内分するので，AG の長さも容易に求められるはずだ。ウォーミングアップ問題だ！サクッと解いてみよう！

解答＆解説

△ABC の中線 AM の長さを x とおき，

$MC = \frac{1}{2}BC = 3$ より，△ABC に中線定理を用いると，

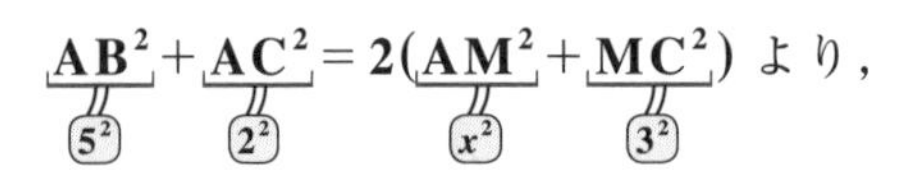

$$\underbrace{AB^2}_{5^2} + \underbrace{AC^2}_{2^2} = 2(\underbrace{AM^2}_{x^2} + \underbrace{MC^2}_{3^2}) \text{ より，}$$

$$25 + 4 = 2(x^2 + 9)$$

$$x^2 + 9 = \frac{29}{2} \qquad x^2 = \frac{11}{2}$$

ここで $x > 0$ より，

$$AM = x = \sqrt{\frac{11}{2}} = \frac{\sqrt{22}}{2} \cdots\cdots\cdots(\text{答})$$

次に，重心 G は線分（中線）AM を $2:1$ に内分するので，線分 AG の長さは

$$AG = \frac{2}{3}AM = \frac{2}{3}\cdot\frac{\sqrt{22}}{2} = \frac{\sqrt{22}}{3} \cdots\cdots\cdots(\text{答})$$

ココがポイント

⇦

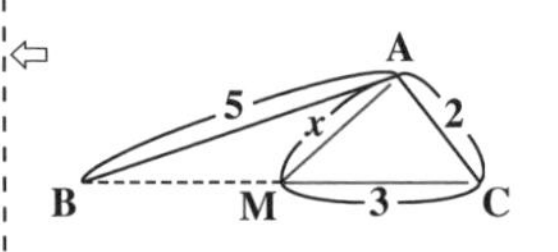

⇦ $x^2 = \frac{29}{2} - 9 = \frac{29-18}{2} = \frac{11}{2}$

⇦

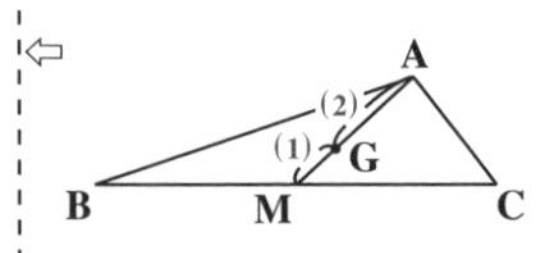

内心，メネラウスの定理

元気力アップ問題 105　難易度 ★　CHECK 1　CHECK 2　CHECK 3

$AB = 2\sqrt{2}$，$BC = 3\sqrt{2}$，$CA = \sqrt{6}$ の三角形 ABC の内心を I とおく。直線 BI と辺 AC の交点を D とおくとき，比 BI：ID を求めよ。

ヒント！ ∠A と∠B の二等分線を引き，メネラウスの定理を用いることにより，BI：ID の比を求めることができるんだね。頂角の二等分線の定理も重要だ。

解答＆解説

$AB = 2\sqrt{2}$，$BC = 3\sqrt{2}$，$CA = \sqrt{6}$ の△ABC について，右図のように，∠B と∠A の二等分線 BD と AE を引く。(点 E は辺 BC 上の点である。)

この頂角の二等分線の交点が，△ABC の内心 I である。頂角の二等分線の定理より，

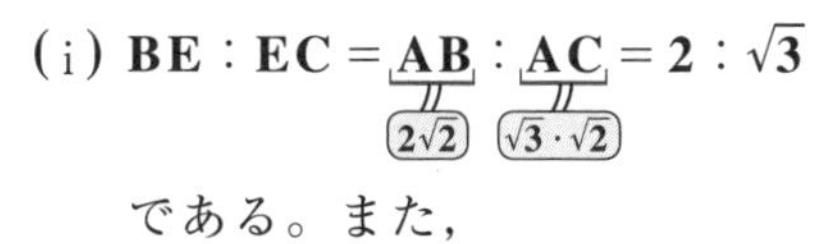

(i) $BE : EC = \underset{2\sqrt{2}}{AB} : \underset{\sqrt{3}\cdot\sqrt{2}}{AC} = 2 : \sqrt{3}$

である。また，

(ii) $AD : DC = \underset{2\sqrt{2}}{AB} : \underset{3\sqrt{2}}{BC} = 2 : 3$

である。

以上 (i)(ii) より，BI：ID = $m : n$ とおくと，

メネラウスの定理を用いて，

$$\frac{5}{\cancel{2}} \times \frac{\cancel{2}}{\sqrt{3}} \times \frac{n}{m} = 1 \quad \therefore \frac{n}{m} = \frac{\sqrt{3}}{5} \text{ となる。}$$

よって，BI：ID $= m : n = 5 : \sqrt{3}$ である。……(答)

メネラウスの定理の $\frac{②}{①} \times \frac{④}{③} \times \frac{⑥}{⑤} = 1$ は，
「行って(①)，戻って(②)，行って(③)，行って(④)，
中に切り込む(⑤，⑥)」と覚えておけばいいんだね。大丈夫？

ココがポイント

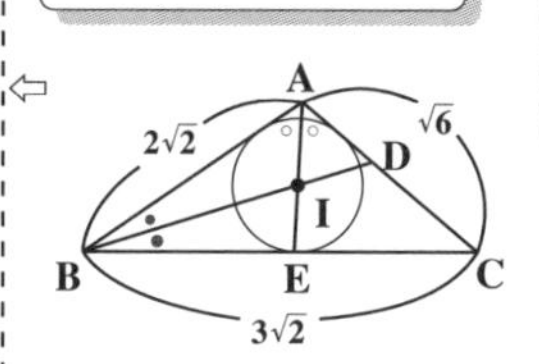

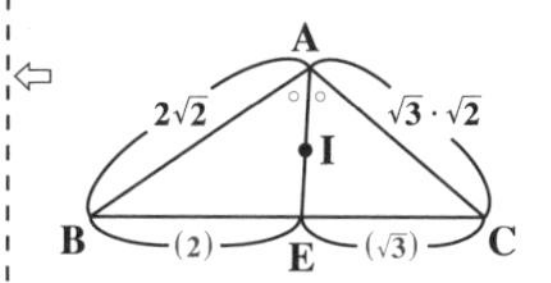

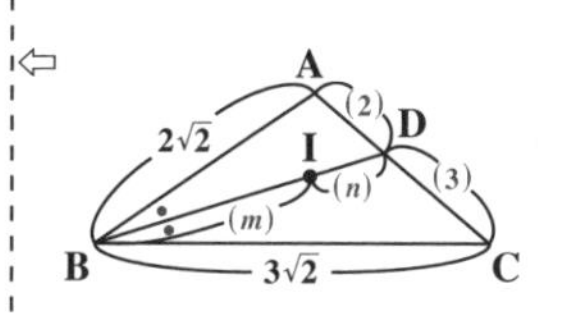

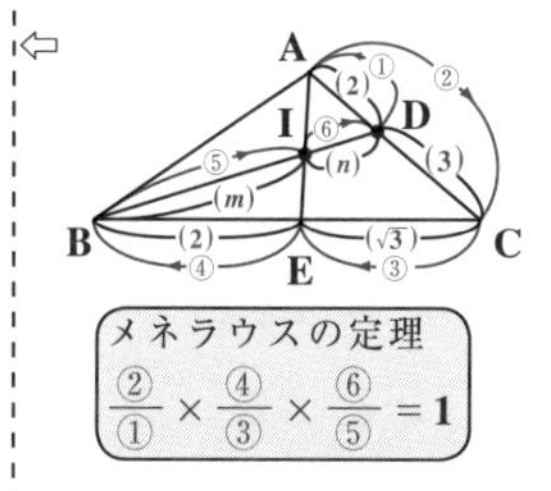

メネラウスの定理
$\frac{②}{①} \times \frac{④}{③} \times \frac{⑥}{⑤} = 1$

外心，正弦・余弦定理

元気力アップ問題 106　難易度 ★★　CHECK 1　CHECK 2　CHECK 3

AB $= 2$, **AC** $= \sqrt{3}$, $\angle$**A** $= 45°$ の三角形 **ABC** の外心を **O** とおく。このとき，辺 **BC** の長さ，および線分 **OC** の長さを求めよ。また，**O** から辺 **BC** に下ろした垂線の足を **H** とおくとき，線分 **OH** の長さを求めよ。

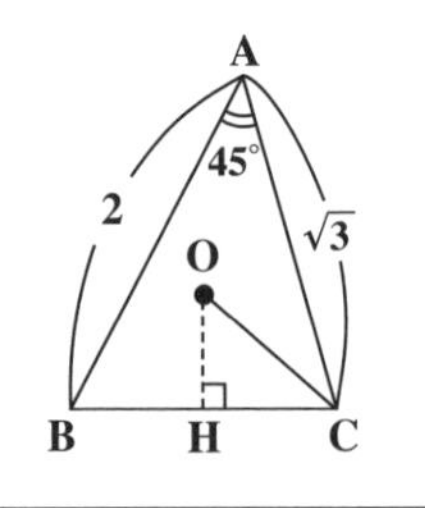

ヒント！　辺 **BC** の長さは，余弦定理 $BC^2 = AB^2 + AC^2 - 2AB \cdot AC\cos A$ を用いて求めればいい。線分 **OC** の長さは，△**ABC** の外接円の半径の長さ R のことだから，これは正弦定理を利用すれば求まる。**OH** の長さは，△**OHC** が直角二等辺三角形であることに気付けば，早いと思う。頑張ろう！

解答＆解説

ココがポイント

(i) △**ABC** は，右に示すように，**AB** $= 2$, **AC** $= \sqrt{3}$, $\angle$**A** $= 45°$ の三角形なので，辺 **BC** の長さの **2** 乗 BC^2 は，△**ABC** に余弦定理を用いることにより，次のようになる。

⇦

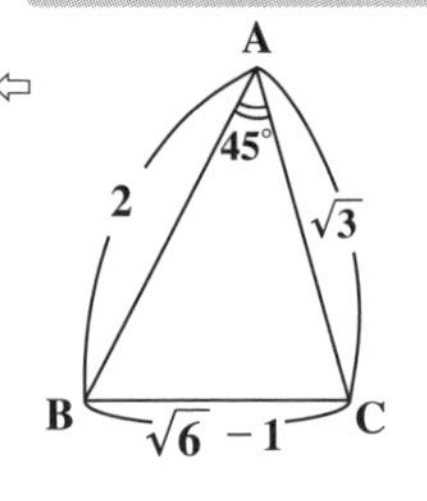

$$BC^2 = \underset{2^2}{AB^2} + \underset{(\sqrt{3})^2}{AC^2} - 2\underset{2}{AB} \cdot \underset{\sqrt{3}}{AC} \cdot \underset{\cos 45° = \frac{1}{\sqrt{2}}}{\cos A}$$

$$= 4 + 3 - 2 \cdot 2 \cdot \sqrt{3} \cdot \frac{1}{\sqrt{2}}$$

$$= 7 - 2\sqrt{6}$$

ここで，$BC > 0$ より，

$$BC = \sqrt{7 - 2\sqrt{6}} = \sqrt{6} - \sqrt{1} = \sqrt{6} - 1 \quad \cdots\cdots(\text{答})$$

（たして $6+1$）（かけて 6×1）

⇦ 2 重根号のはずし方
$\sqrt{a+b-2\sqrt{ab}} = \sqrt{a} - \sqrt{b}$
（ただし，$a > b > 0$）

(ii) 次に，線分 **OC** の長さは，△**ABC** の外接円の半径の長さ R と等しいので，この $OC(=R)$ を求めるために，△**ABC** に正弦定理を用いると，

$\dfrac{BC}{\sin A} = 2R$ より，

$$R = \frac{\sqrt{6}-1}{2\cdot\sin45^\circ} = \frac{\sqrt{6}-1}{2\cdot\frac{1}{\sqrt{2}}} = \frac{\sqrt{6}-1}{\sqrt{2}} \quad\cdots\cdots①$$

よって，①より，

$$OC = R = \frac{\sqrt{2}(\sqrt{6}-1)}{2} = \frac{2\sqrt{3}-\sqrt{2}}{2} \quad\cdots\cdots(答)$$

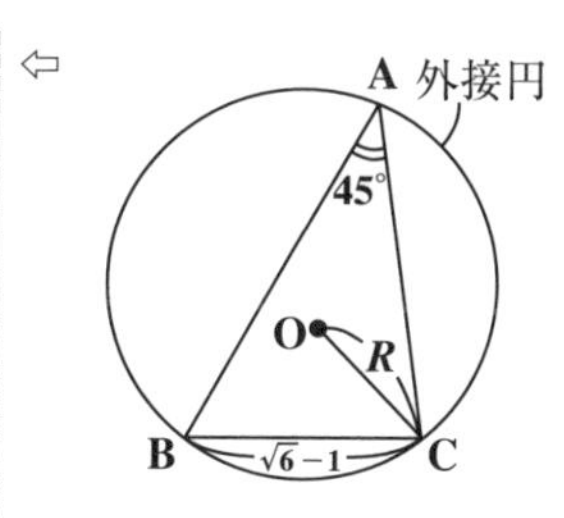

(iii) さらに，O から辺 BC に下ろした垂線 OH の長さを求める。

まず，△OBC に着目すると，$\angle A = 45^\circ$（円周角）に対して $\angle BOC$ は中心角であるので，

$$\angle BOC = 2\cdot\angle A = 2\cdot45^\circ = 90^\circ$$

また，O は外心より，$OB = OC = R$（外接円の半径）となるので，△OBC は，$OB = OC$ の直角二等辺三角形である。したがって，この△OBC を 2 分割した△OHC も $\angle OHC = 90^\circ$，$OH = HC$ の直角二等辺三角形である。よって，

$OH : OC = 1 : \sqrt{2}$ より，$\sqrt{2}\,OH = OC\ (=R)$

∴①より，OH の長さは，

$$OH = \frac{1}{\sqrt{2}}\cdot OC = \frac{1}{\sqrt{2}}R = \frac{\sqrt{6}-1}{2} \ である。\cdots(答)$$

（$R = \dfrac{\sqrt{6}-1}{\sqrt{2}}$（①より））

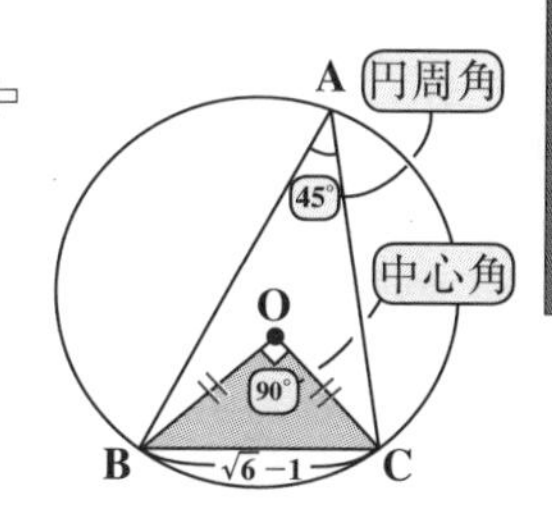

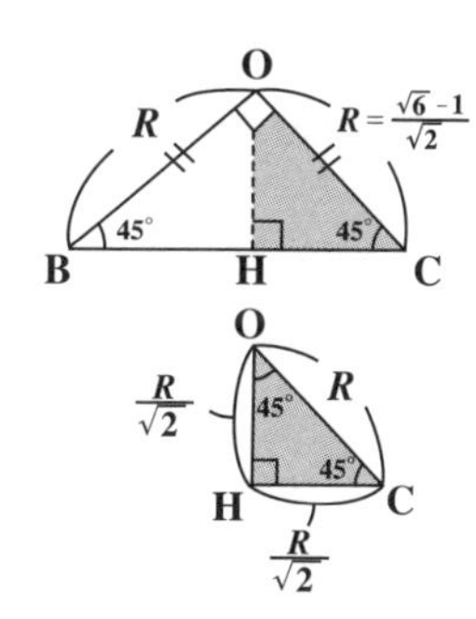

垂心，メネラウスの定理

元気力アップ問題 107　難易度 ★★　CHECK 1　CHECK 2　CHECK 3

$AB = AC = 3$，$BC = 2$ の二等辺三角形 ABC がある。A から辺 BC に下ろした垂線の足を D，B から辺 AC に下ろした垂線の足を E とおき，AD と BE の交点を H とおく。このとき，線分 AH の長さを求めよ。

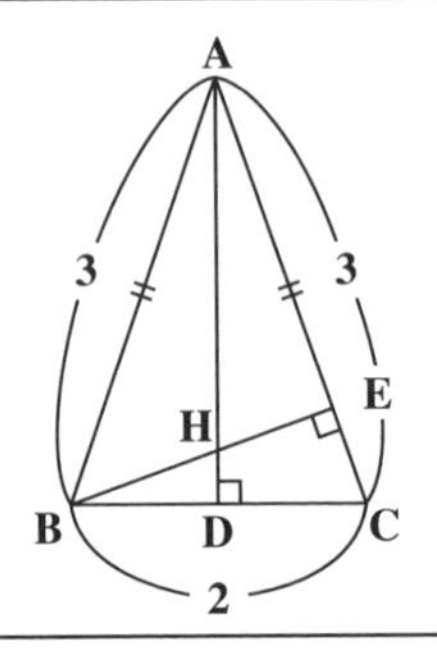

ヒント！ 2 つの垂線 AD と BE の交点が H なので，H は△ABC の垂心なんだね。ここで，△ABC は $AB = AC$ の二等辺三角形なので，$BD = DC = 1$ となることはいいね。後は AD，BE，CE の長さを求めて，メネラウスの定理を用いれば，線分 AH の長さが求まるはずだ。頑張ろう！

解答＆解説

ココがポイント

・△ABC は，$AB = AC = 3$，$BC = 2$ の二等辺三角形なので，A から辺 BC に下ろした垂線の足 D は，辺 BC の中点になる。よって，$DC = 1$

ここで，直角三角形 ADC に三平方の定理を用いると，

$$\underbrace{AD^2}+\underbrace{DC^2}_{1^2}=\underbrace{AC^2}_{3^2} \qquad AD^2 = 9 - 1 = 8$$

$\therefore AD = \sqrt{8} = 2\sqrt{2}$ …… ① となる。（$\because AD > 0$）

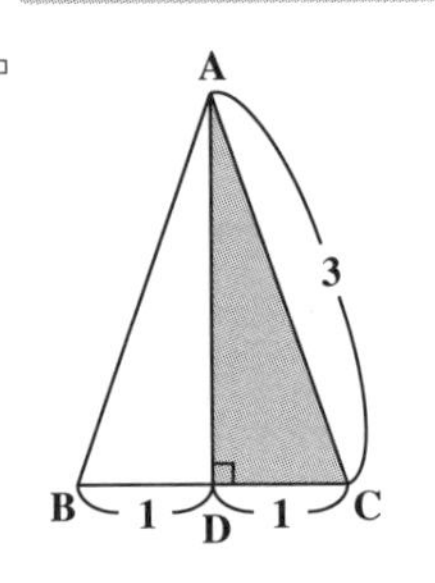

・次に，BE と CE の長さを求める。

△ABC の面積を S とおくと，

$$S = \frac{1}{2}\cdot\underbrace{BC}_{2\text{（底辺）}}\cdot\underbrace{AD}_{2\sqrt{2}\text{（高さ）}} = \frac{1}{2}\cdot 2\cdot 2\sqrt{2} = 2\sqrt{2} \text{ …… ②}$$

ここで，辺 AC を底辺，BE を高さと考えると，

$$S = \frac{1}{2}\cdot\underbrace{AC}_{3\text{（底辺）}}\cdot\underbrace{BE}_{\text{（高さ）}} = \frac{3}{2}BE \text{ …… ③}$$

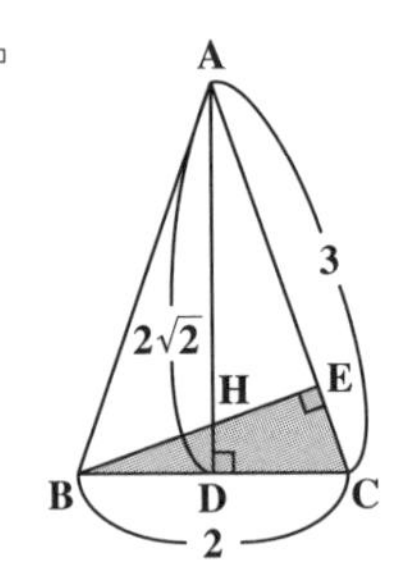

②，③より S を消去して，

$$\frac{3}{2}\mathrm{BE}=2\sqrt{2} \qquad \therefore \mathrm{BE}=\frac{4\sqrt{2}}{3} \cdots\cdots ④$$

ここで，直角三角形 BCE に三平方の定理を用いて，

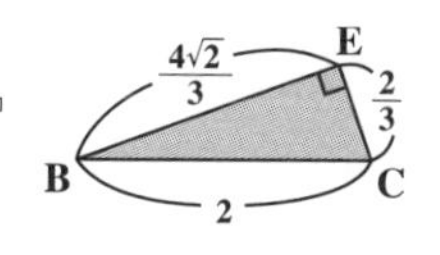

CE の長さを求めると，④より

$$\mathrm{CE}^2=\underbrace{\mathrm{BC}^2}_{2^2}-\underbrace{\mathrm{BE}^2}_{\left(\frac{4\sqrt{2}}{3}\right)^2=\frac{32}{9}}=4-\frac{32}{9}=\frac{36-32}{9}$$

$$\therefore \mathrm{CE}^2=\frac{4}{9} \text{ より，} \mathrm{CE}=\sqrt{\frac{4}{9}}=\frac{2}{3} \cdots\cdots ⑤ \ (\because \mathrm{CE}>0)$$

⑤より，

$$\mathrm{AE}=\mathrm{AC}-\mathrm{CE}=3-\frac{2}{3}=\frac{7}{3}$$

以上より，

$$\mathrm{BD}:\mathrm{DC}=1:1$$

$$\mathrm{AE}:\mathrm{EC}=\frac{7}{3}:\frac{2}{3}=7:2$$

これでメネラウスの定理が使える準備が整った！後は，「行って，戻って，…」の要領だ！

ここで，$\mathrm{AH}:\mathrm{HD}=m:n$ とおいて，

メネラウスの定理を用いると，

$$\frac{2}{1}\times\frac{7}{2}\times\frac{n}{m}=1 \text{ より，} \frac{n}{m}=\frac{1}{7}$$

$\therefore \mathrm{AH}:\mathrm{HD}=m:n=7:1$ となる。

⇦ メネラウスの定理

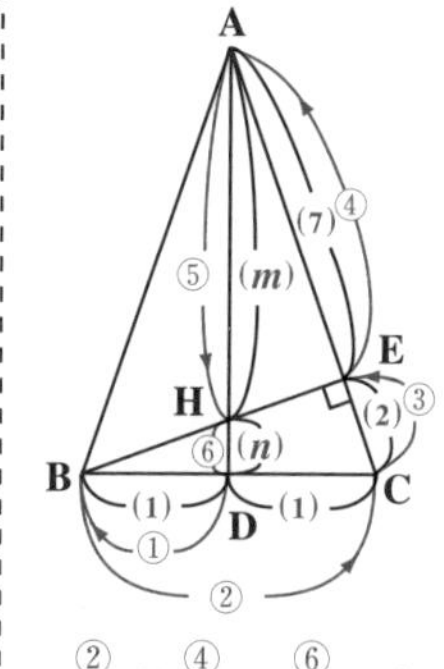

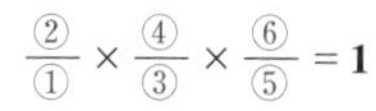

よって，求める AH の長さは，①より

$$\mathrm{AH}=\frac{7}{8}\cdot\mathrm{AD}=\frac{7}{8}\cdot2\sqrt{2}=\frac{7\sqrt{2}}{4} \cdots\cdots(\text{答})$$

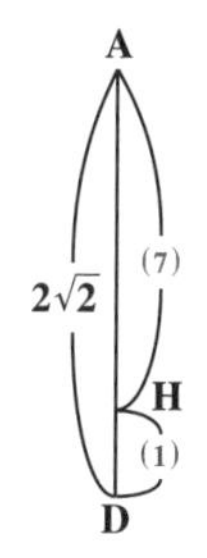

傍接円の半径

元気力アップ問題 108　難易度 ★★　CHECK 1　CHECK 2　CHECK 3

$\mathbf{AB}=\mathbf{AC}=3$, $\mathbf{BC}=2$ の二等辺三角形 ABC がある。この三角形の内接円の半径 r と，∠A に対する傍接円の半径 R_E を求めよ。また，比 $\mathbf{AI}:\mathbf{IE_A}$ を求めよ。
（ただし，I は△ABC の内心，図中の E_A は∠A に対する傍心を表す。）

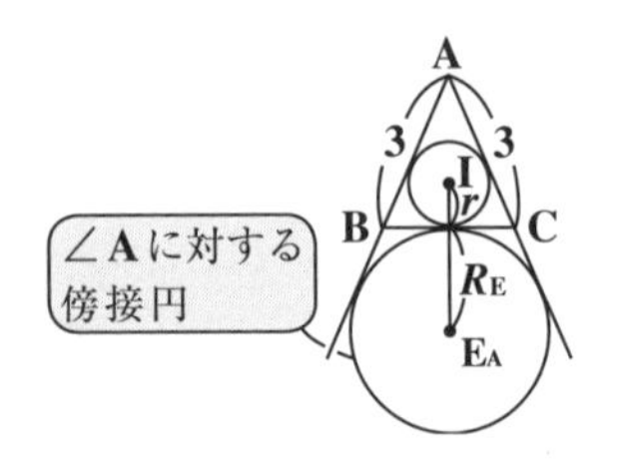

ヒント！ △ABC の面積を S とおくと，$S=\frac{1}{2}(\mathbf{AB}+\mathbf{BC}+\mathbf{CA})r$ から内接円の半径 r は求まる。傍接円の半径 R_E は，相似な直角三角形を利用して求める。

解答＆解説

(i) まず，$\mathbf{AB}=\mathbf{AC}=3$, $\mathbf{BC}=2$ の二等辺三角形 ABC の内接円の半径 r を求める。
辺 BC の中点を M とおくと，右図に示すように，△ABM は，$\mathbf{AB}=3$, $\mathbf{BM}=1$ の直角三角形になる。
よって，AM の長さを三平方の定理から求めると，

$$\mathbf{AM}=\sqrt{\mathbf{AB}^2-\mathbf{BM}^2}=\sqrt{3^2-1^2}=\sqrt{8}=2\sqrt{2}$$

よって，△ABC の面積を S とおくと，

$$S=\frac{1}{2}\cdot\underbrace{\mathbf{BC}}_{\text{底辺の長さ }2}\cdot\underbrace{\mathbf{AM}}_{\text{高さ }2\sqrt{2}}=\frac{1}{\not{2}}\cdot\not{2}\cdot2\sqrt{2}=2\sqrt{2}$$

よって，△ABC の内接円の半径 r は，

$$\underbrace{2\sqrt{2}}_{S}=\frac{1}{2}(\underbrace{3}_{\mathbf{AB}}+\underbrace{2}_{\mathbf{BC}}+\underbrace{3}_{\mathbf{CA}})\cdot r$$

$2\sqrt{2}=4r$ より，$r=\frac{2\sqrt{2}}{4}=\frac{\sqrt{2}}{2}$ ……………（答）

ココがポイント

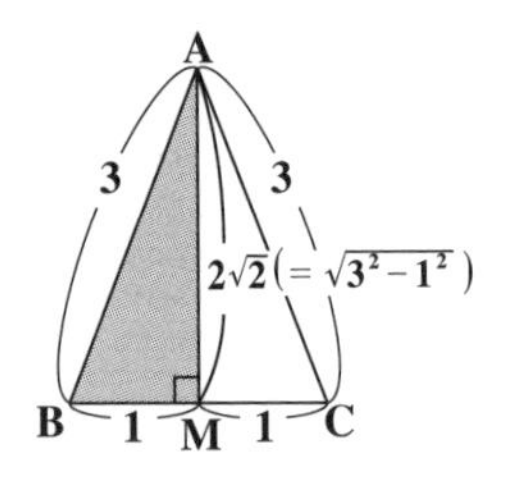

⇦ 公式：
$S=\frac{1}{2}(a+b+c)r$
を使った。

(ⅱ) 次に，∠A に対する傍接円の半径 R_E を求める。

右図に示すように，傍心 E_A から直線 AB に下ろした垂線の足を H とおく。

ここで，2 つの直角三角形 △ABM と △AE_AH について，

(ア) ∠BAM は共通，(イ) ∠AMB = ∠AHE_A = 90° より，

△ABM ∽ △AE_AH（相似）

$$\therefore \underset{3}{\underline{AB}} : \underset{1}{\underline{BM}} = \underset{2\sqrt{2}+R_E}{\underline{AE_A}} : \underset{R_E}{\underline{E_AH}}$$

$3 : 1 = (2\sqrt{2} + R_E) : R_E$ より，

$3R_E = 2\sqrt{2} + R_E$　　$2R_E = 2\sqrt{2}$

$\therefore R_E = \sqrt{2}$ ……………………………………（答）

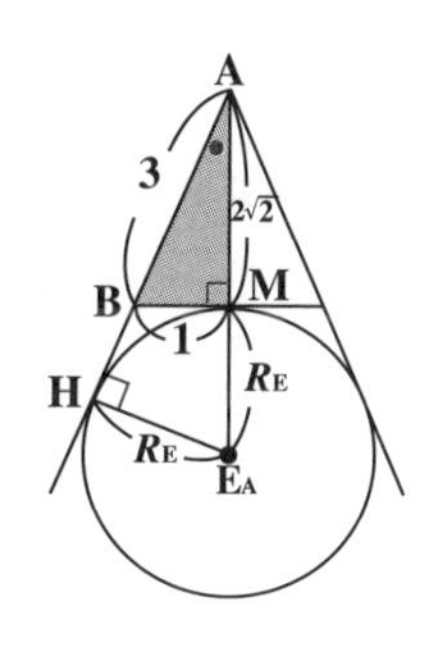

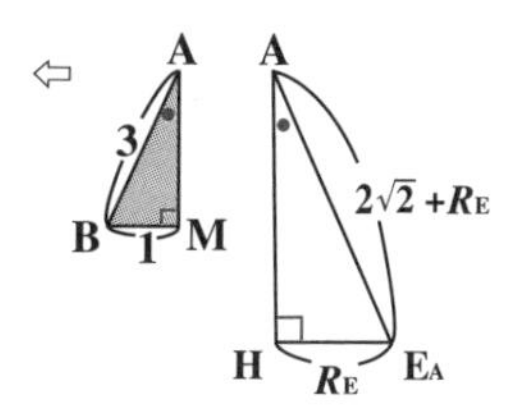

(ⅲ) 最後に，$AI : IE_A$ の比を求める。

右図より，

$$\begin{cases} AI = AM - r = 2\sqrt{2} - \dfrac{\sqrt{2}}{2} = \dfrac{3}{2}\sqrt{2} \\ IE_A = r + R_E = \dfrac{\sqrt{2}}{2} + \sqrt{2} = \dfrac{3}{2}\sqrt{2} \end{cases}$$

$\therefore AI : IE_A = \dfrac{3}{2}\sqrt{2} : \dfrac{3}{2}\sqrt{2} = 1 : 1$ である。……（答）

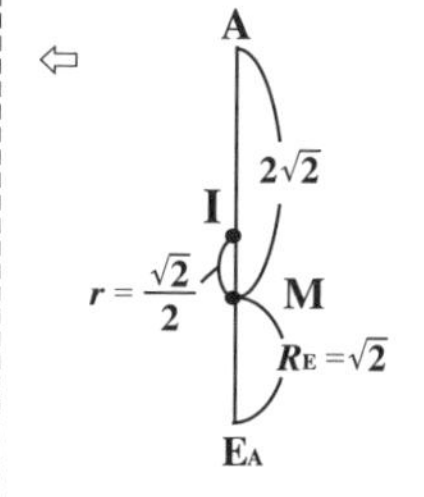

方べきの定理

元気力アップ問題 109　難易度 ★★　CHECK 1　CHECK 2　CHECK 3

右図に示すように，交わる **2** つの円 C_1, C_2 の **2** 交点 **A**, **B** を通る直線上に点 **P** をとる。点 **P** より，**2** つの円 C_1, C_2 に引いた接線の長さ **PT** と **PT′** が $PT = PT'$ ……(＊) となることを示せ。
(ただし，**T** と **T′** は，それぞれの接点を表す。)
さらに，$PA = 2$, $AB = \sqrt{3}$ のとき，線分 **PT** の長さを求めよ。

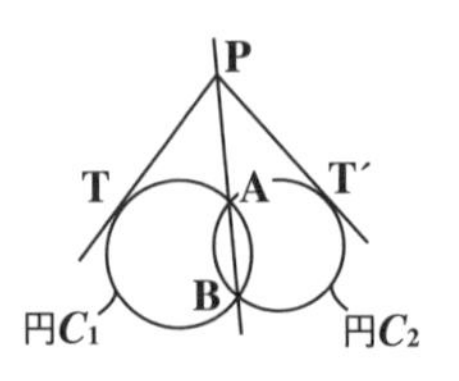

ヒント！ 一見難しそうだけれど，方べきの定理を使えば，楽に解けるよ。

解答＆解説

(ⅰ) 円 C_1 と接線 **PT**，直線 **AB** に方べきの定理を用いると，

$PT^2 = PA \cdot PB$ ……① となる。

(ⅱ) 同様に，円 C_2 と接線 **PT′**，直線 **AB** に方べきの定理を用いると，

$PT'^2 = PA \cdot PB$ ……② となる。

以上 (ⅰ)(ⅱ) の①，②より，$PT^2 = PT'^2$

$\therefore PT = PT'$ ……(＊) ($\because PT > 0,\ PT' > 0$) ……(終)

次に，$PA = 2$，$AB = \sqrt{3}$ のとき，**PT** の長さを求める。

$PB = PA + AB = 2 + \sqrt{3}$ より，これらを①に代入して，

$PT^2 = 2 \cdot (2 + \sqrt{3}) = 4 + 2\sqrt{3}$

よって，求める線分 **PT** の長さは，$PT > 0$ より

$PT = \sqrt{4 + 2\sqrt{3}} = \sqrt{3} + \sqrt{1}$

たして $3+1$　かけて 3×1

$\therefore PT = \sqrt{3} + 1$ ……………………………………(答)

ココがポイント

⇦

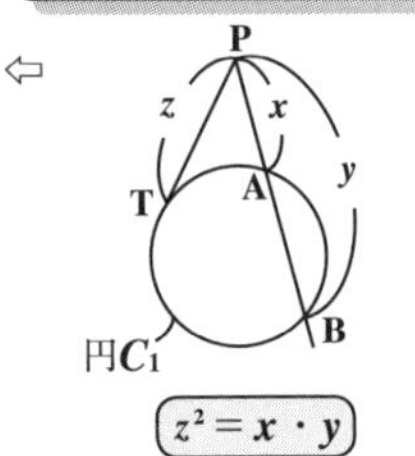

$z^2 = x \cdot y$

⇦

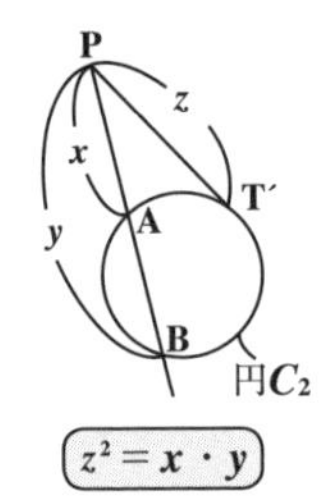

$z^2 = x \cdot y$

⇦ **2** 重根号のはずし方

$\sqrt{a+b+2\sqrt{ab}} = \sqrt{a} + \sqrt{b}$

(ただし，$a>0$，$b>0$)

円に内接する四角形

元気力アップ問題 110　難易度 ★★　CHECK 1　CHECK 2　CHECK 3

円に内接する $\mathbf{AB} = 3$, $\mathbf{BC} = 3$, $\mathbf{CD} = 2$, $\mathbf{DA} = 5$ の四角形ABCDがある。

(1) 対角線 BD の長さを求めよ。

(2) 対角線 AC の長さを求めよ。

ヒント！ $\angle A = \theta$ とおくと，$\angle C = 180° - \theta$ となる。**(1)** $\triangle$ABD と $\triangle$CBD に余弦定理を用いる。**(2)** は，トレミーの定理を使えば，AC の長さは簡単に求められるね。

解答＆解説

(1) $\angle A = \theta$ とおくと，四角形 ABCD は円に内接しているので，$\angle C = 180° - \theta$ になる。

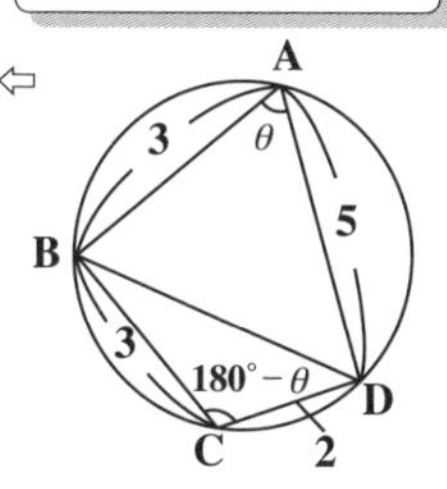

(ⅰ) $\triangle$ABD に余弦定理を用いると，

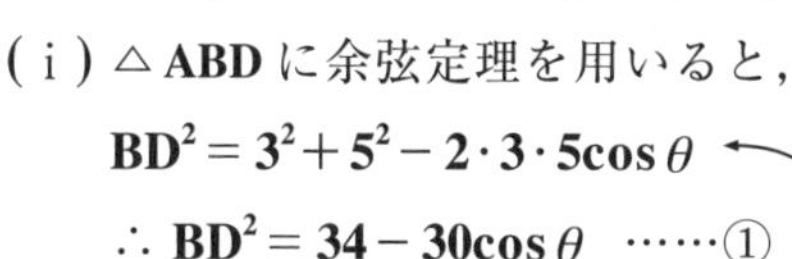

$$BD^2 = 3^2 + 5^2 - 2 \cdot 3 \cdot 5\cos\theta$$

$$\therefore BD^2 = 34 - 30\cos\theta \quad \cdots\cdots①$$

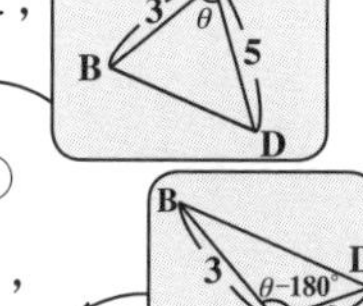

(ⅱ) $\triangle$CBD に余弦定理を用いると，

$$BD^2 = 3^2 + 2^2 - 2 \cdot 3 \cdot 2 \cdot \underbrace{\cos(180° - \theta)}_{-\cos\theta}$$

$$\therefore BD^2 = 13 + 12\cos\theta \quad \cdots\cdots②$$

以上①，②より BD^2 を消去してまとめると，

$34 - 30\cos\theta = 13 + 12\cos\theta$ より，$\cos\theta = \dfrac{1}{2}$ ……③

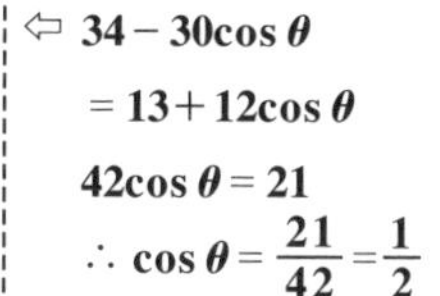

$$34 - 30\cos\theta = 13 + 12\cos\theta$$
$$42\cos\theta = 21$$
$$\therefore \cos\theta = \frac{21}{42} = \frac{1}{2}$$

③を①に代入して，$BD^2 = 34 - 15 = 19$

$\therefore BD = \sqrt{19}$ ……………………………………………(答)

(2) 四角形 ABCD は，円に内接するので，$AC = x$ とおいてトレミーの定理を利用すると，

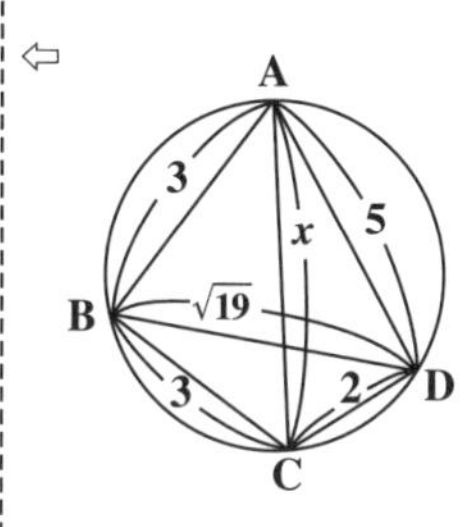

$3 \times 2 + 3 \times 5 = \sqrt{19} \cdot x$

トレミーの定理
$AB \times CD + BC \times AD = BD \times AC$

$\sqrt{19}\,x = 21$

$\therefore AC = x = \dfrac{21}{\sqrt{19}} = \dfrac{21\sqrt{19}}{19}$ ……………………(答)

方べきの定理，トレミーの定理

元気力アップ問題 111　難易度 ★★　CHECK 1　CHECK 2　CHECK 3

$AB = 8$，$BC = 7$，$CA = 6$ の△ABC とその外接円がある。∠A の二等分線は△ABC の内心 I を通り，これが BC と交わる点を D，外接円と交わる点を E とおく。

(1) 線分 AD と DE の長さを求めよ。

(2) 線分 IE の長さを求めよ。

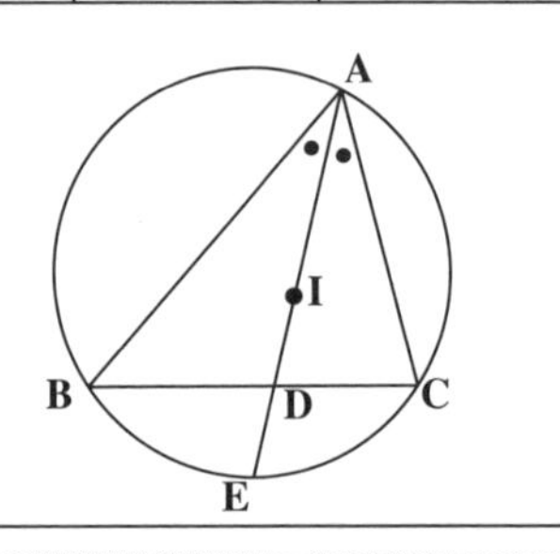

ヒント！ (1) $AD = x$，$DE = y$ とおくと，$BE = EC = 2y$ となるので，方べきの定理とトレミーの定理が使えるんだね。(2) は△ECI に注目して，これが二等辺三角形であることを示せば，答えは簡単に求まるんだね。頑張ろう！

解答＆解説

(1) $AB = 8$，$BC = 7$，$CA = 6$ の△ABC の∠A の二等分線が辺 BC と交わる点を D とおくと，

頂角の二等分線の定理より，

$BD : DC = AB : AC = 8 : 6 = 4 : 3$ となる。

ここで，$BC = 7$ より

$BD = 4$，$DC = 3$ となる。 ← 比ではなく，本当の長さが 4 と 3 になる。

ここで，$AD = x$，$DE = y$ とおくと，

四角形 ABEC は円に内接するので，方べきの定理より，$x \cdot y = 4 \cdot 3$

$\therefore$ $xy = 12$ ……①となる。

次に△BCE について，同じ弧に対する円周角は等しいので，

$\angle BAE = \angle BCE$，$\angle EAC = \angle EBC$

（弧 $\overset{\frown}{BE}$ に対する）（弧 $\overset{\frown}{EC}$ に対する円周角）

よって，$\angle BAE = \angle EAC$ より，$\angle BCE = \angle EBC$ となるので，△BCE は $BE = CE$ の二等辺三角形である。

ココがポイント

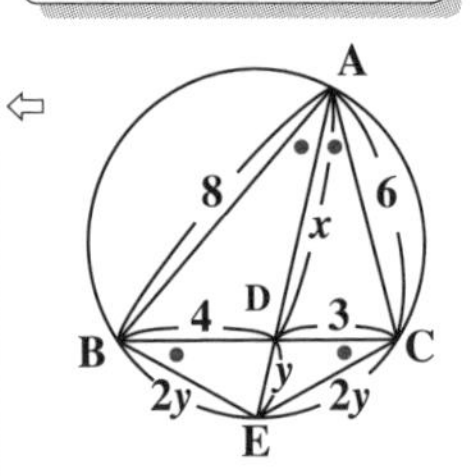

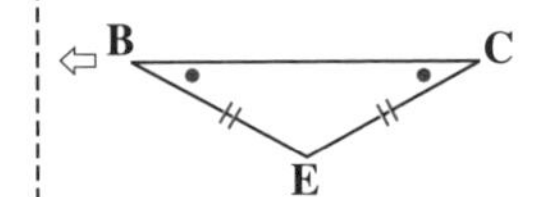

ここで，△ADCと△BDEについて，

$$\begin{cases} \angle \mathrm{ADC} = \angle \mathrm{BDE}\ (\text{対頂角}) \\ \angle \mathrm{DAC} = \angle \mathrm{DBE}\ (\text{弧}\overparen{\mathrm{EC}}\text{に対する円周角}) \end{cases}$$

よって，△ADC∽△BDEより，

$\underset{\mathrm{DC}}{3} : \underset{\mathrm{AC}}{6} = \underset{\mathrm{DE}}{y} : \mathrm{BE}$，　$3\mathrm{BE} = 6y$

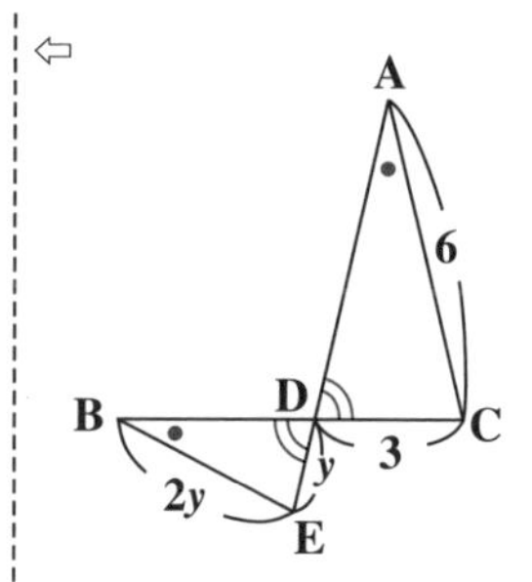

$\therefore \mathrm{BE} = 2y\ (= \mathrm{CE})$

よって，四角形ABECは円に内接するので

トレミーの定理を用いて，

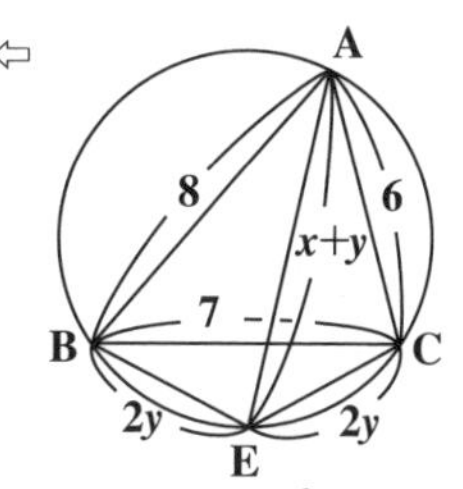

$8 \times 2y + 6 \times 2y = 7 \times (x + y)$

$28y = 7x + 7y$　　$7x = 21y$

$\therefore x = 3y$ ……②となる。

②を①に代入して，$y = 2$　　②より，$x = 6$

⇦ $3y \cdot y = 12$，$y^2 = 4$

$\therefore y = 2$

$\therefore \mathrm{AD} = x = 6$，$\mathrm{DE} = y = 2$ ……………………(答)

(2) △ECIについて考える。

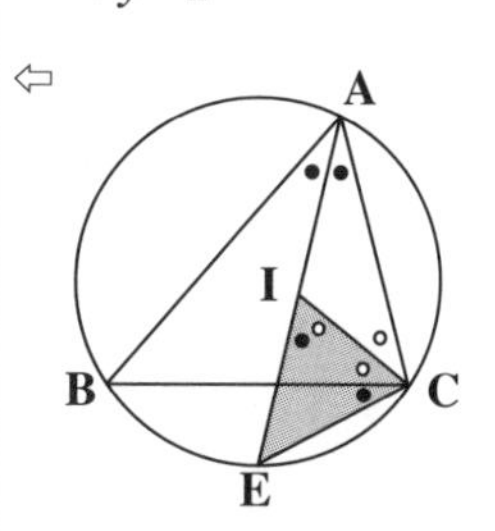

右図に示すように，$\frac{1}{2}\angle \mathrm{A}$を“●”で，また，

$\frac{1}{2}\angle \mathrm{C}$を“○”で記号化して表すと，

$\angle \mathrm{EIC} = \frac{1}{2}\angle \mathrm{A} + \frac{1}{2}\angle \mathrm{C}$　(＝●＋○)

∠EICは△AICの外角より，$\frac{1}{2}\angle \mathrm{A} + \frac{1}{2}\angle \mathrm{C}$となる。

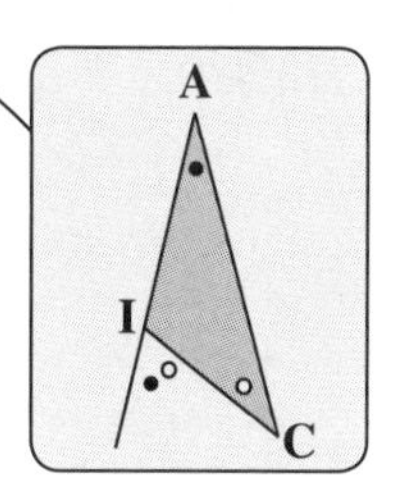

$\angle \mathrm{ECI} = \frac{1}{2}\angle \mathrm{A} + \frac{1}{2}\angle \mathrm{C}$　(＝●＋○)

弧$\overparen{\mathrm{BE}}$に対する円周角より

よって，∠EIC＝∠ECIより，△ECIは

IE＝CEの二等辺三角形である。

$\therefore \mathrm{IE} = \mathrm{CE} = 2\underset{2}{y} = 4$ である。 ……………………(答)

四角錐と四角錐台

元気力アップ問題 112 難易度 ★★ CHECK 1 CHECK 2 CHECK 3

底面が，**1** 辺の長さ **2** の正方形 **ABCD** で，
$OA = OB = \sqrt{10}$，$OC = OD = 3$ の四角錐
O − ABCD がある。頂点 **O** から底面の
正方形に下ろした垂線の足を **H** とおく。

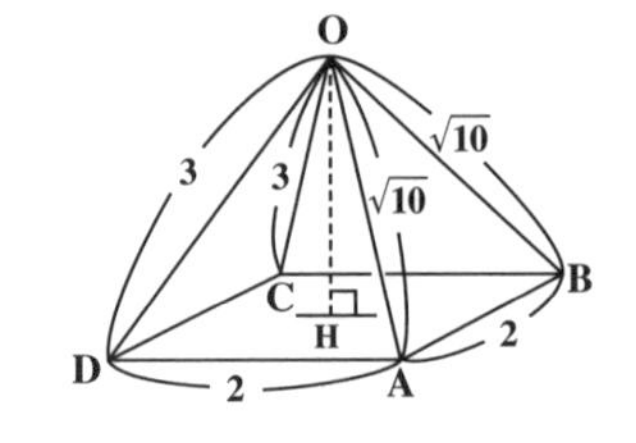

(1) 線分 **OH** の長さと，この四角錐の
体積 V を求めよ。

(2) この四角錐の底面から $\frac{1}{2}$**OH** の
高さの底面と平行な平面で，この四角錐の上部を切り取ってできる
四角錐台の体積 V' を求めよ。

ヒント！ (1) 辺 AB と辺 CD の中点をそれぞれ M，N とおいて，断面の△ OMN で考えると分かりやすい。(2) 切り取られた上部の小立体は，元の四角錐の相似比 $\frac{1}{2}$ の立体となることに気付けばいいんだね。

解答＆解説

ココがポイント

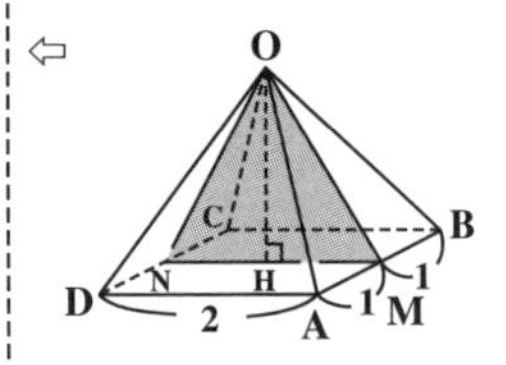

(1) 底面の正方形 **ABCD** の辺 **AB** の中点を **M**，
辺 **CD** の中点を **N** とおいて，この四角錐の
断面の△ **OMN** について考える。

- **OM** は，二等辺三角形 **OAB** の中線になるので，直角三角形 **OAM** に三平方の定理を用いると，

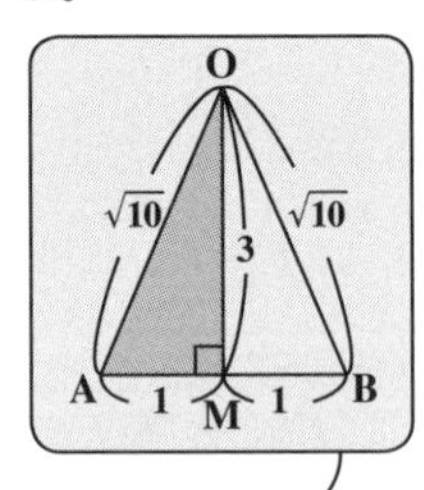

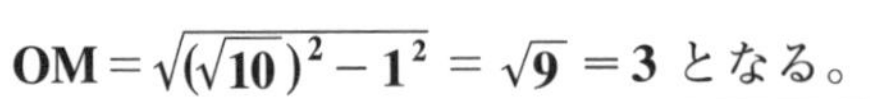

$OM = \sqrt{(\sqrt{10})^2 - 1^2} = \sqrt{9} = 3$ となる。

- 同様に，直角三角形 **OCN** に三平方の定理を用いると，

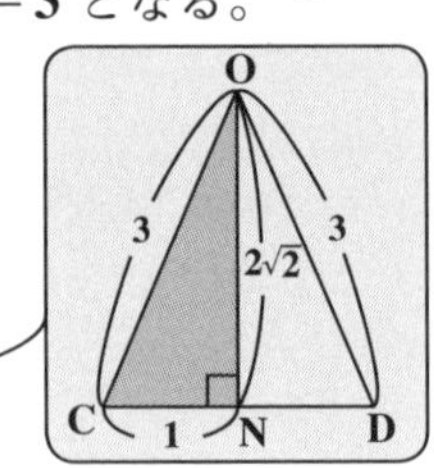

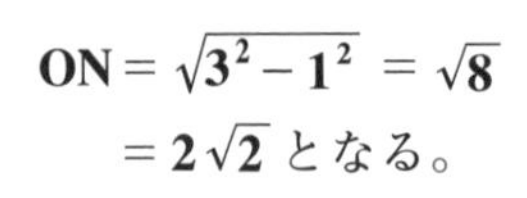

$ON = \sqrt{3^2 - 1^2} = \sqrt{8}$
$= 2\sqrt{2}$ となる。

よって，断面の△ **OMN** は，$OM = 3$，$ON = 2\sqrt{2}$，$MN = 2$ の三角形で，点 **H** は辺 **MN** 上にある。

ここで，$MH = x$，$HN = 2 - x$ とおいて，**2** つの直角三角形△ **OHM** と△ **OHN** に三平方の定理を用いると，

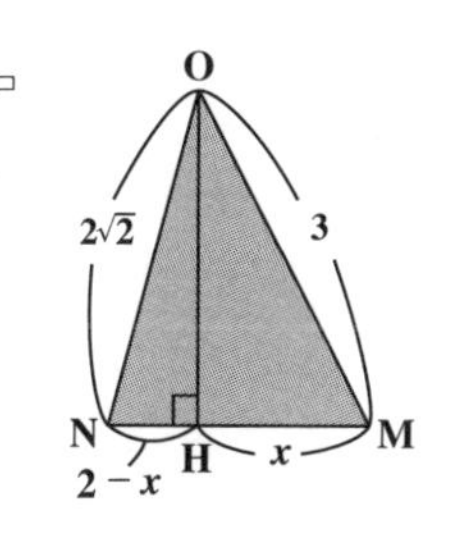

$$\begin{cases} OH^2 = 3^2 - x^2 = 9 - x^2 \cdots\cdots ① \\ OH^2 = (2\sqrt{2})^2 - (2 - x)^2 = 4 + 4x - x^2 \cdots\cdots ② \end{cases}$$

⇦ $(2\sqrt{2})^2 - (2 - x)^2$
$= 8 - (4 - 4x + x^2)$
$= 4 + 4x - x^2$

①，②より OH^2 を消去して，

$$9 - \cancel{x^2} = 4 + 4x - \cancel{x^2} \qquad 4x = 5 \qquad \therefore x = \frac{5}{4} \cdots ③$$

③を①に代入して，

$$OH^2 = 9 - \left(\frac{5}{4}\right)^2 = \frac{119}{16}$$

⇦ $9 - \left(\frac{5}{4}\right)^2 = 9 - \frac{25}{16}$
$= \frac{144 - 25}{16} = \frac{119}{16}$

$$\therefore OH = \sqrt{\frac{119}{16}} = \frac{\sqrt{119}}{4} \cdots\cdots ④ \quad \cdots\cdots\cdots\cdots (答)$$

よって，四角錐 **O − ABCD** の体積 V は，④より

$$V = \frac{1}{3} \cdot 2^2 \cdot OH$$
$$= \frac{\cancel{4}}{3} \cdot \frac{\sqrt{119}}{\cancel{4}} = \frac{\sqrt{119}}{3} \cdots\cdots ⑤ \quad \cdots\cdots\cdots\cdots (答)$$

⇦ 四角錐の体積

$V = \frac{1}{3} \cdot S \cdot h$
S：底面積 2^2
h：高さ OH

(2) 切り取られた上部の小立体は，元の四角錐に対して，相似比 $\frac{1}{2}$ の相似な四角錐である。よって，この小立体の体積は $\left(\frac{1}{2}\right)^3 \cdot V$ となる。

相似比が $\frac{1}{2}$ より，体積比は $\left(\frac{1}{2}\right)^3$ となる。

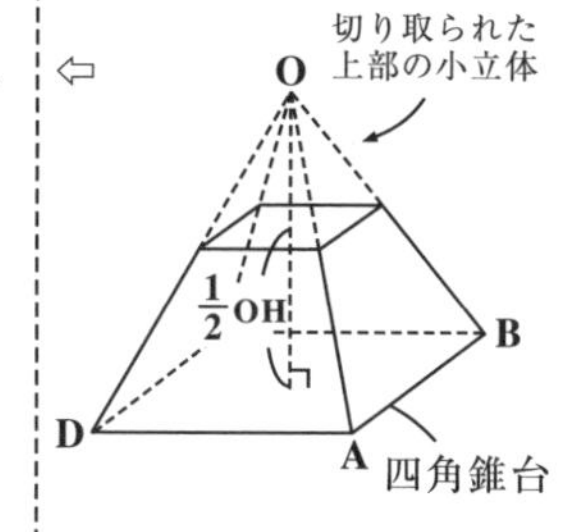

よって，小立体を切り取られた四角錐台の体積 V' は，⑤より，

$$V' = V - \left(\frac{1}{2}\right)^3 V = \left(1 - \frac{1}{8}\right) V$$
$$= \frac{7}{8} \cdot \frac{\sqrt{119}}{3} = \frac{7\sqrt{119}}{24} \quad である。 \cdots\cdots\cdots\cdots (答)$$

直円錐台

元気力アップ問題 113　難易度★★　CHECK 1　CHECK 2　CHECK 3

右に示すような，上面が半径 $r'=2$ の円，底面が半径 $r=3$ の円で，高さ $h=2$ の直円錐台がある。
この直円錐台の体積 V を求めよ。

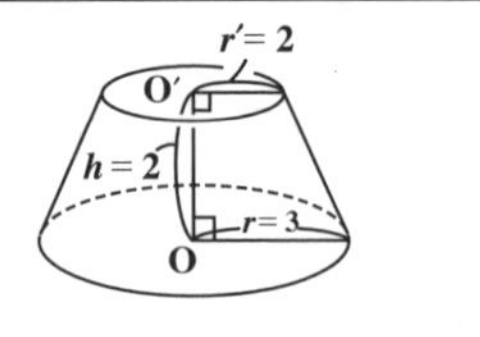

ヒント！ まず，切り取られた上部の円錐まで含めた立体の体積から，切り取られたと考えられる円錐の体積を引いて，円錐台の体積 V を求めよう。

解答＆解説

直円錐台の体積 V を求めるために，この直円錐台は元々 P を頂点とする直円錐から，底面が $r'=2$ の上部の直円錐を切り取って出来たものと考える。
右図のように，2 つの相似な直角三角形から

$$PO' : \underbrace{2}_{r'} = \underbrace{PO}_{PO'+\underbrace{2}_{h}} : \underbrace{3}_{r}$$

$$2(PO'+2)=3PO' \qquad 2PO'+4=3PO'$$

$\therefore\ PO'=4$ となる。

よって，求める円錐台の体積 V は，底面積 $\pi\cdot 3^2$，高さ $PO=6$ の円錐の体積から，底面積 $\pi\cdot 2^2$，高さ $PO'=4$ の円錐の体積を引いたものなので，

$$V=\frac{1}{3}\cdot\pi\cdot 3^2\cdot 6-\frac{1}{3}\cdot\pi\cdot 2^2\cdot 4$$

$$=18\pi-\frac{16}{3}\pi=\frac{54-16}{3}\pi=\frac{38}{3}\pi \quad \cdots\cdots\cdots\cdots(答)$$

ココがポイント

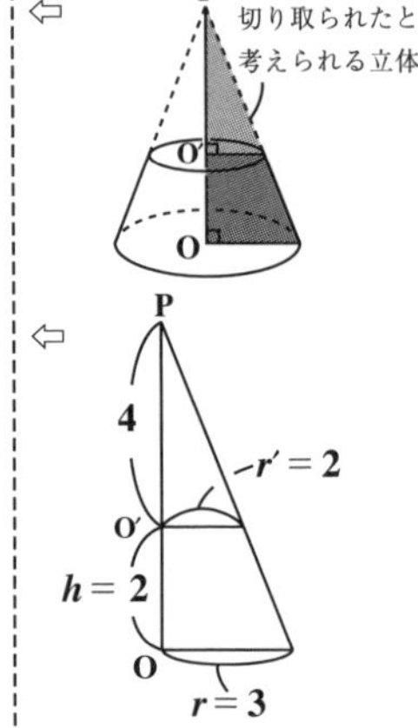

⇦元の円錐の体積を V_0 とおいて，

$$V_0=\frac{1}{3}\cdot\pi\cdot 3^2\cdot 6=18\pi$$

切り取られた円錐の相似比は $\frac{2}{3}$ より，

$$V=\left\{1-\underbrace{\left(\frac{2}{3}\right)^3}_{体積比}\right\}V_0$$

$$=\frac{19}{27}\times 18\pi=\frac{38}{3}\pi$$

と求めてもいいよ。

球と平面

元気力アップ問題 114　難易度 ★★　CHECK 1　CHECK 2　CHECK 3

中心 **O**，半径 $r=6$ の球 S を，**O** からの距離 $h=4$ の平面 α で切ったときの切り口の円 C の半径 r' を求めよ。
また，この円 C を底面とし，**O** を頂点とする直円錐の体積 V を求めよ。

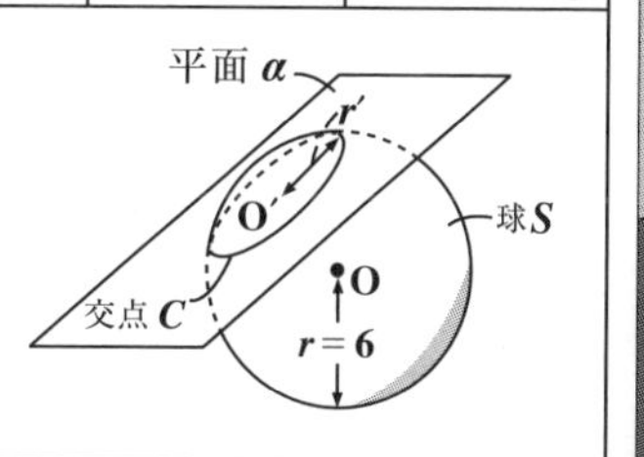

ヒント！ 円 C の中心を O' とおくと，$OO'=h$ となり，三平方の定理 $r^2=r'^2+h^2$ が利用できるんだね。頑張ろう！

解答＆解説

ココがポイント

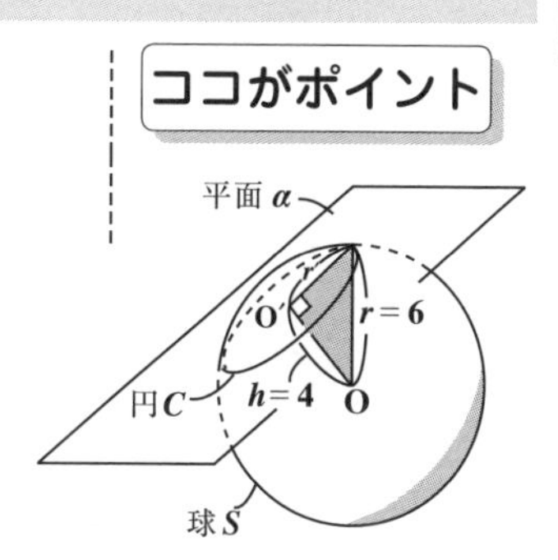

中心 **O**，半径 $r=6$ の球 S を，**O** からの距離 $h=4$ の平面 α で切ってできる交わりの円 C の中心を O'，半径を r' とおくと，右図から，三平方の定理より

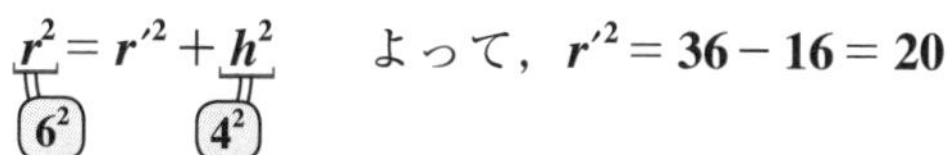

$r^2=r'^2+h^2$ （$r^2=6^2$，$h^2=4^2$）　よって，$r'^2=36-16=20$

$\therefore r'=\sqrt{20}=2\sqrt{5}$ と求まる。……………………………(答)

次に，半径 $r'=2\sqrt{5}$ の円 C を底面とし，高さ $OO'=h=4$ の直円錐の体積 V は，　⇦

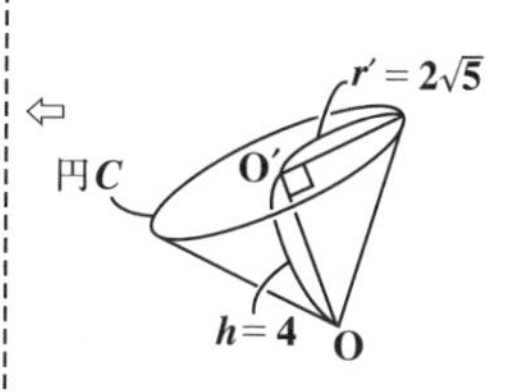

$$V=\frac{1}{3}\cdot\pi\cdot r'^2\cdot h=\frac{1}{3}\cdot 20\pi\cdot 4$$

（底面積 $\pi(2\sqrt{5})^2=20\pi$，高さ 4）

$=\dfrac{80}{3}\pi$ である。……………………………(答)

2つの球の関係

元気力アップ問題 115　難易度 ★★　CHECK 1　CHECK 2　CHECK 3

中心 $\mathbf{O_1}$, 半径 $r_1 = 3$ の球 S_1 と
中心 $\mathbf{O_2}$, 半径 $r_2 = 5$ の球 S_2 がある。
右図に示すように 2 つの球の
中心間の距離 $\mathbf{O_1O_2} = 6$ である。
このとき, 次の各問いに答えよ。

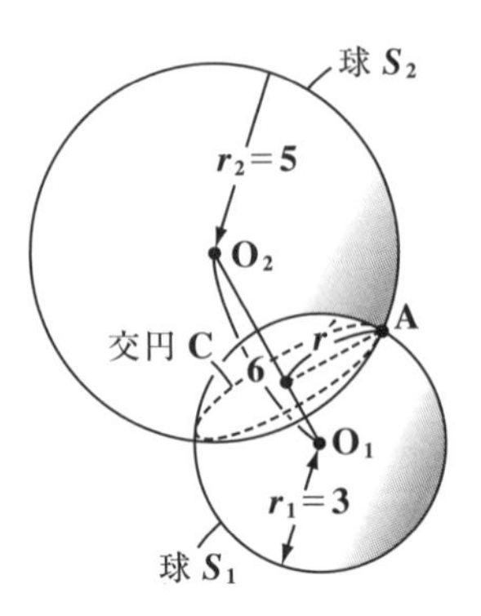

(1) 2 つの球 S_1 と S_2 の交わりの円 C の半径 r' を求めよ。

(2) 交わりの円 C を底面とし, 中心 $\mathbf{O_1}$ を頂点とする直円錐の体積 V_1 を求めよ。

(3) 交わりの円 C を底面とし, 中心 $\mathbf{O_2}$ を頂点とする直円錐の体積 V_2 を求めよ。

ヒント！ 2 つの球 S_1 と S_2 の中心 $\mathbf{O_1}$ と $\mathbf{O_2}$, および交円 C の周上の 1 点 A を通る平面で切った断面図で考えよう。ここで, 交円 C の中心を O′ とおくと, 2 つの直角三角形 $\triangle O_1O'A$ と $\triangle O_2O'A$ ができるので, これらに三平方の定理を使って解いていけばいいんだね。頑張ろう！

解答＆解説

ココがポイント

(1) 2 つの球 S_1 と S_2 の交わりの円 C の中心を O′, 半径を r' とおく。また, 交円 C の周上の 1 点を A とおき, これら 2 球を 3 点 $\mathbf{O_1}$, $\mathbf{O_2}$, A を通る平面で切ったときの断面の主な部分の様子を右図に示す。

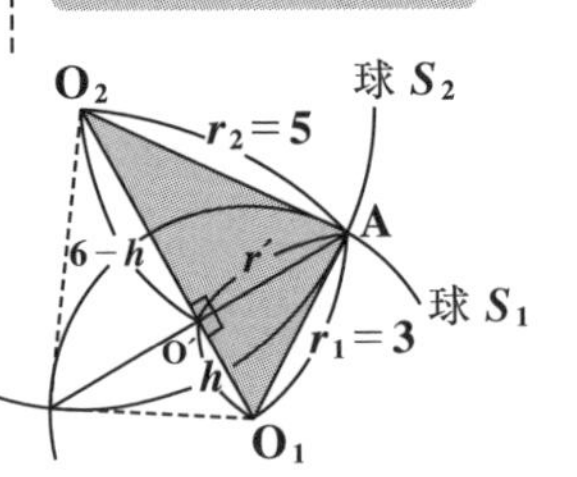

ここで, $O_1O_2 = 6$ より, $O'O_1 = h$ とおくと $O'O_2 = 6 - h$ となる。このとき, 2 つの直角三角形 $\triangle O_1O'A$ と $\triangle O_2O'A$ が得られるので, これらに三平方の定理を用いると,

2つの直角三角形

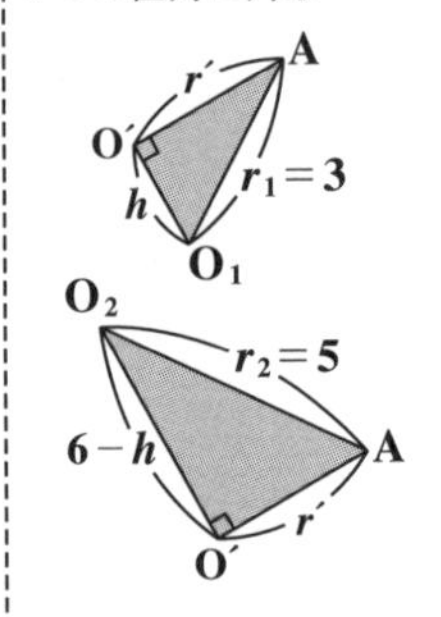

$$\begin{cases} 9 = r'^2 + h^2 \quad \cdots\cdots\cdots\cdots ① & [r_1^2 = r'^2 + h^2] \\ 25 = r'^2 + (6-h)^2 \quad \cdots\cdots ② & [r_2^2 = r'^2 + (6-h)^2] \end{cases}$$

となる。よって, ② − ① より,

$$16 = \underbrace{(6-h)^2 - h^2}_{36-12h+h^2-h^2=36-12h} \qquad 16 = 36 - 12h$$

$12h = 20$ より，

$\therefore h = \dfrac{20}{12} = \dfrac{5}{3}$ ……③ となる。

③を①に代入して，$9 = r'^2 + \left(\dfrac{5}{3}\right)^2$

$r'^2 = 9 - \dfrac{25}{9} = \dfrac{56}{9}$

$\therefore$ 交円 C の半径 $r' = \dfrac{2\sqrt{14}}{3}$ …④ である。……(答)

⇦ $r'^2 = 9 - \dfrac{25}{9} = \dfrac{81-25}{9}$
$= \dfrac{56}{9} = \dfrac{2^2 \times 14}{3^2}$
$\therefore r' = \sqrt{\dfrac{2^2 \times 14}{3^2}} = \dfrac{2\sqrt{14}}{3}$

(2) 半径 $r' = \dfrac{2\sqrt{14}}{3}$ の交円 C を底面とし，中心 O_1 を頂点とする直円錐の体積 V_1 を求めると，

$V_1 = \dfrac{1}{3} \times \underbrace{\pi r'^2}_{\text{底面積}} \times \underbrace{h}_{\text{高さ}}$ ←(これに，③，④を代入して)

$= \dfrac{1}{3} \times \pi\left(\dfrac{2\sqrt{14}}{3}\right)^2 \times \dfrac{5}{3} = \dfrac{\pi}{3} \times \dfrac{56}{9} \times \dfrac{5}{3}$ より，

$\therefore V_1 = \dfrac{280}{81}\pi$ である。………………………(答)

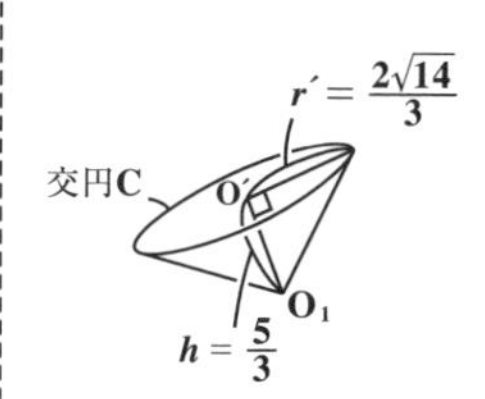

(3) 半径 $r' = \dfrac{2\sqrt{14}}{3}$ の交円 C を底面とし，中心 O_2 を頂点とする直円錐の体積 V_2 を求めると，

$V_2 = \dfrac{1}{3} \times \underbrace{\pi r'^2}_{\text{底面積}} \times \underbrace{(6-h)}_{\text{高さ}}$ ←(これに，③，④を代入して)

$= \dfrac{1}{3} \times \pi\left(\dfrac{2\sqrt{14}}{3}\right)^2 \times \left(6 - \dfrac{5}{3}\right)$

$= \dfrac{\pi}{3} \times \dfrac{56}{9} \times \dfrac{13}{3}$ より，

$\therefore V_2 = \dfrac{728}{81}\pi$ である。………………………(答)

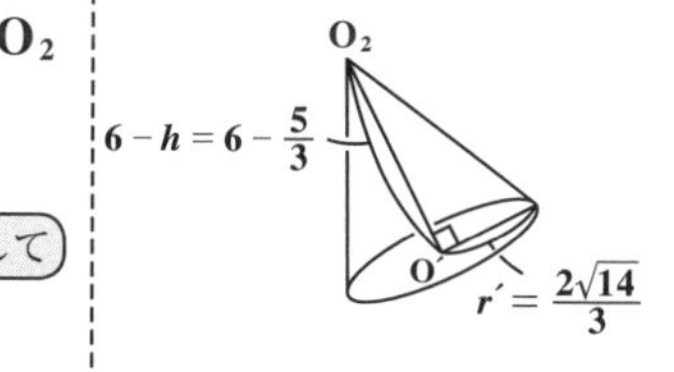

オイラーの多面体定理

元気力アップ問題 116　難易度 ★★　CHECK 1　CHECK 2　CHECK 3

ある凸多面体の頂点の数を v，辺の数を e，面の数を f とおくと，
$e = 4v - 12$ ……①，　$f = \frac{1}{2}v^2 - v - 4$ ……②　が成り立つ。
このとき，この凸多面体の v，e，f の値を求めよ。

ヒント！ ①, ②と，オイラーの多面体定理：$f + v - e = 2$……(＊) を連立させて，v の2次方程式に持ち込んで解けばいいんだね。最終問題だ！頑張ろう！

解答＆解説

ある凸多面体の頂点の数 v と辺の数 e と面の数 f の間には，次のオイラーの多面体定理が成り立つ。

$f + v - e = 2$ ……(＊)

ここで，$\begin{cases} e = 4v - 12 & \text{……①} \\ f = \frac{1}{2}v^2 - v - 4 & \text{……②} \end{cases}$ より，

①, ②を (＊) に代入してまとめると，

$\frac{1}{2}v^2 - v - 4 + v - (4v - 12) = 2$

$v^2 - 8v + 12 = 0$

$(v-2)(v-6) = 0$　$\therefore v = 2, 6$

頂点の数 $v = 2$ では多面体になり得ない。よって不適。

これから，$v = 6$ …③ である。

③を①，②に代入して，

$e = 4 \times 6 - 12 = 12$

$f = \frac{1}{2} \times 6^2 - 6 - 4 = 18 - 10 = 8$

以上より，この凸多面体は，

頂点の数 $v = 6$，辺の数 $e = 12$，面の数 $f = 8$

である。 ……(答)

ココがポイント

⇦「メンテ代から1000円引いて，ニッコリ」と覚えよう！（メン：面 f，テ：点 v，1000：線(辺) e，ニッコリ：2）

⇦ $\frac{1}{2}v^2 - 4 - 4v + 12 - 2 = 0$
$\frac{1}{2}v^2 - 4v + 6 = 0$
$v^2 - 8v + 12 = 0$

⇦ この例として，正八面体が考えられるね。

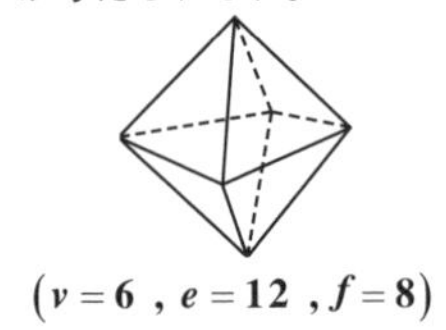

$(v = 6, e = 12, f = 8)$

第8章 ● 図形の性質の公式の復習

1. 内角の二等分線と辺の比

△**ABC** の内角∠**A** の二等分線と辺 **BC** との交点を **P** とおき，また，**AB** = $\boldsymbol{c}$，**CA** = $\boldsymbol{b}$ とおくと，

BP：**PC** = $\boldsymbol{c}$：$\boldsymbol{b}$ となる。

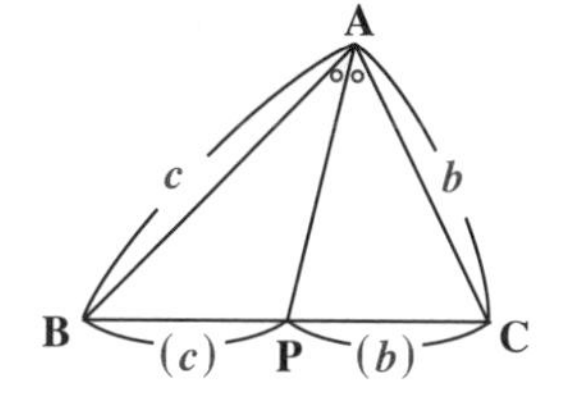

2. △ABC の重心 G

△**ABC** の重心 **G** は，**3** つの頂点 **A**，**B**，**C** から出る **3** 本の中線の交点である。また，各中線は，重心 **G** により，右図のように **2**：**1** に内分される。

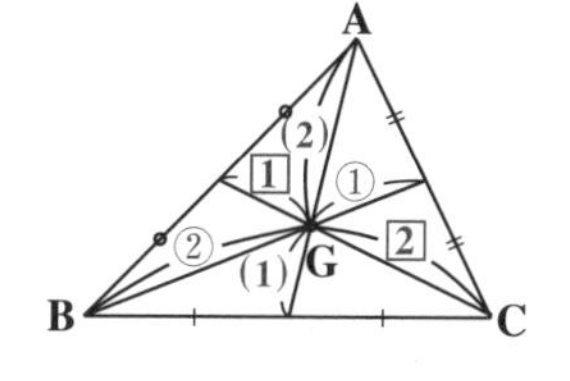

3. チェバの定理，メネラウスの定理： $\dfrac{②}{①}\times\dfrac{④}{③}\times\dfrac{⑥}{⑤}=1$

(Ⅰ) チェバの定理

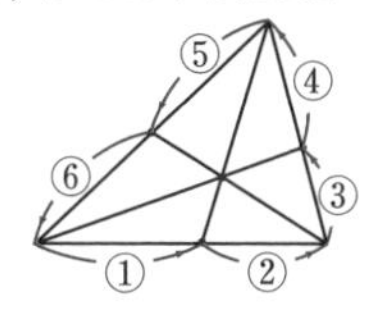

(Ⅱ) メネラウスの定理

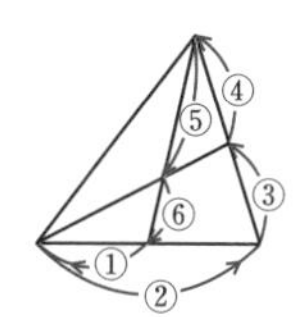

4. 接弦定理

円弧 $\overset{\frown}{\mathbf{PQ}}$ に対する円周角を θ とおくと，点 **P** における円の接線 **PX** と弦 **PQ** のなす角∠**QPX** は θ と等しい。つまり，右図において

∠**QPX** = ∠**PRQ**

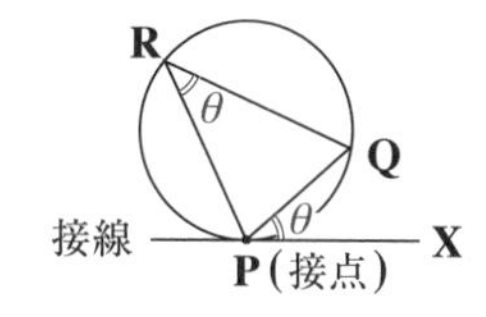

5. 方べきの定理

方べきの定理(Ⅰ)

$x\cdot y=z\cdot w$

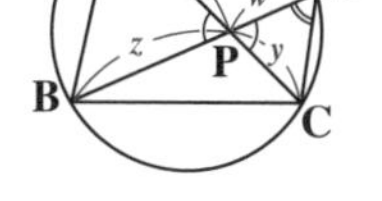

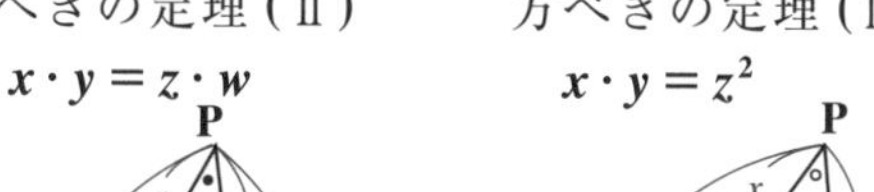

方べきの定理(Ⅱ)

$x\cdot y=z\cdot w$

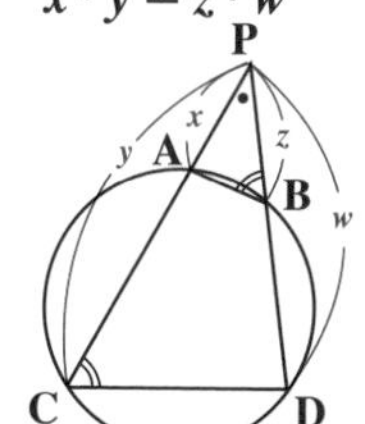

方べきの定理(Ⅲ)

$x\cdot y=z^2$

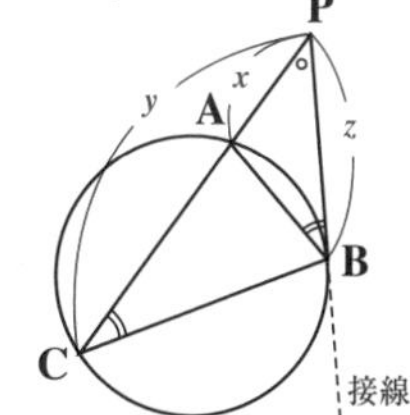

★★★元気に伸びる数学Ⅰ・A問題集★★★
補充問題（additional questions）

補充問題 1	難易度 ★★	範囲を押さえる型の整数問題

自然数 a, b, c, d が次の条件をみたす。

$a+b+2c+2d=2abcd$ ……①

$(0<a\leqq b\leqq c\leqq d)$

この条件をみたす自然数の組 (a, b, c, d) をすべて求めよ。

ヒント！ $0<a\leqq b\leqq c\leqq d$ より，①の左辺の a, b, c に d を代入すると，①は，$2abcd=a+b+2c+2d\leqq d+d+2d+2d=6d$ より，$abc\leqq 3$ と範囲を押さえることができる。これから，(a, b, c) の値の組を特定して，d の値を求めていけばいいんだね。頑張ろう！

解答＆解説

$a+b+2c+2d=2abcd$ ……①

$(a, b, c, d$：自然数$)$

ここで，$0<a\leqq b\leqq c\leqq d$ の条件より，①は，

$$2abcd=a+b+2c+2d$$
$$\leqq d+d+2d+2d=6d$$

よって，$2abcd\leqq 6d$ より，この両辺を $2d(>0)$ で割ると，

$abc\leqq 3$ ……② となる。

ここで，a, b, c は自然数（正の整数）より，②をみたす自然数の組 (a, b, c) は，$0<a\leqq b\leqq c$ より，

$(a, b, c)=(1, 1, 1), (1, 1, 2), (1, 1, 3)$ の 3 通りのみである。

ココがポイント

⇦ $a\leqq b\leqq c\leqq d$ より，a, b, c に d を代入すると，不等式ができて，これにより，abc の値の範囲を押さえることができる。

⇦ $abc\leqq 3$ ……②より，$abc=1$ または 2 または 3 となる。これから，自然数の組 (a, b, c) が 3 通りのみであることが分かる。

(i) $(a, b, c) = (1, 1, 1)$ のとき，

これらの値を①に代入すると，

$$1 + 1 + 2 \cdot 1 + 2d = 2 \cdot 1 \cdot 1 \cdot 1 \cdot d$$

$$4 + 2d = 2d$$

$\therefore 4 = 0$ となって，不適である。

⇦ $abc = 1$ のとき

(ii) $(a, b, c) = (1, 1, 2)$ のとき，

これらの値を①に代入して，

$$1 + 1 + 2 \cdot 2 + 2d = 2 \cdot 1 \cdot 1 \cdot 2 \cdot d$$

$$6 + 2d = 4d \qquad 2d = 6$$

$\therefore d = 3$ となる。

これは，$0 < a \leqq b \leqq c \leqq d$ の条件もみたす。

よって，

$(a, b, c, d) = (1, 1, 2, 3)$ となる。

⇦ $abc = 2$ のとき

⇦ $d = 3$ より，$(a, b, c, d) = (1, 1, 2, 3)$ となって，すべての条件をみたす。実際に，これらの値を①に代入すると，$\underbrace{1+1+2 \cdot 2+2 \cdot 3}_{12} = \underbrace{2 \cdot 1 \cdot 1 \cdot 2 \cdot 3}_{12}$ となって，成り立つことが分かる。

(iii) $(a, b, c) = (1, 1, 3)$ のとき，

これらの値を①に代入して，

$$1 + 1 + 2 \cdot 3 + 2d = 2 \cdot 1 \cdot 1 \cdot 3 \cdot d$$

$$8 + 2d = 6d \qquad 4d = 8$$

$\therefore d = 2$ となって，

$0 < a \leqq b \leqq c \leqq d$ の条件をみたさない。

よって，不適である。

⇦ $abc = 3$ のとき

⇦ $(a, b, c, d) = (1, 1, 3, 2)$ となって，$a \leqq b \leqq c \leqq d$ の条件をみたさない。

以上 (i)(ii)(iii) より，①の方程式と，

$0 < a \leqq b \leqq c \leqq d$ の条件をみたす自然数の値の組

(a, b, c, d) は，

$(a, b, c, d) = (1, 1, 2, 3)$ の 1 組のみである。

……(答)

補充問題 2	難易度 ★★	三角比と正四面体

1 辺の長さが **4** の正四面体 **ABCD** において，辺 **BC** の中点を **M** とし，頂点 **A** から線分 **DM** に下ろした垂線を **AH** とする。$\angle\mathbf{AMD} = \theta$ とするとき，次の問いに答えよ。

(1) $\cos\theta$ の値を求めよ。

(2) $\triangle\mathbf{AMD}$ の内接円の半径を求めよ。

(3) 三角錐 **AMCH** の体積を求めよ。 （北里大）

ヒント！ 典型的な正四面体の問題をもう **1** 題解いておこう。まず，図を描いて，**(1)**, **(2)** では正面体の断面の△**AMD** に着目して解いていこう。**(3)** 三角錐 **AMCH** は，底面が△**MCH** で高さが **AH** の三角錐と考えて，その体積を計算しよう。

解答＆解説

ココがポイント

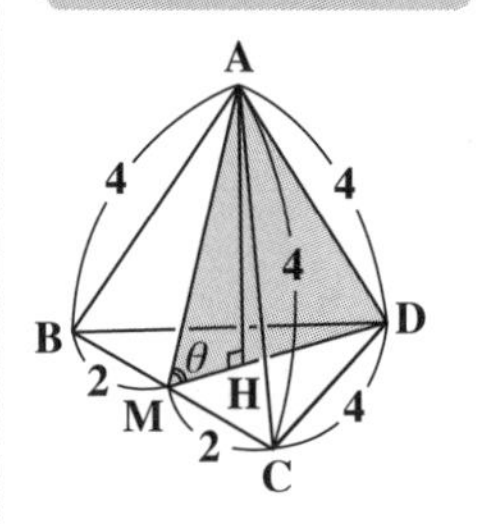

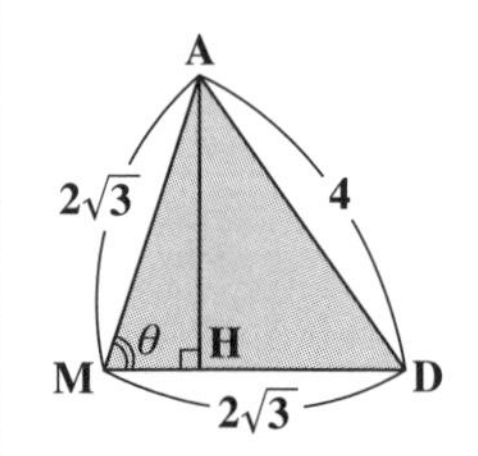

右図に示すように **1** 辺の長さが **4** の正面体 **ABCD** の辺 **BC** の中点を **M** とし，**A** から **DM** に下した垂線を **AH** とする。$\angle\mathbf{AMD} = \theta$ とおく。

(1) △**ABC** は **1** 辺の長さが **4** の正三角形より，中線 **AM** の長さは，$\mathbf{AM} = 2\sqrt{3}$ となる。

△**ABM** は，
AB : **BM** : **MA** $= 2 : 1 : \sqrt{3}$ の
直角三角形

同様に，$\mathbf{MD} = 2\sqrt{3}$

よって，△**AMD** は，

$\mathbf{AM} = \mathbf{MD} = 2\sqrt{3}$，$\mathbf{AD} = 4$ の二等辺三角形より，△**AMD** に余弦定理を用いると，

$$4^2 = (2\sqrt{3})^2 + (2\sqrt{3})^2 - 2\cdot 2\sqrt{3}\cdot 2\sqrt{3}\cdot\cos\theta$$

$$[\ \mathbf{AD}^2 = \mathbf{AM}^2 + \mathbf{MD}^2 - 2\cdot\mathbf{AM}\cdot\mathbf{MD}\cdot\cos\theta\ ]$$

$16 = 12 + 12 - 24\cdot\cos\theta$ より，

$\cos\theta = \dfrac{1}{3}$ である。 ………………………………(答)

⇦ $24\cos\theta = 24 - 16 = 8$
$\cos\theta = \dfrac{8}{24} = \dfrac{1}{3}$

(2) $0° < \theta < 90°$ より，$\sin\theta > 0$

$$\therefore \sin\theta = \sqrt{1-\cos^2\theta} = \sqrt{1-\left(\frac{1}{3}\right)^2} = \sqrt{\frac{8}{9}} = \frac{2\sqrt{2}}{3}$$

⇦ $\cos^2\theta + \sin^2\theta = 1$
$\sin\theta = \pm\sqrt{1-\cos^2\theta}$
$\sin\theta > 0$ より，
$\sin\theta = \sqrt{1-\cos^2\theta}$

よって，△AMD の面積を S とおくと，

$$S = \frac{1}{2}\cdot \mathrm{AM}\cdot \mathrm{MD}\cdot \sin\theta = \frac{1}{2}\cdot 2\sqrt{3}\cdot 2\sqrt{3}\cdot \frac{2\sqrt{2}}{3}$$
$= 4\sqrt{2}$ となる。

ここで，△AMD の内接円の半径を r とおくと，

$S = \frac{1}{2}(\mathrm{AM}+\mathrm{MD}+\mathrm{DA})\cdot r$ より，

$$4\sqrt{2} = \frac{1}{2}(2\sqrt{3}+2\sqrt{3}+4)\cdot r$$

$$r = \frac{2\sqrt{2}}{\sqrt{3}+1} = \frac{2\sqrt{2}(\sqrt{3}-1)}{(\sqrt{3}+1)(\sqrt{3}-1)} = \frac{2(\sqrt{6}-\sqrt{2})}{2}$$
$= \sqrt{6}-\sqrt{2}$ となる。……………………………(答)

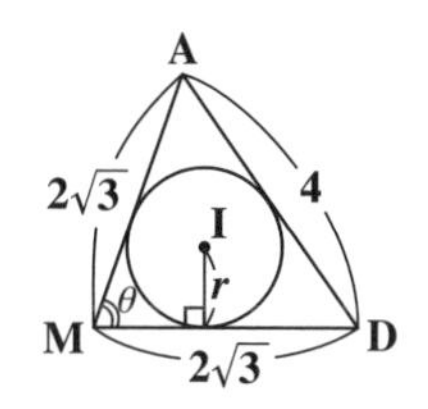

⇦ $4\sqrt{2} = \frac{1}{2}(4\sqrt{3}+4)\cdot r$

$r = \frac{4\sqrt{2}}{2\sqrt{3}+2}$

$= \frac{2\sqrt{2}}{\sqrt{3}+1}$

(3) 三角錐 AMCH は，右図に示すように，△MCH を底面とし，高さ AH の三角錐より，その体積を V とおくと，

$V = \frac{1}{3}\times \triangle\mathrm{MCH}\times \mathrm{AH}$ ……① である。

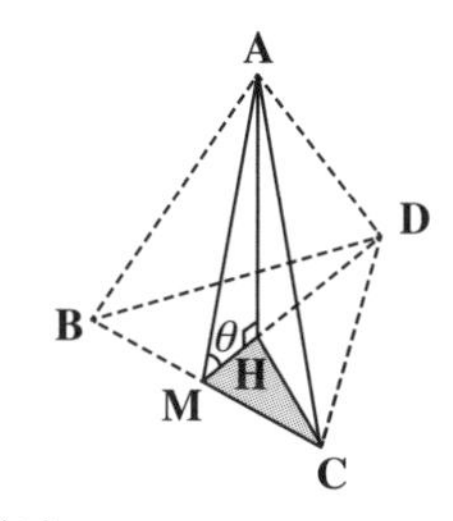

(ⅰ) 右図に示すように，点 H は正三角形 DBC の重心より，

$$\mathrm{HM} = \frac{1}{3}\cdot \mathrm{MD} = \frac{1}{3}\cdot 2\sqrt{3} = \frac{2\sqrt{3}}{3}$$

$$\therefore \triangle\mathrm{MCH} = \frac{1}{2}\cdot \mathrm{MC}\cdot \mathrm{HM} = \frac{1}{2}\cdot 2\cdot \frac{2\sqrt{3}}{3} = \frac{2\sqrt{3}}{3} \quad \cdots②$$

(ⅰ)

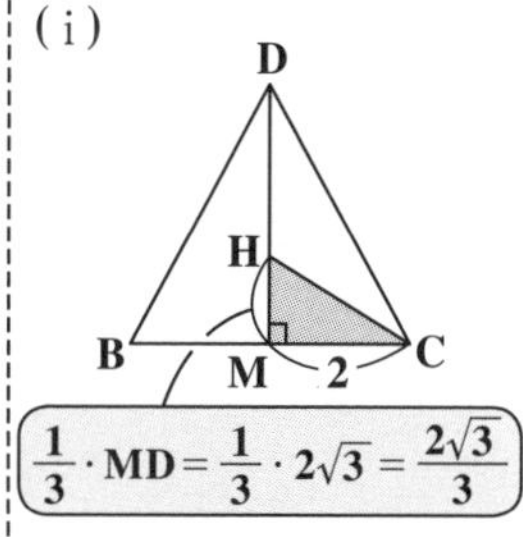

(ⅱ) 次に直角三角形 AMH に着目すると，

$\sin\theta = \frac{\mathrm{AH}}{\mathrm{AM}}$ より，

$$\mathrm{AH} = \mathrm{AM}\cdot \sin\theta = 2\sqrt{3}\cdot \frac{2\sqrt{2}}{3} = \frac{4\sqrt{6}}{3} \quad \cdots\cdots③$$

以上 (ⅰ)(ⅱ) より，②，③を①に代入して，求める三角錐 AMCH の体積 V は，

$$V = \frac{1}{3}\cdot \frac{2\sqrt{3}}{3}\cdot \frac{4\sqrt{6}}{3} = \frac{8\times 3\sqrt{2}}{27} = \frac{8\sqrt{2}}{9}$$ である。

………(答)

(ⅱ)

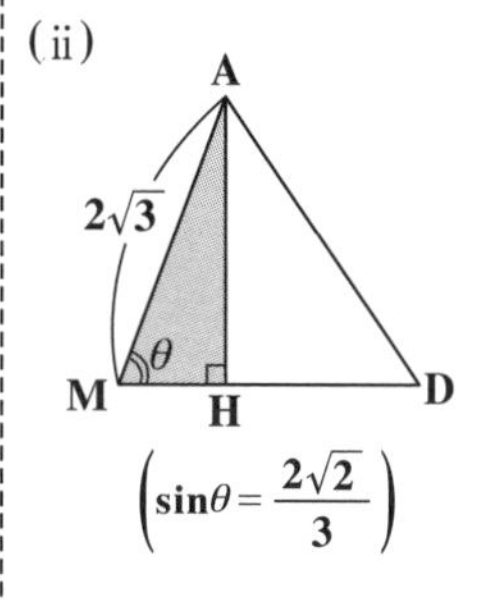

補充問題 3	難易度 ★★	三角比の図形への応用

円 **O** に内接する四角形 **ABCD** において，
$AB=2$，$BC=3$，$CA=\sqrt{3}$，$AD=CD$
とする。また，**AC** と **BD** の交点を **E**，
$\angle ABC=\theta$ とおく。
(1) $\cos\theta$ と $\sin\theta$，および円 **O** の外接円の半径 R を求めよ。
(2) **AE**，**AD**，**BD** の長さを求めよ。
(3) 四角形 **ABCD** の面積 S を求めよ。

（京都産業大＊）

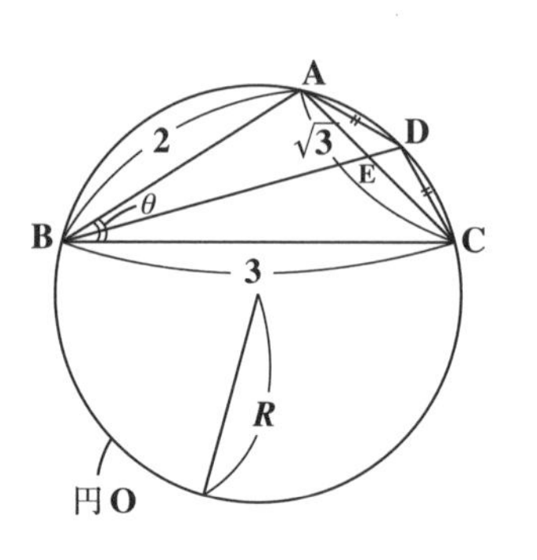

ヒント！ **(1)** では△**ABC** に余弦定理を用いて $\cos\theta$ を求め，さらに $\sin\theta$ を求めて，正弦定理から半径 R を求めよう。**(2)** 頂角の **2** 等分線の公式や，余弦定理，トレミーの定理を利用しよう。**(3)** は，**2** つの三角形△**ABC** と△**ACD** の面積の和として計算すればいい。

解答＆解説

ココがポイント

(1) △**ABC** に余弦定理を用いると，

$$\cos\theta=\frac{2^2+3^2-(\sqrt{3})^2}{2\cdot2\cdot3}=\frac{4+9-3}{12}=\frac{10}{12}=\frac{5}{6}\ \cdots①\cdots(答)$$

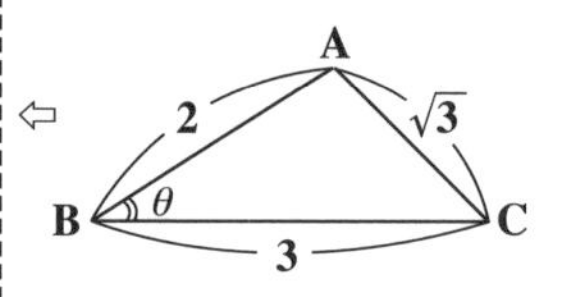

$\sin^2\theta+\cos^2\theta=1$ かつ $\sin\theta>0$ より，①から，

$$\sin\theta=\sqrt{1-\cos^2\theta}=\sqrt{1-\left(\frac{5}{6}\right)^2}=\sqrt{\frac{36-25}{36}}=\frac{\sqrt{11}}{6}\ \cdots②\cdots(答)$$

△**ABC** に正弦定理を用いると，外接円の半径 R は，

$$\frac{\sqrt{3}}{\sin\theta}=2R\ より，\ R=\frac{\sqrt{3}}{2\cdot\frac{\sqrt{11}}{6}}=\frac{3\sqrt{3}}{\sqrt{11}}=\frac{3\sqrt{33}}{11}$$

……(答)

⇦ $R=\dfrac{\sqrt{3}}{\frac{\sqrt{11}}{3}}=\dfrac{3\sqrt{3}}{\sqrt{11}}$

(2) ・$AD=CD$ より $\overset{\frown}{AD}=\overset{\frown}{CD}$　よって，同じ長さの弧に対する円周角は等しいので，$\angle ABE=\angle CBE=\frac{1}{2}\theta$ となる。よって，△**ABC** について，**BE** は頂角 $\angle ABC$ の **2** 等分線なので，頂角の **2** 等分線の定理より，

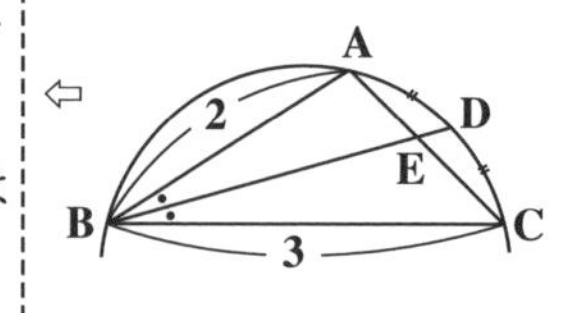

$AE : EC = AB : BC = 2 : 3$ となる。

$\therefore AE = \dfrac{2}{5}AC = \dfrac{2}{5}\cdot\sqrt{3} = \dfrac{2\sqrt{3}}{5}$ …………(答)

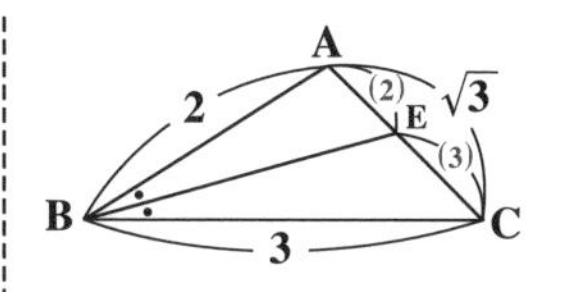

・□ABCD は円に内接する四角形なので，その内対角の和は $180°$ である。よって，

$\underbrace{\angle ABC}_{\theta} + \angle ADC = 180°$ より，$\angle ADC = 180° - \theta$

$\therefore \cos\angle ADC = \cos(180° - \theta) = -\cos\theta = -\dfrac{5}{6}$ ……③（①より）

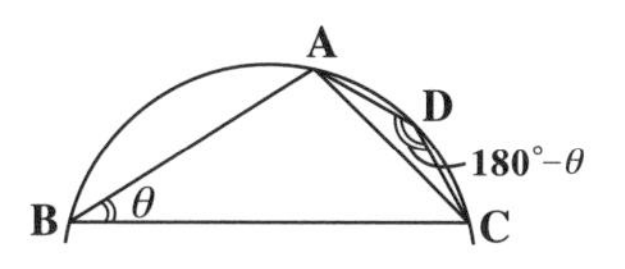

ここで，△ACD について，$AD = CD = x$ とおいて，余弦定理を用いると，

$\underbrace{\cos\angle ADC}_{-\frac{5}{6}\ (③より)} = \dfrac{x^2 + x^2 - (\sqrt{3})^2}{2\cdot x\cdot x}$ より，$-\dfrac{5}{6} = \dfrac{2x^2 - 3}{2x^2}$

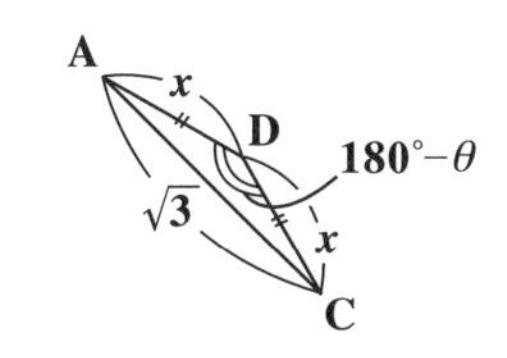

$-5x^2 = 3(2x^2 - 3)$，$-5x^2 = 6x^2 - 9$，$11x^2 = 9$

$x^2 = \dfrac{9}{11}$ ……④

$\therefore AD = x = \sqrt{\dfrac{9}{11}} = \dfrac{3}{\sqrt{11}} = \dfrac{3\sqrt{11}}{11}$ …④′…(答)

・□ABCDにトレミーの定理を用いると，

$BD \times \sqrt{3} = 3 \times x + 2 \times x \quad \therefore BD = \dfrac{5}{\sqrt{3}}\cdot x$

これに④′を代入して，

$BD = \dfrac{5}{\sqrt{3}} \times \dfrac{3\sqrt{11}}{11} = \dfrac{5\sqrt{3}\times\sqrt{11}}{11} = \dfrac{5\sqrt{33}}{11}$ ……(答)

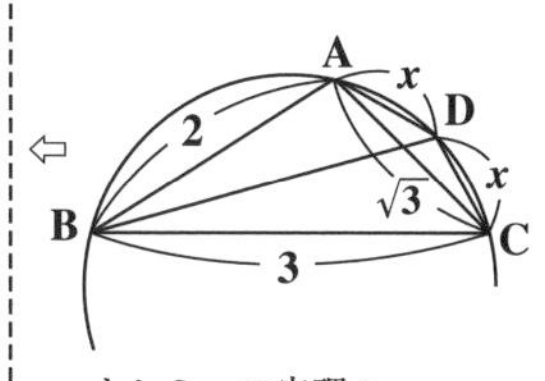

トレミーの定理：
$BD \times \sqrt{3} = x \times 3 + x \times 2$

(3) □ABCDの面積 S は，

$S = \triangle ABC + \triangle ACD$

$= \dfrac{1}{2}\times 2\times 3\times \underbrace{\sin\theta}_{\frac{\sqrt{11}}{6}\ (②より)} + \dfrac{1}{2}\times \underbrace{x\times x}_{x^2=\frac{9}{11}\ (④より)} \times \overbrace{\sin(180° - \theta)}^{\sin\theta = \frac{\sqrt{11}}{6}}$

$= 3\times\dfrac{\sqrt{11}}{6} + \dfrac{1}{2}\times\dfrac{9}{11}\times\dfrac{\sqrt{11}}{6} = \dfrac{\sqrt{11}}{2} + \dfrac{3\sqrt{11}}{44}$

$= \dfrac{22+3}{44}\cdot\sqrt{11} = \dfrac{25\sqrt{11}}{44}$ である。…………(答)

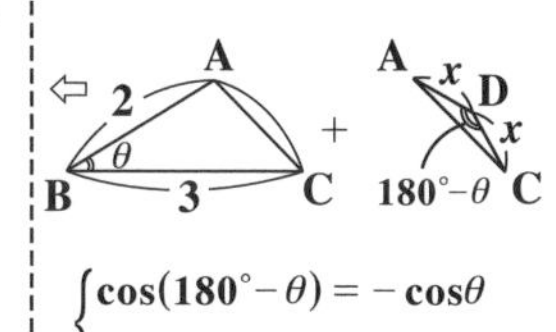

$\begin{cases}\cos(180° - \theta) = -\cos\theta \\ \sin(180° - \theta) = \sin\theta\end{cases}$

スバラシク伸びると評判の
元気に伸びる 数学I・A 問題集
改訂4

著　者　馬場 敬之
発行者　馬場 敬之
発行所　マセマ出版社
〒 332-0023 埼玉県川口市飯塚 3-7-21-502
TEL 048-253-1734　FAX 048-253-1729
Email：info@mathema.jp
https://www.mathema.jp

編　集　山崎 晃平
校閲・校正　高杉 豊　秋野 麻里子　馬場 貴史
制作協力　久池井 茂　栄 瑠璃子　真下 久志
石神 和幸　松本 康平　小野 祐汰
木津 祐太郎　奥村 康平
三浦 優希子　町田 朱美
カバーデザイン　児玉 篤　児玉 則子
ロゴデザイン　馬場 利貞
印刷所　中央精版印刷株式会社

平成 27 年 10 月 4 日　初版発行
平成 29 年 7 月 27 日　改訂 1　4 刷
令和 2 年 1 月 24 日　改訂 2　4 刷
令和 3 年 4 月 14 日　改訂 3　4 刷
令和 4 年 4 月 15 日　改訂 4 初版発行

ISBN978-4-86615-212-7 C7041
落丁・乱丁本はお取りかえいたします。